D0418875

Bruid van Argentinië

*Van dezelfde auteur:*

Spreek zacht
Perfecte familie

PAM LEWIS

# BRUID VAN ARGENTINIË

the house of books

Met dank aan Margriet,
die de Leesgids heeft samengesteld

*Oorspronkelijke titel*
A Young Wife
*Uitgave*
Simon & Schuster, New York


*Vertaling*
Jan Smit
*Omslagontwerp*
Studio Jan de Boer BNO, Amsterdam
*Omslagbeeld*
Lee Avison/Trevillian Images
*Foto auteur*
Jerry Bauer
*Opmaak binnenwerk*
ZetSpiegel, Best

ISBN 978 90 443 3388 6
NUR 302
D/2012/8899/29

www.thehouseofbooks.com
www.pamlewisonline.com

*In dierbare herinnering*
*Eelkje van der Wal Thummler*
*Elly Thummler Lewis*

# Deel een

## Enkhuizen, Nederland

*Januari 1912*

# 1

MINKE HOORDE ZIJN fluwelen stem beneden; de bezoeker uit Amsterdam moest zijn aangekomen. Sander DeVries was zijn naam, een rijk man, volgens de geruchten, en een ver familielid, hoewel in Nederland iedereen verre familie van elkaar was. Hij bezat een schip, of meer schepen, of zoiets. Hij had kinderen die ouder waren dan Minke, en een vrouw die op sterven lag. Dat was alles wat ze wist.

Ze lag op de vloer en tuurde langs de ladder omlaag naar de keukendeur. De hoge lach van haar moeder verried haar zenuwen. Haar oudere zus Fenna, die met haar zestien jaar de meest gezaghebbende stem had, vroeg hem om zijn jas en sjaal en nodigde hem uit te gaan zitten. Haar vader schraapte zijn keel. Iedereen in de stad zou over dit bezoekje praten. Een vreemdeling in Enkhuizen was een gebeurtenis.

Ze zwaaide haar voeten over de rand en daalde de ladder af tot aan de middelste sport, waar ze bleef zitten en zich vooroverboog om een glimp van hem op te vangen. Ze mocht zich eigenlijk niet laten zien, omdat Fenna al aanspraak had gemaakt op de betrekking die hij waarschijnlijk ging aanbieden. Fenna was steviger en sterker dan Minke. Haar zelfverzekerde houding en haar rauwe gevoel voor humor maakten haar beter geschikt om met een stervende vrouw om te gaan.

Met zijn prettige, welluidende stem vertelde meneer DeVries over zijn automobiel, de ijzige wegen en de muffe lucht van de zee hier in Enkhuizen. Het speet hem dat de beide families in de loop van de jaren niet meer contact hadden gehad. Op die fluwelen toon legde hij uit dat zijn eigen Elisabeth met het plan was gekomen om een van de meisjes Van Aisma te vragen naar Amsterdam te komen. Elisabeth, zoals ze natuurlijk wisten, was de dochter van papa's veel oudere nicht Klara. Minke herkende de naam, want vijf jaar geleden was ze naar Klara's begrafenis in Leeuwarden geweest. Meneer DeVries sloeg nu een ernstige toon aan. 'Dit is een betrekking voor iemand met veel geduld,' zei hij.

'Ik ben heel geduldig,' zei Fenna snel.

'En dat andere meisje?' Hij had het over haar! Zachtjes deed ze nog een stap de ladder af om in de voorkamer te kunnen kijken. Hij zat aan de familietafel, met zijn gezicht naar haar toe, en trommelde met zijn vingers op het tafelblad, omringd door Fenna, mama en papa.

'Ach, daar hebben we de andere!' Minke besefte dat hij tegen haar sprak en dat er opeens een stilte viel. Hij had haar betrapt bij het spioneren. Met een hoogrode kleur stapte ze de kamer binnen. Hij stond op, en zijn stoel schraapte over de vloer. Hij was net zo groot als haar vader, de langste man in de hele stad. Maar waar papa broodmager was, had meneer DeVries het krachtige postuur van een atleet. Zijn haar en zijn snor waren rossig, en hij had een gebeeldhouwd, knap gezicht.

Het viel Minke nu pas op, maar ze vroeg zich af waarom hun moeder Fenna die veel te krappe jurk had laten aantrekken voor het bezoek. Het lijfje en de taille waren zo strak dat Fenna's borsten tegen de stof priemden. Het kon Fenna niets schelen hoe ze eruitzag. Ze had hetzelfde witblonde haar als Minke, maar het hare miste glans. Haar blauwe ogen puilden een beetje uit en haar huid was rood van de zon. Ze keek geërgerd bij Minkes interruptie.

'Alsjeblieft.' Meneer DeVries trok zijn stoel bij de tafel weg en keek Minke zo doordringend aan dat ze dacht dat er iets van haar verwacht werd. Maar wat? 'Ga toch zitten,' zei hij, nog steeds met zijn ogen strak op haar gericht. Ze keek naar mama om toestemming te vragen, maar haar moeder haalde verbaasd haar schouders op. Het bezoek verliep blijkbaar anders dan ze had verwacht.

'Ik ga naar Amsterdam met meneer DeVries.' Fenna's stem had een scherpe klank.

Mama lachte weer, nerveus. Ze wilde heel graag dat Fenna deze betrekking zou krijgen, want thuis was ze haar tot last. Minke zou ook blij zijn als ze vertrok, en voelde zich daar schuldig over, maar het was zó vervelend om met Fenna naar school te gaan – of wat dan ook te doen met Fenna. Jongens hielden haar voor losbandig, meisjes meden haar. Het was beter dat Fenna naar Amsterdam zou vertrekken, een heel eind weg.

Minke liet zich op de lege stoel zakken die meneer DeVries haar aanbood en had moeite zichzelf een houding te geven.

'Bedank onze gast, Minke,' zei mama.

Minke draaide haar gezicht naar hem toe en zei, bijna fluisterend: 'Dank u, meneer DeVries.'

'Dus je heet Minke?' zei hij. 'Wat een mooie naam.'

Ze staarde naar haar schoot. Mama had gezegd dat ze vandaag niet in de voorkamer mocht komen, en toch zat ze hier, met alle aandacht op zich gevestigd.

'En jij bent de oudste zus?'

'Ze is jonger dan ik,' zei Fenna.

Hij dacht daar even over na en liep toen om de tafel heen, met zijn handen op zijn rug. Achter Fenna bleef hij staan. 'Fenna, jij lijkt erg op mijn Elisabeth. Als twee druppels water.' Fenna straalde. Ze kon er wel lief uitzien, op een ondeugende manier, als ze glimlachte. 'Maar juist daarom ben ik blij dat ik je zuster heb ontmoet.'

Niemand zei iets. Het klonk niet erg logisch. Minke stond hier immers helemaal buiten. Meneer DeVries sloot zijn ogen en hief zijn gezicht naar het plafond. Het leek of de naam van zijn vrouw hem opeens weer in een heel andere stemming bracht. Hij liet zijn zware handen op Fenna's schouders rusten. 'Mijn vrouw heeft een sterke wil – net als jij, vermoed ik.'

'Ja,' zei Fenna, en Minke vroeg zich af hoe hij dat zo snel had ingezien.

Meneer DeVries schudde zijn hoofd. 'Dat gaat niet goed samen. In het gezelschap van een andere koppige vrouw zal mijn vrouw zich verzetten, haar medicijnen weigeren, zich niet willen schikken. In haar laatste dagen heeft ze behoefte aan rustiger gezelschap. Die karaktertrek zie ik wel bij Minke. Zij lijkt me meer geschikt om naar Amsterdam te komen.'

Fenna draaide zich bliksemsnel om en greep zijn handen alsof ze beslag op hem wilde leggen. 'Maar dat is niet eerlijk!' zei ze. 'Het was al besloten!'

'Je hebt gelijk,' zei meneer DeVries. 'Ik heb mijn besluit genomen.'

'Mama?' zei Minke, totaal in verwarring.

'Meneer DeVries, begrijp ik u nu goed? Hebt u voor Minke gekozen, in plaats van Fenna, om uw vrouw te verzorgen?' vroeg mama.

Meneer DeVries knikte en maakte zijn handen los uit Fenna's greep.

'Dit zou niet zijn gebeurd als jij boven was gebleven, zoals afgesproken,' zei Fenna.

'Het is mijn schuld niet,' zei Minke.

'Zij krijgt weer haar zin, zo gaat het altijd,' zei Fenna tegen haar moeder. 'U en papa trekken haar altijd voor.'

O, ze kon Minke zo kwaad maken met dat afgezaagde, totaal uit de lucht gegrepen verwijt. Fenna had altijd de dienst uitgemaakt met haar eisen en driftbuien. Papa en mama konden zich soms dagenlang alleen om haar bekommeren, zodat Minke zich onzichtbaar voelde.

'Fenna, we wilden echt dat jij die positie zou krijgen.' Mama was zo rood als een biet.

'En bovendien...' begon Minke, maar ze zweeg abrupt. *Wil ik het niet eens,* had ze willen zeggen. Ze had helemaal geen zin om voor een zieke vrouw te gaan zorgen. 'Fenna zou u zeker niet teleurstellen, meneer,' zei ze tegen hun gast.

'Ze is veel te eigenzinnig voor dat werk, zoals ik al vermoedde.'

'Papa, doe iets!' smeekte Fenna.

Papa spreidde machteloos zijn handen.

Meneer DeVries, die nog altijd achter Fenna stond, tikte haar licht met beide handen op haar wangen. 'Rustig nou maar,' zei hij. 'Het spijt me erg dat je van streek bent, maar Elisabeth is heel kwetsbaar nu.'

Vanaf dat moment deed Fenna er het zwijgen toe en volgde hun bezoeker slechts met haar ogen, terwijl hij met papa en mama het loon besprak.

Minke reed met meneer DeVries mee in zijn glimmende gele automobiel. 'Een Spyker,' zei hij. De kachel van de auto blies tegen haar voeten, die pijnlijk opzwollen in haar krappe schoenen. Ze staarde recht voor zich uit, opgewonden door de ongelooflijke snelheid en doodsbang als meneer DeVries op de rem trapte zodra ze een paard-en-wagen inhaalden. Hij haalde de hendels over en bediende de knoppen. Hij draaide aan het stuur, en Minke kon haar ogen niet van zijn prachtige, honingkleurige handschoenen afhouden. Toen hij haar bewonderende blik zag, spreidde hij de vingers van beide handen en zei: 'Varkensleer, het soepelste leer dat er is.'

Op dat moment slipte de auto opzij, helde scherp naar rechts en kwam schuivend tot staan, gevolgd door een doodse stilte.

'Het spijt me,' fluisterde Minke. Het was haar schuld, omdat ze zijn aandacht had afgeleid. Ze waren van de weg geraakt en in een greppel terechtgekomen, onder zo'n steile hoek dat ze buiten haar raampje enkel sneeuw en door zijn raampje alleen de hemel kon zien.

Hij staarde bijna ongelovig naar het stuur en duwde toen met grote moeite het portier open, dat door de zwaartekracht meteen tegen hem terugviel. Toen het hem eindelijk was gelukt zich er doorheen te wringen, klom hij het talud op, waar Minke zijn benen heen en weer zag gaan over de weg. Ze had nooit met hem mee moeten gaan. Dat was een vergissing geweest, en waarschijnlijk haatte hij haar nu al omdat ze dit ongeluk had veroorzaakt. Ze wist niet eens of ze wel de kracht bezat om uit de auto te klauteren, zoals hij had gedaan. Voor Fenna zou dat geen probleem zijn geweest. Sterker nog, Fenna zou al buiten hebben gestaan om iets te doen – de weg af rennen om hulp te halen, of misschien wel bevelen roepen. Het gezicht van meneer DeVries verscheen voor het open raampje. 'Als jij stuurt, dan zal ik duwen.'

Voordat ze wist wat er gebeurde boog hij zich door het

raampje om haar van de passagierskant naar de stoel van de bestuurder te sjorren, terwijl zij probeerde op de een of andere manier haar voeten onder zich te krijgen, wat niet meeviel met haar zware jas, de beperkte ruimte en al die hendels die in de weg zaten.

Toen ze eindelijk achter het stuur zat, gaf hij haar een lesje, als je het zo kon noemen. Eerst legde hij een gehandschoende hand op haar rechterbeen. Het pedaal onder die voet was het gas, de aandrijving van de auto. Dat wist iedereen, ook als je zelf geen auto had. Daarna legde hij zijn hand op haar linkerbeen. Dat pedaal werd de koppeling genoemd, en die moest ze langzaam laten opkomen terwijl ze op hetzelfde moment gas gaf om de versnelling in te schakelen, zodat de auto in beweging zou komen.

Hij schoot inderdaad vooruit, met een schok en luid geknars van tandwielen, voordat hij weer stopte. Meneer gaf een ruk aan de slinger aan de voorkant, zodat ze het opnieuw kon proberen. Zweet parelde op zijn gezicht van de inspanning.

Ze probeerde het nog eens, en opnieuw, terwijl er tranen van frustratie over haar wangen liepen. Met iedere poging voelde ze zich machtelozer worden. Maar de vijfde of zesde keer ging het opeens anders. Toen haar voeten weer langs elkaar heen bewogen op de pedalen, voelde ze een lichte maar stevige weerstand en lukte het haar om het gaspedaal eerst even in te drukken en dan pas volledig tot op de vloer. De auto sprong het talud op en kwam daar weer tot stilstand, met hetzelfde geknars als zopas. Maar ze waren vrij. Ze had het voor elkaar gekregen! Meneer stond nog in de greppel, met een blije lach op zijn gezicht. Zijn prachtige cameljas zat onder de spetters en zijn handschoenen waren donker verkleurd door de sneeuw. De rest van de reis, ook al was hij bemodderd en stonk de auto naar natte wol, zat hij tegen haar te stralen.

'Nou, nou,' zei hij, 'ik heb een meisje gekozen dat zich heel goed kan redden.'

Als kind was ze één keer in Amsterdam geweest, maar ze kon zich weinig herinneren van al die samenkomende straten, of de brede grachten, zoveel dieper en donkerder dan de grachtjes thuis. De Spyker stopte op een gracht met een lange rij stenen huizen, twee keer zo hoog als de huizen in haar eigen stad, met hijsbalken en prachtige gevels bekroond door een punt met mooie stenen krullen.

Waar Minke vandaan kwam hadden de huizen alleen een voor- en een achterdeur, en bleef de voordeur altijd dicht, behalve voor bruiloften en begrafenissen. Maar dit huis had twee voordeuren naast elkaar. De deur rechts gaf toegang tot de opslag van zijn importgoederen, legde meneer uit, terwijl hij de linker opende en Minke naar binnen loodste. Daar stond ze onder aan een steile, bochtige trap, die werd verlicht door gaslampen. De zware geur kwam haar onbekend voor, maar ze nam aan dat het de lucht van ziekte was.

Ze volgde zijn brede rug naar een overloop, waar ze een snelle blik in de voorkamer kon werpen voordat hij haar verder wenkte. De gordijnen waren dicht, het was er warm, en Minke kreeg een indruk van veel meubels – te veel voor de kamer – die met hoezen waren bedekt. Op de overloop was de lucht nog sterker.

Tot dit moment was ze niet bang geweest voor wat haar te wachten stond. Ze wist niet aan wat voor ziekte mevrouw De-Vries leed, wat ze kon verwachten of wat ze zou moeten doen. Ze had verhalen gehoord over de vreselijke dood die sommige mensen stierven, en hoe ze soms smeekten om uit hun lijden te worden verlost. Toen haar oom doodging, had ze hem alleen achteraf gezien, netjes in zijn kist, met een ingevallen gezicht. En toen haar oma ziek werd, had ze toegekeken terwijl mama haar waste en haar haren vlocht. Minke had nog nooit iemand verzorgd, behalve Fenna, die bij het eerste kuchje al haar bed in dook.

Een volgende trap vanaf de overloop kwam uit op een hogere verdieping, waar de deur van een donkere kamer op een kier stond. Minke voelde een beweging binnen en ving een glimp op van het bleke gezicht van een vrouw. Daarna ging het huis verder in een doolhof van korte trappetjes en gangetjes, zigzaggend naar een groter kamer boven – de ziekenkamer, aan de lucht te oordelen. Er waren twee bedsteden aan de rechterkant, allebei met de deuren gesloten. Een kleine tafel en stoel stonden naast een van de bedden, met flesjes medicijnen op het tafeltje. Net als de rest van het huis was de kamer donker, afgesloten en bedompt.

Met zijn zachte stem kondigde meneer DeVries aan dat hij een geweldig meisje had meegenomen om te helpen. Hij opende de deur van een van de bedsteden en boog zich naar binnen, waardoor hij Minke het zicht ontnam. Ze schrok toen hij zich oprichtte en opzij stapte. Het gezicht van de vrouw leek wel een doodshoofd, bedekt met nog een heel dun laagje doorschijnende huid. Haar ogen waren onnatuurlijk groot en haar haar hing in donkere, ongewassen pieken. Maar haar nachthemd was zuiver wit, gebleekt, gestreken en zo hard gesteven dat de kraag met pijnlijk uitziende punten tegen de magere hals drukte. Minke wilde een raam opengooien. Ze was bang dat ze moest kokhalzen.

'Kom!' Meneer DeVries wenkte haar met het enthousiasme van een man die een prachtige prijs uitreikte. 'Elisabeth, dit is Minke, je nichtje uit Enkhuizen.' Hij klopte op de rand van het bed en Minke stapte gehoorzaam op het krukje om op het bed te gaan zitten. Ze keek neer op mevrouw DeVries, die haar met haar grote ogen aandachtig opnam: haar gezicht, haar kleren, haar handen.

'Ik ben hier om voor u te zorgen.'

Meneer DeVries schraapte zijn keel, en toen Minke zich omdraaide, zag ze dat er nog twee mensen de kamer waren binnengekomen. 'Mijn zoon Willem, we noemen hem Pim, en mijn dochter Griet.'

Minke wist meteen dat het Griets gezicht was dat ze in het halfdonker had gezien. Griet was ongeveer van haar eigen leeftijd, misschien een jaar ouder. Ze had het rossig blonde haar van haar vader en zag er weldoorvoed uit. Haar ogen gingen snel van Minke naar haar vader. Pim was kleiner dan zijn zus maar leek een paar jaar ouder.

'Dus je komt uit Enkhuizen?' Griet nam haar van hoofd tot voeten op.

Minke knikte.

'Waar ligt dat, papa?' vroeg Griet aan haar vader. 'Ik bedoel...' Ze wuifde met haar hand, alsof ze het hele land omvatte, 'ik kan het niet plaatsen.'

'Aan de Zuiderzee,' antwoordde Pim. Hij had een breed voorhoofd en een stijve houding.

'Minke heeft ons een greppel uit gereden!' Meneer DeVries keek haar stralend aan. 'Hoor je dat, Elisabeth? We raakten van de weg en Minke heeft ons gered.'

'Heb jij in papa's auto gereden?' Griet wendde zich weer tot haar vader. 'Ik wil ook rijden! Waarom mag ik dat niet?'

Meneer DeVries schudde ongeduldig zijn hoofd. 'We zaten vast,' zei hij. Toen draaide hij zich abrupt om en opende de deuren van de andere bedstee. 'Jij slaapt hier,' zei hij tegen Minke. 'Met de deuren open, voor het geval mijn vrouw je nodig heeft. We eten over een halfuur.'

Hij loodste de kinderen de kamer uit en liet Minke alleen met haar patiënte. Ze had in haar leven nog nooit in haar eentje in een bed geslapen. Toen ze klein was, sliep ze bij papa en mama, en de afgelopen zes jaar had ze een bed gedeeld met Fenna.

'Neem het ze maar niet kwalijk,' fluisterde mevrouw DeVries. Ze zat nu wat meer overeind, ondersteund door de kussens. Ze haalde haar schouders op en liet ze weer zakken. 'Van Sander mogen ze doen waar ze zin in hebben.'

'Het moet moeilijk voor hen zijn om u zo ziek te zien,' zei Minke.

Mevrouw keek langs Minke heen naar het raam. 'Ze redden zich wel.'

'Ik bedoelde alleen...'

Mevrouw kromp een moment ineen van pijn. 'Ik moet twee keer per dag worden gedraaid,' zei ze zacht. 'Vanwege het doorliggen.' Ze doezelde weg, met haar ogen halfdicht, en sperde ze toen weer open. 'Als ik mijn medicijnen nodig heb...' Ze haalde snel adem. 'Dan breng je die meteen, wat er ook gebeurt. Waar je ook bent, in huis. Voel maar.' Ze legde Minkes hand op de zijkant van haar buik. Minke voelde een harde, grillige knobbel, als een steen. Ondanks haar afkeer was ze vastbesloten haar hand niet terug te trekken. Als Elisabeth hiermee moest leven, kon Minke het verdragen om het aan te raken. Ze sloot haar ogen. Toen ze weer keek, was mevrouw DeVries in slaap gevallen.

Minke haalde heel langzaam haar hand weg en probeerde zich te oriënteren. Ze had nu al heimwee naar huis en naar haar moeder. Mama zou wel weten hoe het verder moest. Minke opende een raam op een kier om de koude lucht in haar longen te zuigen en haar hoofd vrij te maken. Aan de overkant van de gracht stonden net zulke huizen als dit, van grijze steen, met mooie krullen op de gevels. Ze telde de verdiepingen: zes. Nog nooit had ze zulke hoge gebouwen gezien, behalve de Drommedaris, de grote vestingtoren in Enkhuizen, en natuurlijk de Westerkerk. Maar verder stonden er alleen kleine huizen in haar stadje, met de keuken, de voorkamer en de bedden beneden, en opslag op zolder.

Ze beet op haar lip. Wat zou mama nu hebben gedaan? Haar blik gleed door de kamer. *Alles op zijn tijd,* zou mama zeggen. Voordat het donker werd, moest ze haar spullen uitpakken. Ze borg haar schaarse bezittingen in de laden van de kleerkast en hing haar twee jurken op, terwijl ze voortdurend op mevrouw lette.

Ze was nauwelijks klaar toen de deur openging en meneer DeVries binnenkwam met een olielamp. Zijn vrouw bewoog zich niet. Hij hield de lamp bij haar gezicht. 'Vroeger was ze zo mooi, net als jij,' zei hij. Minke sloeg snel haar ogen neer, gegeneerd dat hij zulke dingen zei waar zijn vrouw bij was. 'Ik kwam je zeggen dat het etenstijd is.'

---

Gaslicht brandde in de eetkamer. Pim en Griet stonden naast elkaar te wachten, achter hun stoelen aan de lange tafel. Minke verwonderde zich over de meubels, die groot en sterk waren, heel anders dan bij haar thuis. En aan de muren hingen wandkleden met Chinezen die fronsend de kamer in blikten. Zelfs het servies was heel vreemd, met een draaiend eiland in het midden waarop kleurige borden en schalen stonden. De familie DeVries had prachtige metalen pannen in alle soorten en maten, versierd met bijzondere dieren- en vrouwenfiguren. Minke vroeg zich af wie er had gekookt. Zeker niet Griet, die haar armen over elkaar had geslagen en nors voor zich uit keek.

'Papa zegt dat je verpleegster bent,' zei Pim, terwijl hij een linnen servet onder zijn kin vouwde.

Ze keek snel naar meneer DeVries, die haar tot haar verbazing bevestigend toeknikte. Ze kon hem beter niet tegenspreken, hoewel ze geen idee had waarom hij zo'n leugentje had verteld.

'Ze is te jong om verpleegster te zijn,' zei Griet, alsof Minke niet in de kamer was. 'Ze gaat toch dood, weet je. Volgens de dokters. Dat heeft papa je toch wel verteld?'

Op dat moment kwam het dienstmeisje binnen en verscheen de kokkin in de deuropening om een blik op Minke te werpen vanuit de dampende keuken. Minke glimlachte en zei gedag.

'Hoorde je wat ik zei?' vroeg Griet.

'Natuurlijk,' antwoordde Minke.

'En?'

'Ik zal haar verzorgen alsof ze mijn eigen moeder was.'

'Ik heb het heel erg druk,' zei Griet pruilend. 'Als je dat soms bedoelt.'

'Ik bedoel wat ik zeg.'

Meneer DeVries keek haar goedkeurend aan, alsof ze een test had doorstaan. Daarna praatte de familie met elkaar zonder acht op haar te slaan, wat Minke goed uitkwam. Zo kreeg ze dingen te horen. Meneer DeVries maakte zich zorgen over zijn zaak. Alle drie waren ze nogal zorgelijk. Het had iets te maken met nieuwe wetten vanuit Den Haag, de mogelijkheid van een oorlog en geruchten over de inbeslagname van schepen die onder Nederlandse vlag voeren. Minke begreep het allemaal niet, behalve dat meneer zich ongerust maakte. Het gesprek was wat makkelijker voor haar te volgen toen het over de kinderen ging. Pim studeerde rechten aan de universiteit en Griet had haar bruiloft uitgesteld vanwege de ziekte van haar moeder. Dat zinde haar niet erg, omdat ze bang was dat haar verloofde niet wilde wachten. Ze klaagde over al het werk – verstellen, wassen, noem maar op. 'Ik hoop dat je kunt naaien,' zei ze tegen Minke toen ze klaar waren met hun toetje.

'O, dat vind ik leuk, ja,' zei Minke. 'Ik heb deze jurk ook zelf gemaakt.' Ze spreidde haar armen om hem te laten zien.

'Dan kan ze helpen met mijn trouwjurk,' zei Griet tegen haar vader.

'Alles op zijn tijd,' zei meneer DeVries. 'Minke heeft nog genoeg te doen.'

De volgende morgen waste Minke zich aan de wastafel. Moest ze mevrouw DeVries wakker maken? Nee, ze kon haar beter laten slapen. Het was haar eigen beslissing, en ze had niemand in de buurt om haar iets anders te vertellen. Ze zette het raam open om de kamer te luchten, die naar urine rook. De kilte wekte mevrouw DeVries. 'Heerlijk,' zei ze.

'Wilt u ontbijt, mevrouw DeVries?'

De vrouw nam haar aandachtig op. 'Je bent nog heel jong. Zeg maar Elisabeth, als je wilt.'

'Ik ben vijftien,' zei Minke, een beetje in de war gebracht door dat verzoek. Een volwassen vrouw bij haar voornaam noemen was niet gepast, maar ze zou het proberen. 'Zal ik thee halen?'

Elisabeth sloot haar ogen.

Minke stapte de gang in om naar de keuken te gaan, maar er stond al een blad bij de deur met koffie en twee gepocheerde eieren. Alles was koud. De volgende morgen moest ze eerder wakker worden.

Er werd geklopt toen Minke probeerde met een lepeltje wat kleine hapjes ei tussen de droge lippen van mevrouw DeVries te steken. 'Ja?' zei ze.

Pim opende de deur maar leek te aarzelen om binnen te komen.

'Ach, daar hebben we mijn lieve zoon, de advocaat,' zei Elisabeth met een glimlach.

'Nog niet,' zei Pim blozend. 'Ik bedoel, ik ben er wel, maar nog geen advocaat.'

'Heb je onze kleine Minke al gezien?' zei Elisabeth, waardoor Pim nog heviger bloosde. Minke begreep nu waarom Pim zo'n vreemde houding had. Hij had het begin van een bochel. Door zijn kromme ruggengraat werd zijn hoofd permanent naar voren geduwd.

'Goedemorgen, moeder.' Griets stem klonk schril. Ze kuste haar moeder op de wang en pakte het buisje met morfine. 'Hoeveel heeft ze gehad, Minke?'

'Nog niets,' zei Minke. 'Ze heeft geen pijn. Wanneer komt de dokter?'

'Wat kan de dokter doen?'

Opnieuw was Minke geschokt door wat deze familie in Elisabeths bijzijn allemaal zei, maar het leek mevrouw DeVries niet te deren. 'De dokter is toch degene die haar morfine geeft?'

'Papa haalt het zelf. En als ze niet meer kan slikken, zullen we het wel inspuiten. Ja toch, moeder?'

'Zo heb ik het begrepen,' zei Elisabeth. Minke stond versteld over de kalmte van de vrouw, zo totaal anders dan ze had verwacht na de beschrijving die meneer DeVries aan Fenna had gegeven.

'Hoeveel moet ik geven?' vroeg Minke.

'Een klein beetje, vermengd met siroop. Als het niet helpt, dan wat meer. Jij bent de verpleegster,' zei Griet.

Nadat de kinderen waren vertrokken, hoorde Minke dat Griet de huishoudster en de kokkin riep, eerst klaaglijk, daarna met overslaande stem toen ze niet snel genoeg reageerden. Elisabeth was alweer in slaap gevallen.

Wat nu? Het was nog vroeg, en de hele dag lag voor haar. Ze streek met een vinger langs de decoratieve rand van de kleerkast en zag een spoortje stof. Ze hoorde geluiden in huis. De bel ging, mensen kwamen en gingen. Bezoek? Maar niet voor Elisabeth. Met een doek stofte Minke de tafels af en veegde het roet van de vensterbank. Ze maakte de foto's aan de muur en de snuisterijen schoon. Elisabeth bezat zulke vreemde dingen. Minke wierp een blik in een klein, versierd tasje, stoffig maar wel kleurig, en geborduurd met piepkleine kraaltjes. Er zat een potje rouge in. Op een andere tafel lag een bruin voorwerp met een kleine opening aan de bovenkant, voorzien van een brede kraag van gebutst zilver. Het was verrassend licht. Bij nadere inspectie bleek het een soort uitgeholde kalebas te zijn. Uit de opening bovenin stak een lang zilveren rietje met een poreuze zilveren bol.

'Maté,' zei Elisabeth.

Minke legde het ding haastig weer terug. 'Wat zeg je?'

Elisabeth wenkte haar, nam het zilveren rietje in haar mond en fluisterde: 'De *bombilla*. Zo drinken ze hun speciale thee, de *yerba maté*.'

'Wie?'

'De gaucho's.'

'Wat zijn gaucho's?'

'Veedrijvers in Argentinië. Ze versieren alles met zilver: hun zadels, hun paarden. En rijden dat ze kunnen!'

'Heb je ze gezíén?'

'Eén keer.' Elisabeth wees naar een klein houten beeldje op een plank. Het was een mannenfiguur, ruw uitgesneden en beschilderd, met een slappe hoed, een zwarte baard en een wijde rode pofbroek waarvan de pijpen in hoge zwarte laarzen waren gestoken. Zonder enige waarschuwing gooide ze haar hoofd in haar nek en slaakte een afschuwelijke kreet, die weinig menselijks meer had.

Met bevende handen mengde Minke haastig wat suiker en water op een schoteltje en goot morfine erbij uit het donkerbruine flesje, een theelepel vol, zoals Griet haar had gezegd. Ze trok Elisabeth zo ver mogelijk overeind als ze durfde – de vrouw woog bijna niets in haar armen – en stak de lepel tussen haar lippen. Elisabeth liet zich met een lege blik tegen het kussen terugzakken.

Minke bleef trillend bij het bed zitten. Stel dat ze te veel morfine had gegeven? Ze streek met haar hand over Elisabeths voorhoofd, trok de dekens weer over haar heen en voelde zich een beetje gerustgesteld door de regelmatige ademhaling van de vrouw. Weer was het een schok om te zien hoe duidelijk ze Elisabeths schedel kon onderscheiden onder haar huid, en hoe verschrikkelijk haar haar eraan toe was. Ooit was het een vlecht geweest, maar het was uitgegroeid en zat nu los bij de wortels. Minke maakte de haarspeld open om het haar opnieuw te vlechten en voelde hoe ongelooflijk vuil het was. ‘Zal ik het wassen?’ fluisterde ze.

Elisabeth sliep alweer.

Het karwei kostte de hele middag. Minke waste het haar in kleine plukken, die ze met een handdoek droogde om te voorkomen dat Elisabeths bed vochtig werd. Het haar, dat loodgrijs had geleken, bleek gitzwart te zijn, met zilveren draden. Toen het grotendeels droog was, spreidde Minke het over het kussen en kamde het glad voordat ze het weer in een dunne streng vlocht. Elisabeth sliep overal doorheen.

Meneer DeVries kwam binnen toen Minke bijna klaar was, en keek toe met een soort vaderlijke trots. Zelf was ze ook voldaan over haar werk, dat ze goed had aangepakt, en dat al op haar eerste dag.

'Aha,' zei hij. 'Je hebt de kom voor de *yerba maté* ontdekt.'
'Heel bijzonder,' fluisterde Minke.
'Je mag hem hebben,' zei hij.
'Maar hij is van mevrouw DeVries.'
Haar man keek naar Elisabeth en haalde zijn schouders op.

'Hoorde ik moeder vandaag gillen?' zei Griet onder het eten. 'Ik dacht het.' Ze keek van haar broer naar haar vader om bevestiging te zoeken.

'Ze had pijn,' zei Minke. 'Ik heb haar meteen morfine gegeven.'

'Heb jíj al een *beau*?' vroeg Griet, terwijl ze Minke de glinsterende ring aan haar vinger liet zien.

Minke bloosde en schudde haar hoofd. Griet bracht haar voortdurend van haar stuk.

'Nou, Pim?' zei Griet met een smalend lachje. 'Ik heb het haar gevraagd. De rest moet je zelf doen.'

'O, Griet, allemachtig,' zei Pim, en tegen Minke: 'Ik moet me weer eens verontschuldigen voor mijn zuster. Daar heb ik dagwerk aan.'

'Maar je wilde het toch weten?' wierp Griet tegen.

'Jullie moeder vertelde me over de gaucho's,' zei Minke, om van onderwerp te veranderen en die arme Pim te sparen.

'Ach!' Meneer DeVries spitste zijn oren. 'Ja. Ze is ooit met me mee geweest op een reis naar Buenos Aires. We zagen ze op een uitstapje buiten de stad.'

'Die kerels zijn zo smerig,' zei Griet.

*Net als het haar van je moeder.* Minke had graag de moed gehad om dat hardop te zeggen. Het was een schande. 'Dus jij hebt ze ook gezien, die gaucho's?'

'Nee, natuurlijk niet, maar hoe kunnen ze schoon zijn? Ze leven de hele dag buiten en ze slapen bij hun paarden. Ja toch, papa?'

Meneer DeVries schonk zijn dochter een toegeeflijke glimlach. 'Wat heeft Elisabeth je over de gaucho's verteld, Minke?'

'Dat ze over de weilanden denderden op paarden met zilveren versieringen.' Dat had Elisabeth niet letterlijk gezegd, maar zo stelde Minke het zich voor.

'De pampa's,' zei Griet. 'In Argentinië noemen ze dat pampa's, en het zijn geen weilanden, maar reusachtige vlakten. Het zijn pampa's.'

'De pampa's dan,' zei Minke. 'Nog beter.'

'Niet beter of slechter,' zei Griet. 'Het is gewoon het juiste woord. Dat is alles.'

Vanaf dat moment at Minke meestal bij Elisabeth op de kamer. Veel trek had ze niet meer, vanwege de lucht, omdat ze een paar keer per dag de po moest legen en Elisabeth moest helpen bij dingen die ze tot dan toe alleen voor zichzelf had gedaan. Maar ze kreeg steeds meer moed en gaf Elisabeth nu dagelijks een wasbeurt, omdat dat heel belangrijk moest zijn voor iemand die de hele dag in bed lag. En dat niet alleen, Elisabeth ontspande ook zichtbaar als ze Minkes warme huid op de hare voelde.

De eerste keer leek alles nog een eeuwigheid te duren, maar na een tijdje ontwikkelde ze een praktische strategie. Ze hielp Elisabeth zich naar de voorste rand van het bed te draaien, om vervolgens een stuk zeildoek onder haar te trekken waar ze een handdoek overheen schoof. Daarna legde ze Elisabeth heel voorzichtig op de handdoek. Terwijl ze werd verplaatst, sloeg

Elisabeth haar armen om Minkes hals en klampte zich met verrassende kracht aan haar vast.

Minke waste Elisabeths ene arm met warm water, spoelde en droogde haar af, voordat ze aan de andere arm begon. En dan haar benen, een voor een. Ondanks haar zenuwen probeerde ze zelfverzekerd te lijken als ze haar handen onder de dekens stak en Elisabeths borsten waste, terwijl ze goed oplette of de vrouw geschokt of met weerzin reageerde. Toen dat niet gebeurde, trok ze zachtjes Elisabeths benen vaneen om haar daar te wassen. Elisabeth verzette zich niet en ontweek Minkes blik. Zonder enige ervaring op dit gebied vertrouwde Minke maar op haar intuïtie. In Elisabeths plaats zou ze blij zijn geweest met zo'n wasbeurt. Toen ze klaar was, haalde ze de handdoek en het zeiltje weg. Nog nooit in haar leven was ze zo intiem met iemand geweest. Ze kende Elisabeths hele lichaam, vooral haar botten, de aanhechtingen van haar spieren en pezen, de gewrichten en haar wervelkolom, als een rij knoesten.

Weken gingen voorbij en vloeiden in elkaar over. De gracht buiten Minkes raam bevroor tot een zwarte ijsvloer, die soms wat zachter werd als het dooide, en dan weer opvroor. Hartje winter schaatsten mensen het huis voorbij. Minke zou graag hebben meegedaan, lachend en rijdend, in plaats van hier in die stille kamer te zitten, waar niets anders wachtte dan de dood.

Meneer maakte er een gewoonte van om tegen de schemering, als zijn werkdag erop zat, de kamer binnen te komen. Hij leek dikwijls wat opgejaagd en ijsbeerde dan door de kleine kamer met zijn handen op zijn rug, terwijl hij met Elisabeth praatte – of eigenlijk meer tégen haar, omdat ze nooit veel terugzei. Hij vertelde wat hij in de kranten had gelezen en wat voor geruchten er de ronde deden in de stad. Er werd een of andere actie van hogerhand verwacht, dat was alles wat Minke uit zijn woorden kon opmaken. Als hij weer wat tot rust gekomen was, pakte hij een stoel en trok die naar Elisabeths bed. Zelf schoof Minke haar stoel dan naar de andere hoek van de kamer, bij het raam, om het echtpaar wat privacy te gunnen.

Als Elisabeth in slaap viel, wat steeds vaker gebeurde, drukte meneer een tedere kus op haar hoofd, trok de dekens tot aan haar kin, sloot de deuren van de bedstee en trok zijn stoel bij die van Minke bij het raam. Soms sprak hij even en vroeg haar naar de dag. Of hij zei helemaal niets. Op een avond leek hij zichtbaar van streek. Hij probeerde niet eens met Elisabeth te praten, maar zette zijn stoel bij het raam en ging zenuwachtig zitten. Zijn been trilde nerveus.

'Wat is er aan de hand?' Het voelde als een inbreuk op meneers privéleven om zo'n vraag te stellen, maar Minke vond het nog erger om te blijven zwijgen als hij er zo aan toe was.

'Die vervloekte regering,' zei hij.

'O.'

Hij leek nog iets te willen zeggen, maar schudde toen abrupt van nee, alsof hij zijn gedachten wilde verdrijven. 'Ik heb te veel aan mijn hoofd,' zei hij.

'Het moet wel moeilijk zijn,' zei ze. 'U werkt zo hard en uw vrouw is zo ziek. Ik kan me er geen voorstelling van maken. Ik begrijp niets van die dingen, maar ik hoor wel dat u problemen hebt met uw zaak. Dat is een zware last voor één mens om te dragen.'

Hij lachte zo lief tegen haar dat ze zich nog meer tot hem aangetrokken voelde. 'Ik wil jou daar niet mee belasten.' Hij draaide zijn gezicht naar het licht. 'Jij doet het geweldig hier. Je bent een sieraad voor dit huis, als je het mij vraagt. Elisabeth is dol op je.' Hij keek in haar ogen. 'En ik ook.' Toen leunde hij weer naar achteren op zijn stoel. Ze kon hem maar moeilijk onderscheiden in het vage licht. 'Wat vind je eigenlijk van ons?'

Het enige antwoord dat bij haar opkwam durfde ze niet uit te spreken: dat ze het schokkend vond hoe weinig aandacht Elisabeth van haar kinderen kreeg. Maar ze moest toch iets zeggen. 'Jullie zijn allemaal zo verschillend van elkaar.'

Hij schoot in de lach. 'Een diplomaat!' zei hij. 'Hoorde je dat, Elisabeth?'

De harde knobbel in Elisabeths buik werd steeds groter. Ze had vaker pijn, heel onverwachts en ook heviger, waardoor ze het uitgilde. Minke mengde de morfine en tilde Elisabeth wat omhoog, zodat ze makkelijker kon slikken. Al die tijd, vanaf het moment dat ze om de morfine vroeg totdat Minke het medicijn op een lepel had gegoten en haar had toegediend – met vastere hand, nu ze meer ervaring had – bleef Elisabeth maar jammeren: '*Alsjeblieft, alsjeblieft!*' Zo hard dat het op straat te horen was. Dat zei Griet, tenminste. Een van die keren stormde Griet de kamer binnen en vroeg Minke waarom ze niet opschoot om de pijn van haar moeder te verlichten. 'De buren zullen nog denken dat we haar slaan,' zei Griet. 'Ze moet niet zo gillen.'

Minke zei dat het haar speet en dat ze begreep hoe zwaar het voor Griet moest zijn om de wanhoop van haar moeder aan te horen. Ze zou voortaan beter haar best doen, beloofde ze. Minke had geleerd om zo op Griet te reageren – ja en amen te zeggen om haar te kalmeren, ook als ze inwendig kookte van woede omdat ze wist hoe onrechtvaardig de kritiek was.

'Ik hoop dat mij dit bespaard blijft als ik zelf zo oud ben,' zei Griet tegen haar. 'Dan pleeg ik nog liever zelfmoord.'

Minke boog zich weer over de medicijnen. Ze hield het tafeltje graag netjes, de lepel schoon en de suiker al opgelost in de siroop.

'Slaapt ze nu?' vroeg Griet.

Was dat niet duidelijk?

Griet pakte het flesje morfine, goot wat op de lepel, bracht die naar haar mond en slikte.

'Ben je gek geworden?'

'Het is heerlijk,' zei Griet. Haar gezicht ontspande zich en ze glimlachte vaag, met een dromerige blik in haar ogen. 'Heb jij het nooit geprobeerd?'

'Natuurlijk niet.' Minke griste het flesje van de tafel. 'Dit is voor je moeder.'

'O, er is nog genoeg, geloof me,' zei Griet vaag. De morfine had meteen effect. 'Papa krijgt het uit Indië. De cocabladeren of de opium, of zoiets. Ik weet het niet precies. Ik weet alleen dat het goddelijk voelt.'

Minke keek Griet strak aan. 'Dan moet je hem maar een eigen voorraadje vragen en niet de morfine van je moeder nemen.'

Griet glimlachte lief tegen haar. 'Papa stapt over drie weken op de boot, weet je. Of moeder dan nog leeft of niet.'

Dat deed de deur dicht. Minke greep Griet bij de arm en trok haar de gang op.

'Wat doe je?' Griet spartelde onhandig tegen, nog altijd giechelend. 'Wie denk je wel dat je bent?'

'Stel dat ze je hóórt!' zei Minke. 'Zeg die dingen toch niet waar ze bij is.'

'Jij gaat mij niet vertellen wat ik moet doen. Ik zeg gewoon wat ik wil.'

'Maar ze is je móéder!'

'Ze is bijna dood. Moet je haar zien! Ik wou dat ze een beetje opschoot met sterven.'

Minke raakte Griet met de rug van haar hand waarin ze de morfine had. Het flesje kletterde tegen de grond. Griet greep zich aan Minke vast om haar evenwicht te bewaren, en ze vielen allebei op de scherven. Onmiddellijk snelde de huishoudster, Julianna, toe en hees hen allebei overeind. Toen dwong ze hen elkaar aan te kijken en hun excuses te maken. Minke hield haar vingers achter haar rug gekruist terwijl ze gehoorzaamde, net als ze altijd deed bij Fenna. Griet zei niets en trotseerde de huishoudster.

'Kom jij maar eens mee, juffie,' zei Julianna tegen Minke.

'Nou zwaait er wat,' zei Griet.

Minke volgde Julianna's deinende achterste, bang voor wat er komen ging. Ze zou wel naar meneer worden gebracht, die haar zou ontslaan als hij het hele verhaal had gehoord. Maar Julianna liep alle trappen af, naar de keuken beneden. Daar draaide ze zich om, met een brede grijns op haar gezicht. 'Heb je haar geslagen?' Lachend gooide ze haar hoofd in haar nek. 'Dat had ik nooit achter je gezocht.'

'Ze zei de vreselijkste dingen, en ze nam zelf een lepel van Elisabeths medicijn.'

'Ik mag geen hand tegen ze opheffen – niet dat die jongen dat ooit nodig had.'

'Ben je niet boos?'

Julianna schudde haar hoofd. 'Snel. Kom eens kijken.' Ze ging haar voor door een deur aan de voorkant van de keuken en daalde een paar treetjes af naar een volgestouwd pakhuis. Daar trok ze een gordijn van zwaar zeildoek opzij en liet de lamp eerst over haar eigen duivelse glimlach glijden en toen over de muren. Er stonden kasten en kasten vol met textiel, brokaat en prachtige groene en goudkleurige zijde. Julianna tilde de deksels op van kisten met nog meer schatten – stoffig, maar heel mooi: bronzen beeldjes, kunstig gesneden houten dierenfiguren en ivoren waaiers. Julianna straalde en wees op een tiental andere kisten, die keurig waren opgestapeld. 'Maak maar open,' zei ze.

De kisten bevatten tientallen bruine flesjes, net als die voor Elisabeths morfine. Julianna keek haar vol verwachting aan. 'Zie je wel?'

'Ja, maar wat is dat allemaal?'

'Vraag het me niet. Vroeger wist ik alles, maar nu mevrouw ziek is, mag ik niet meer met haar praten. Heb jij soms iets gehoord? Wat gaat er met haar spullen gebeuren als ze dood is?'

'Dat weet ik niet,' zei Minke. 'Griet zei alleen dat meneer over een paar weken op de boot stapt.' Ze besefte meteen dat ze haar mond had moeten houden. Dit was een schandelijke roddel.

'Ooit was dit een van de mooiste huizen van Amsterdam.'

'Ik vind het nog altijd mooi,' zei Minke.

Julianna schudde nadrukkelijk haar hoofd. 'Het was een heel ander huis toen de vader nog leefde.'

'De vader van Elisabeth?'

'Nee, van Pim en Griet.'

'Maar meneer...'

'Hij is hun vader niet,' zei Julianna, alsof Minke dat had moeten weten. 'Die arme man lag koud in zijn graf toen Sander DeVries hier al kwam rondsnuffelen, met zijn bloemen en zijn honingzoete stem.' Ze wees naar de stapels kisten. 'En daarmee.'

'Hij houdt heel veel van Elisabeth.'

'O, noem je haar Elisabeth?'

'Ik wou dat de kinderen wat vaker bij haar kwamen.'

'Een verwend nest, die Griet. En Pim, die arme knul, kan er niet meer tegen. Hij loopt maar te huilen en gaat tekeer. Elisabeth moet hem niet te vaak zien. Het lijkt wel of die jongen op sterven ligt, in plaats van zij. Elisabeth is de enige fatsoenlijke van het hele stel.'

'We mogen zo niet over ze praten,' zei Minke.

'Hoe? Het is gewoon de waarheid. Maar binnenkort zijn ze allebei verdwenen – zij naar haar Schepper, en haar man? Wie zal het zeggen?'

'Hij heeft zakelijke belangen in het buitenland. Dat heeft hij me verteld.'

Julianna schoot in de lach. 'Ja, vast,' zei ze.

⁂

Die avond bij het eten had Griet een blauwe plek op haar wang. Minke was ervan overtuigd dat ze zou worden ontslagen vanwege die klap. Ze zou blij zijn als ze van Griet verlost was, maar wie moest er dan voor Elisabeth zorgen? Ze was bang voor het commentaar van meneer DeVries, maar als hij haar ontsloeg, zou ze hem alles vertellen wat Griet had gezegd en gedaan.

Maar meneer zei niets. Wist hij het niet? Hij moest die blauwe plek toch hebben gezien? Na het eten kwam Pim naar Elisabeths kamer. Minke, die tegen de vensterbank zat geleund, stond op om te vertrekken zodat hij met zijn moeder alleen kon zijn, maar hij weerhield haar. 'Zo is Griet nu eenmaal,' zei hij. 'Ze is te veel verwend. Niemand neemt jou iets kwalijk.'

'Ze haat me,' fluisterde Minke. 'Vanaf het eerste begin al.'

'Natuurlijk,' zei Pim. 'Waarom denk je dat je haar verloofde nog niet hebt ontmoet?'

'Dus ze is echt verloofd?'

Pim grinnikte. 'Griet is een kreng, maar ze is niet achterlijk.' Hij keek naar zijn slapende moeder en zijn ogen werden vochtig. Tranen drupten over zijn wangen. Hij veegde ze weg en draaide zich om.

Op dat moment kwam meneer DeVries de kamer binnen en keek hem over zijn brilletje aan. 'Je moet Minke niet van haar werk houden, Pim.'

'We zaten alleen te praten.'

'Je kunt beter met je moeder praten,' zei meneer DeVries.

Pim draaide zich om, maakte een stijve buiging en vertrok.

'Ik hoop dat je geen last van hem had,' zei meneer DeVries.

'Helemaal niet, meneer.'

'Zeg maar Sander.'

Het was al moeilijk genoeg om Elisabeth bij haar voornaam te noemen, maar het was twee keer zo lastig bij een man.

'Je bent doodmoe.' Hij legde zijn grote handen teder op haar schouders om ze te verwarmen.

'Ja,' zei ze. Elisabeth hoefde 's nachts maar een geluidje te maken en Minke was meteen klaarwakker. Zodra ze nog iets hoorde, sprong ze uit bed om te gaan kijken. Als ze dan weer in bed lag, tolden de gedachten door haar hoofd en kon ze de slaap niet meer vatten.

'Kan ik iets voor je doen?'

'Het gaat wel weer over, meneer.'

'Sander.'

'Sander.'

Hij legde zijn handen om haar middel, lachte breed en keek van Minke naar de bedstee, naar Elisabeth die haar ogen half-open had. Misschien sliep ze, misschien ook niet, dat was de laatste tijd moeilijk te bepalen. 'Ooit had Elisabeth net zo'n tenger middel als jij.' Meneer DeVries kneep wat harder, met zijn duimen naar zijn pinken toe. Minke hield verbaasd haar adem in, waardoor haar taille nog smaller werd. 'Zie je!' zei hij triomfantelijk. Ze legde haar handen over de zijne om ze van haar heupen te duwen, maar hij hield haar vast. 'Je hoeft niet verlegen te zijn,' zei hij. 'Nietwaar, Elisabeth?'

Elisabeth zei niets. 'Ik moet haar helpen,' zei Minke.

'Zo meteen. Kijk eerst daar eens.' Meneer liet haar los en wees naar de kist onder de vensterbank. 'Maak hem maar open en haal het kistje eruit, als je wilt.'

Minke tilde de klep op, stak een hand naar binnen en vond een zwaar, langwerpig kistje van glanzend donker hout.

'Kijk er eens in,' zei hij. Minke ging op het bed zitten met het kistje op haar schoot en maakte het open. Het bevatte een mes met een zilveren handgreep, in een schede. 'Dat is een *facón*.'

Minke haalde het eruit en voelde haar hart sneller slaan. De schede was prachtig bewerkt, met een reliëf van een boom en twee verstrengelde handen.

'Ik zal je laten zien hoe je hem draagt.' Minke moest opstaan, met haar rug naar hem toe. Ze maakte bijna een sprongetje toen hij het koele mes, met schede en al, achter haar rok stak, op haar rug. 'Je draagt hem achter je. Als je dan van je paard wordt gegooid, val je niet in je eigen mes, met dodelijke gevolgen.'

Het was een heel vreemd gevoel, het koude staal tegen de dunne stof van haar hemdje. Het wapen was zo zwaar dat ze een beetje wijdbeens moest gaan staan om het te kunnen dragen.

'Vertel haar eens over de donderbuien, Sander,' zei Elisabeth, en Minke schrok opnieuw. Dus Elisabeth was toch wakker.

'Vertel jij het maar, schat.'

Elisabeth duwde de deur van haar bedstee wat verder open. Haar gezicht stond levendig. 'De ene klap na de andere. En de bliksem liet alles oplichten. Dat geweld kon wel uren duren. Heel angstig.' Ze liet zich op haar kussen terugzakken en sloot haar ogen. 'Prachtig.'

Minke hield het niveau van de morfine bij door een van haar doorschijnende haren om het flesje te binden. Steeds als ze Elisabeth haar dosis had gegeven, schoof ze de haar wat omlaag, zodat ze kon zien of Griet niet de kamer was binnen geslopen om wat van het medicijn te nemen. Het kon haar niet schelen dat Griet morfine gebruikte, maar er moest wel genoeg overblijven voor Elisabeth. Ze kon niet geloven dat de voorraad eindeloos was. Als ze tekort hadden, zou dat ten koste gaan van Elisabeth.

Inmiddels was Elisabeth een nieuwe fase ingegaan, waarin ze voornamelijk sliep en nauwelijks nog gebruikmaakte van de po. Minke liet haar kleine slokjes water drinken en gaf haar wat soep, maar vast voedsel was niet meer mogelijk. Tegelijkertijd leek het in huis steeds drukker te worden, alsof haar dood al een gepasseerd station was. De koffers van meneer DeVries stonden gepakt te wachten in de gang beneden. Griet trippelde de trappen op en af en gaf orders. Soms kwam ze de kamer binnen en bleef bij haar slapende moeder staan, terwijl ze zwijgend op haar neerkeek. Pim kwam soms bij zijn moeder zitten, snikkend van verdriet. Op een ochtend kwam meneer DeVries binnen en maakte Minke wakker. 'Ik breng je vandaag naar huis,' zei hij. 'Je hoeft je spullen niet in te pakken. Die worden je nagestuurd.' Hij klonk zakelijk en gehaast.

'Maar Elisabeth dan?' zei Minke. In gedachten zag ze Elisabeth al door iedereen verlaten, om eenzaam te sterven in haar kamer.

'Griet kan het wel aan.'

Het moest die ruzie zijn. Ze hadden het ontdekt van die ruzie. Griet had natuurlijk verteld dat Minke haar had aangevallen. Misschien had Griet haar er zelfs van beschuldigd dat ze morfine stal. Minke wachtte tot hij was vertrokken voordat ze zich aankleedde en haastig haar haar omhoog speldde, huilend om haar plotselinge ontslag. Ze voelde zich schuldig om iets wat ze helemaal niet had gedaan.

Elisabeth lag in de kussens, met haar nek gestrekt, alsof haar gezicht naar het licht in de kamer werd getrokken. Minke nam haar voorzichtig in haar armen. 'Ik zal dag en nacht aan je denken.' Elisabeth gaf geen enkel teken dat ze haar had gehoord. Minke liet haar weer zakken. 'Ik zal het weten als je tijd gekomen is.'

Meneer DeVries riep haar vanaf de deur. Half struikelend rende ze de korte trap af naar de voorkamer op de eerste verdieping en maakte bijna een sprong van verbazing toen ze een vreemde op de bank zag zitten, een donkere, keurig geklede man met een fluwelen jasje en zijn handen op de knop van een wandelstok. Meneer DeVries riep haar weer. Minke beperkte zich tot een korte groet voordat ze de laatste trap afdaalde naar de voordeur, waar meneer DeVries nerveus heen en weer ijsbeerde. Hij hielp Minke in de Spyker, liep snel terug en trok de voordeur achter zich dicht. Minke wachtte, huiverend van de kou, en keek naar de voorbijgangers, die bewonderende blikken op de auto wierpen. Haar werkgever bleef zo lang weg dat ze zich begon af te vragen of hij haar vergeten was. Moest ze naar binnen gaan om hem te halen? Maar eindelijk ging de deur weer open en kwam hij naar buiten. Hij veegde met een zakdoek over zijn gezicht, draaide zich om, en toen opnieuw – naar binnen, naar buiten. Totdat hij ten slotte in de auto stapte, zonder iets te zeggen. Even later waren ze op weg.

Even onverwachts als Minke in Amsterdam was aangekomen, verliet ze de stad nu weer. Meneer DeVries zat geagiteerd achter het stuur. Hij sprak geen woord, maar toen ze eenmaal buiten de stad waren, verzamelde Minke genoeg moed om het hem te vragen, omdat ze het moest weten. 'Heb ik iets verkeerds gedaan?'

Hij leek geschokt. 'Mijn lieve meid! Natuurlijk niet.'

'Griet zegt dat u naar Zuid-Amerika gaat.'

'Over drie dagen,' beaamde hij. Minke vroeg zich af wie haar spullen dan moest doorsturen. Zou ze die wel terugkrijgen, of zou Griet ze gewoon weggooien? En hoe moest het met Elisabeth? Het leek wreed om haar aan de zorgen van die meid over te laten. Ach, waar bemoeide ze zich mee? Ze was een buitenstaander. Een hulpje. Elisabeth had haar het gevoel gegeven dat ze belangrijk was, maar in werkelijkheid kon ze worden ingehuurd en weer ontslagen door iedereen in de familie.

Voor haar ouderlijk huis in Enkhuizen stopte meneer DeVries. Mama kwam naar de deur en sloeg haar armen om Minke heen. Papa had tranen in zijn ogen.

'Kan ik jullie spreken?' vroeg meneer DeVries abrupt. 'Alleen?'

Minke had geen andere plek om zich terug te trekken dan de zolder, en ze voelde zich als een kind met straf. Gelukkig was Fenna er niet, anders had ze de triomfantelijke houding van haar zuster moeten verdragen over haar mislukte baantje in Amsterdam. Meneer DeVries zou haar ouders wel verslag uitbrengen over haar ruzie met zijn dochter. Maar zij zou mama en papa de waarheid vertellen en ze zouden haar geloven, niet iemand anders.

'Minke!' riep haar moeder van beneden, gevolgd door haar bekende zenuwachtige lachje.

Meneer DeVries zat op dezelfde plaats waar ze hem die eerste dag had gezien. Hij straalde van genoegen. Haar vader stond voor de kachel en trommelde met zijn handen op zijn magere borst alsof hij niet wist waar hij ze moest laten. Toen schraapte hij zijn keel. 'Minke,' zei hij abrupt, voordat ze de tijd had gekregen om te gaan zitten, 'meneer DeVries heeft ons om je hand gevraagd. Hij wil met je trouwen.'

# 2

PAPA ZOOG AAN zijn onaangestoken pijp. Mama staarde naar de grond. Alleen meneer DeVries keek haar recht aan.

'Wát?' zei Minke. 'Bent u gek geworden?'

Hij stak een hand uit, maar ze rukte haar arm weg. Ernstig zei hij tegen haar: 'Hoe kan ik je dit anders zeggen dan zoals het is? Minke, Elisabeth is vanochtend gestorven.'

Hij had haar net zo goed kunnen vertellen dat de hemel van roomijs was. 'Nee! Ik was nog bij haar.'

Hij schudde droevig zijn hoofd. 'We wisten allemaal dat het niet lang meer kon duren. Er waren zoveel tekenen.' Zijn stem klonk diep en zwaar. 'Haar nagels... helemaal verkleurd. Dat moet jij toch ook hebben gezien? En de afgelopen dagen was ze vaak bewusteloos.'

Minke was geen verkleuring opgevallen. En hoewel Elisabeth veel sliep, leek 'bewusteloos' haar overdreven. 'Ik ben vanochtend nog bij haar geweest. En u ook.'

'Weet je nog dat ik vanochtend weer naar binnen ging toen ik jou naar de auto had gebracht? Dat was het moment waarop Griet het me vertelde. Ze was ontroostbaar. Ze was naar Elisabeths kamer gerend en had haar dood aangetroffen.'

'En u hebt me niets gezegd?'

'Ik vond dat ik het je beter kon vertellen waar je vader en moeder bij waren.'

'U vergist zich, meneer DeVries. Nu ben ik de laatste die het wist.' Haar ogen werden vochtig. Ze veegde de tranen weg. 'Wie was die man in de voorkamer?' vroeg ze, om het gesprek maar op een ander onderwerp te brengen.

'Minke, sla niet zo'n toon aan! Maak je excuses,' zei mama.

'Maar mama, ze leefde nog toen ik de kamer uit stapte,' zei Minke. 'Hoe kon ze nou sterven in zo'n korte tijd? Ik was nog geen twee minuten weg.'

Papa trommelde met zijn vingers op het houten tafelblad. Hij legde zijn pijp op het schoteltje, stond op en schoof zijn stoel weer bij. Hij was een magere, formele man, met lange bovenbenen, die hem de houding gaven van een schaar. Hij liep om de tafel heen, bleef achter Minke staan en legde zijn handen op haar schouders. 'Minke, dat is niet zo vreemd. Mensen kiezen er dikwijls voor om te sterven als ze alleen zijn. Doodgaan is een eenzame gebeurtenis, misschien ook wel uit eigen vrije keuze.'

Verdriet overspoelde haar met een chaos van gevoelens. Beelden van Elisabeth met haar gezicht naar het licht van het raam gekeerd, de aanraking van haar huid, haar zachte snurken als ze sliep. En niemand had het haar vertéld? Griet zat erachter, dat wist ze zeker. Dit was de laatste pijl geweest die Griet op haar boog had. En nu een huwelijksaanzoek! Dat was ze even vergeten, maar het kwam dubbel zo hevig terug. Ze kwam in de verleiding om ja te zeggen, alleen om Griet dwars te zitten. Dan zou ze Griets stiefmoeder zijn. Wat een gedachte!

'Meneer DeVries vraagt je om serieus over zijn aanzoek na te denken,' zei papa. 'Hij moet nu weer naar Amsterdam, maar over twee dagen komt hij terug.'

'Dan kun je me je antwoord geven,' zei meneer DeVries snel. 'Als het nog steeds nee is, zal ik dat accepteren. Maar ik smeek je er goed over na te denken, Minke. We zouden op dinsdag op de boot moeten stappen. Mijn werk eist dat ik naar Argentinië vertrek.'

'Wat voor werk?'

'Mag ik even onder vier ogen met uw dochter spreken?' vroeg meneer DeVries aan haar ouders, die haastig de kamer verlieten. Ze hadden dit blijkbaar verwacht, en als Minke niet zo kwaad was geweest, zou ze misschien hebben gelachen om de manier waarop haar mollige kleine moeder overeind sprong en de kamer uit vluchtte.

'Ik ben bang dat ik je een grote schok heb bezorgd.' Meneer DeVries slaakte een diepe, verslagen zucht. Hij zag er wat verfomfaaid uit. Zijn rossige haar zat in de war, en zijn mooie, dure kleren – een helderwit hemd en een zwart jasje met een grote gouden speld bij de kraag – waren gekreukt. Minke vocht tegen een opwelling van medelijden en tegen haar eigen nieuwsgierigheid naar komende dinsdag.

Ze boog zich over de tafel en zei zacht: 'Een schók, meneer DeVries? Dat is nog zwak uitgedrukt voor wat u hebt gedaan.' Ze richtte zich op en draaide zich abrupt om, met zwaaiende rokken. 'Dacht u echt dat ik met een man zou trouwen die zich gedraagt zoals u?' Minke voelde zich geweldig. Ze had immers gelijk.

'Ze betekende alles voor me, Minke.'

'U hebt een fraaie manier om dat te laten merken. Ze ligt nog niet eens in haar graf.'

Hij staarde naar de grond. 'Elisabeth wist hiervan.'

'Dat u voor me zou verzwijgen dat ze dood was?'

'Nee, van mijn aanzoek. Ze was erg op je gesteld. Ze zei zelf dat we een goed paar zouden vormen.'

'Ik geloof u niet.'

'Wil je even met me naar buiten stappen, Minke? De frisse lucht zou me goed doen.' De uitdrukking op zijn gezicht toen hij dat vroeg... Ach, hij had zo'n lieve glimlach, die ze heel aantrekkelijk vond. 'Gewoon een eindje wandelen,' zei hij.

Ze deed een dikke wollen sjaal en een omslagdoek om, trok haar schoenen aan, maar weigerde zijn helpende hand. Even later stapten ze door de achterdeur naar buiten en liepen het steegje uit naar de Westerstraat.

In Enkhuizen hadden mensen spionnetjes aan de gevel, zogenaamd om te zien wie er aanklopte, maar omdat niemand de voordeur gebruikte, was de werkelijke reden wel duidelijk. Ze hielden elkaar graag in de gaten. Minke wist dat alle ogen hen volgden toen ze met meneer DeVries de stad door liep. Hij viel wel op, zo'n rijke vreemdeling in een cameljas met zwart Perzisch bont en een bijpassende muts.

Ze voelde zich benauwd in die doolhof van smalle stenen straatjes en kleine bakstenen huizen. 'We gaan wel naar de haven,' zei ze, en ze haastte zich naar de havenpoort bij de Zuiderzee. Ze volgden de golfbreker aan de andere kant van de zeemuur, voordat ze de oever afdaalden naar de rand van het water. De grond was bevroren. Ze liepen naar het noorden, bij de stad vandaan, langs vissersboten die op het strand waren getrokken om de vangst te lossen. De adem van de vissers vormde wolkjes in de koude lucht toen ze de grote netten uitschudden. Duizenden zilverglanzende haringen glibberden omlaag en bleven in de mazen steken. Ook de mannen staakten een moment hun werk en keken haar na toen ze voorbijkwam, een paar passen voor haar vreemdeling uit.

'Zeg iets, Minke,' zei meneer DeVries met een schorre stem die zijn vermoeidheid verried.

'U wilde zelf toch praten?'

Wat verderop lagen grote ijsschotsen het strand, opgestuwd door de bitterkoude winter. Lopen werd steeds lastiger. Meneer DeVries had niet de juiste schoenen, maar hij klaagde niet en Minke vertraagde geen seconde haar pas.

'Wanneer is de begrafenis?' vroeg ze over haar schouder.

'Vanavond. We houden het klein. Alleen de naaste familie.'

Minke glibberde verder, zonder een moment haar evenwicht te verliezen. Het deed haar genoegen hoe goed zij zich kon redden in het winterweer en hoe hulpeloos hij leek. Ze wist dat hij het moeilijk had en dat ze hem niet zo mocht behandelen, maar ze kon er niets aan doen. 'Ik ben heus niet iemand die onbesuisde beslissingen neemt,' riep hij tegen haar. 'Je hebt wel duidelijk gemaakt wat je ervan vindt, Minke. Je hoeft me niet nog verder te straffen.'

Ze draaide zich om en zag hem over een wiebelende ijsschots wankelen, als een onhandig kind, zwaaiend met zijn armen om zijn evenwicht te bewaren. Opeens voelde ze een steek van medelijden. De man die ze in Amsterdam zo had bewonderd, de man die in zo'n prachtig huis woonde, was verloren op het ijs.

'Het is nu eenmaal zoals het is!' Haastig klauterde hij naar een andere schots, om niet te vallen. 'Ik kan er ook niets aan doen. Straks moet ik vertrekken en blijf ik een jaar weg, of misschien wel langer. Als ik terugkom, ben je al met een ander getrouwd.' Hij wees naar de boten die ze onderweg waren tegengekomen. 'Met een van die vissers, misschien.'

Ze draaide zich om en klom snel naar boven over het ijs, dat zo hoog was opgestuwd dat het tot aan de bovenkant van de kade reikte. Ze kon de kerktoren van de Sint-Pancraskerk zien. Ooit zou ze zijn voorspelling niet zo vreemd hebben gevonden. De mannen van Enkhuizen waren nu eenmaal vissers. Maar nu zag ze hen door de ogen van deze wereldwijze man: de jongens uit haar stad, die naar vis stonken en altijd van huis waren. De gevaren van de zee, het verdriet dat zo'n leven vaak meebracht.

'Minke, loop niet steeds bij me weg, in vredesnaam! Ik kan je niet bijhouden.'

Ze bleef staan. Hij was nog geen meter opgeschoten.

'Je rent voor me uit als een klein kind dat een spelletje doet. Maar dit is een ernstige zaak, eèn zaak van het hart.'

Ze sprong naar de volgende schots, zo gemakkelijk alsof het niets voorstelde. Toen ze zich weer omdraaide, zag ze dat hij terugliep over het ijs. 'Meneer DeVries!' riep ze hem na.

Ze was veel te ver gegaan. Mama zou woedend zijn als ze er ooit achter kwam hoe onbeschoft Minke was geweest. Ze struikelde langs de schotsen naar beneden en rende hem achterna totdat ze hem bij zijn mouw kon grijpen om hem tegen te houden.

'Vind je mijn aanzoek dan zo vreemd?' Zijn gezicht stond donker en verward, waardoor het witte litteken van zijn oor naar zijn mondhoek nog meer opviel.

'U kent me nauwelijks! Waarom zou u met mij willen trouwen? En waarom zo snel, terwijl uw vrouw pas dood is?'

'Ik wil je bij me houden. Ik was al meteen verliefd op je, dat weet je best. En jij op mij, als ik zo brutaal mag zijn. Ik ken vrouwen, Minke. Je moet geen spelletje met me spelen. Ik heb gezien hoe je voor Elisabeth zorgde. Natuurlijk wil ik je voor mezelf.'

'U zou me gewoon in dienst kunnen nemen,' zei Minke, voldaan over haar eigen stoutmoedigheid.

'Je jeugd is een uitdaging,' zei hij.

'Mijn jeugd? Dus daarom wilt u me!' antwoordde ze. Toen hij niets zei, wist ze dat ze gelijk had. Het gaf haar een spannend gevoel om hem zo straffeloos te provoceren.

'Kijk daar,' zei hij, terwijl hij zich vermande en naar de vlakke, grijze zee wees. 'En vertel me wat je ziet.'

Ze keek naar de zee. Niets bijzonders. 'IJs en vissersboten.'

'Hoeveel?'

Ze telde. 'Vier.'

'Ooit zag je hier grote schepen, die de haven binnen voeren en weer vertrokken. Naar Indië. Naar Azië.'

'Wat heeft dat ermee te maken?'

'Luister nou,' zei hij, en ze herinnerde zich de verhalen over een ver verleden, toen de golven nog de oevers van Enkhuizen beukten, net als de kust van de Noordzee. Toen was het water nog woest geweest, donkerblauw, met schuimkoppen op de golven. 'Je weet dat de haven is verzand.'

'Dat weet iedereen.' Geleidelijk was de Zuiderzee dichtgeslibd en zo ondiep geworden dat er een heel nieuw scheepstype was ontwikkeld, met een ondiepe kiel en grote zijzwaarden aan bak- en stuurboord, als vleugels, voor de stabiliteit.

'De rol van Enkhuizen als belangrijke haven zal steeds verder afnemen, totdat het niets anders meer is dan een vissersdorp.' Hij ijsbeerde heen en weer als een leraar, draaiend op zijn hakken, wijzend naar de zee.

'Enkhuizen blijft mijn thuis, of het nu een machtige haven is of niet. Enkhuizen is al heel oud, en de mensen zijn...' – ze gooide haar hoofd in haar nek – 'aardig. Heel anders dan in Amsterdam. Ik denk dat u gelijk hebt, meneer DeVries. Ik zal hier wel verliefd op iemand worden en met hem trouwen.' Ze sloeg haar armen over elkaar voordat ze er wreed aan toevoegde: 'Iemand van mijn eigen leeftijd.'

Hij keek naar de modderige kust en het ijs, dat bezaaid lag

met dode vissen. 'Dan zul je net zo'n leven krijgen als alle andere vrouwen hier.'

O, wat maakte hij haar kwaad. 'U drijft de spot met mij, terwijl u zich zelf schandalig gedraagt.'

'Ik drijf niet de spot met je, Minke,' zei hij. 'Ik spreek de waarheid over jouw toekomst hier. Daar gaat het om.'

Hij had een tere snaar geraakt, of ze het nu leuk vond of niet. Ze keek naar het noorden, waar de rijen kleine huisjes boven de kade uit staken, met waslijnen die wapperden in de koude wind. Ze dacht aan al die vrouwen, ook haar eigen moeder, met hun ruwe rode handen en dikke lijven, en het leven dat ze voor zichzelf had uitgestippeld. Het leek opeens zo troosteloos.

Alsof hij een barst in haar pantser vermoedde, vervolgde hij op de ontspannen, vriendelijke toon die ze van hem kende: 'Ik begrijp best dat je kwaad bent. Ik zie jouw standpunt ook, natuurlijk. En ik zou niet willen dat je anders was. Ik hou van je onafhankelijkheid, Minke, van je liefde voor je familie en je thuis, van je trouw aan je eigen stad. En je trouw aan Elisabeth. Ik weet dat je van haar bent gaan houden. En ik herhaal nog eens, of je me nu gelooft of niet: zij stond helemaal achter mijn aanzoek.'

Minke had dat wel eens vaker gehoord, een stervende vrouw die een nieuwe echtgenote voor haar man uitkoos. 'Griet heeft een hekel aan me,' zei ze.

Meneer DeVries wuifde dat bezwaar weg. 'Griet zal een goed huwelijk sluiten, waar ze het binnenkort nog druk genoeg mee krijgt. Pim neemt het huis over en wordt advocaat.'

'Maar zouden we hier weer terugkomen na Zuid-Amerika?'

Hij glimlachte breed om die verspreking.

'Ik bedoel u. Ik zei alleen... Ach, ik weet het niet.' Ze spreidde gefrustreerd haar handen. Dit was absurd. 'Ik weet niet waarom we hierover praten, meneer. Het ene moment zorgde ik nog voor uw vrouw, nu is ze dood en vraagt u mij ten huwelijk. Dat is toch raar? Dat moet u zelf ook toegeven. Ik zou bijna denken dat u een grap met me uithaalt.'

'Ik zal heel goed voor je zijn.' De klank van zijn stem was nu zacht en intiem.

'Wat betekent dat?'

'Een man kan goed voor een vrouw zijn op manieren die jij je niet kunt voorstellen, lief.'

Toen ze hem aankeek, kon ze geen spoor van bedrog of listigheid op zijn gezicht ontdekken. Een heerlijk gevoel tintelde ergens diep in haar. Ze had de neiging zijn litteken aan te raken met haar gehandschoende hand. Waarom ook niet? 'Hoe is dat gekomen?'

'Een man met een mes, op zee.'

Ze stond nu vlak bij hem.

'We volgen een baan, Minke,' fluisterde hij. 'Een onbekende route. Je kunt uitstappen of zien waar het je brengt. Er liggen zoveel nieuwe mogelijkheden in het verschiet.'

Heel even, een fractie van een seconde, voelde ze zich zweven bij de heerlijke belofte om naar een ver land te reizen, met deze knappe man als haar beschermer.

'Ik heb het niet goed aangepakt. Ik had moeten wachten, om je op de juiste manier het hof te kunnen maken. Maar ik heb een vreselijk verlies geleden, ik moet mijn dierbare vrouw begraven en dan – tenzij jij ja zegt – in ondraaglijke eenzaamheid naar Zuid-Amerika vertrekken.'

De wind was flink aangewakkerd sinds het begin van hun wandeling en blies koud en vochtig onder haar manchetten en haar kraag door. Ze voelde zich ontnuchterd door de kou en door zijn woorden. 'Ik zal proberen dit goed en helder te zeggen. Woord voor woord,' vervolgde hij, terwijl hij recht tegenover haar kwam staan, zodat zijn schouders een schaduw over haar heen wierpen. 'Voordat je nee zegt, wil ik je het hele beeld schetsen van wat je kunt verwachten als je zou instemmen. Ik heb er goed over nagedacht, geloof me.' Toen ze hem niet in de rede viel, ging hij verder: 'We zouden snel trouwen, hier in Holland – op de traditionele manier, door een ring te breken in het bijzijn van getuigen. Want tijd voor een officiële bruiloft is er niet. Pas in Comodoro zou ik echt met je trouwen, in de kerk.'

'Wat zouden de mensen wel zeggen?' vroeg ze onwillekeurig.

Hij lachte.

'Het zou een schandaal zijn,' zei ze, maar ze vond zijn lach wel leuk.

'Alsjeblieft,' zei hij, dringender dan ooit. 'Zeg ja! O, Minke, ik verlang zo naar je. Het is niet te verdragen.' Hij trok haar dicht tegen zich aan en kuste haar op de lippen, een warme, vochtige kus, zoals ze nog nooit had meegemaakt.

Hij deed een stap terug en keek glimlachend op haar neer. 'En om je vraag te beantwoorden: de mensen praten toch. Dat doen ze nu eenmaal.'

'Ik kén je nauwelijks.'

'Dit is geen ramp, mijn kleine Minke. Dit is niet het einde van de wereld. Het is een huwelijksaanzoek, iets geweldigs, zouden sommige mensen zeggen. En het antwoord ligt helemaal bij jou.' Hij wachtte even. 'Als het ja is, sta dan klaar om met me mee te gaan als ik maandag terugkom.' Hij legde zijn handen op haar schouders en keek haar diep in de ogen. 'Ga met me mee naar Comodoro Rivadavia.'

'Comodoro Rivadavia,' herhaalde ze. De klank van die naam leek eindeloos door te gaan, als een rivier. Ze keek in zijn zachte bruine ogen en herinnerde zich de dag waarop hij zijn handen om haar middel had gelegd – hoe heerlijk ze dat had gevonden. Elisabeth was wakker geweest en had het gezien. 'Ik weet het niet,' zei ze. 'Ik bedoel, ik zou het wel willen. Ja, dat is zo. Maar ik weet nog zo weinig over je, behalve dat je Elisabeths man bent... was. Maar daarvóór? Ik heb geen idee waar je bent opgegroeid, of je nog broers en zusters hebt, of je ouders nog leven. Dat weet ik van alle mensen die ik ken, maar niet van jou.'

'Ik ben enig kind, en mijn ouders zijn gestorven. Ik ben geboren in Leeuwarden. Nu weet je het.'

'En je familie?'

'Ik heb nog een oom. Verder?'

De uitdrukking op zijn gezicht was zo komisch dat ze in de lach schoot. 'We moeten terug. Zo komen er praatjes.' Ze draaide zich om en liep terug naar de poort. Na een paar stappen haalde hij haar in en voelde ze zijn hand op haar schouder, waar hij bleef liggen totdat ze weer bij de vissersboten kwamen en ze zich losrukte. Zonder nog iets te zeggen liepen ze naast elkaar de poort door, terug naar de stad, waar het leek of ze alles weer helemaal opnieuw zag en hoorde: het zachte geklos van klompen over de keitjes, bedekt met de modder van de smeltende sneeuw, de huizen die dicht tegen elkaar aan stonden, als tanden van een gebit. En binnen was het donker, wist Minke, omdat er geen ramen waren. De hele stad leek ingesloten op een te kleine plek. Onwillekeurig vergeleek ze Enkhuizen met de pampa's en hun eindeloze luchten, de stormen en de gaucho's.

Ze bleven staan bij zijn auto, de enige in de smalle straat. Minke voelde honderd ogen op zich gericht van achter de ramen. 'Hoe is het daar, in Comodoro Rivadavia?'

Hij pakte haar handen. Hij droeg een nieuw paar handschoenen, omdat hij de oude op de heenweg had moeten weggooien. 'Het is een heel nieuwe stad, je zult het zien. Een paar jaar geleden woonden er alleen nog indianen, nu wordt alles helemaal nieuw opgebouwd.'

'Dus je bent er al geweest?'

'Elisabeth en ik waren in Buenos Aires...' Hij zweeg bij het noemen van haar naam en leunde vermoeid tegen de auto.

'O, Sander.'

Hij haalde diep adem en pakte haar handen. 'We zijn er niet geweest, nee. Maar elke dag kwam er spannend nieuws uit Comodoro Rivadavia. Al die kansen, Minke! Ze zeggen dat er elke dag nieuwe huizen uit de grond worden gestampt, nieuwe winkels worden geopend, nieuwe diensten worden aangeboden. Dat is de reden waarom ik niet kan wachten. Ik moet er nu heen.' Hij klonk opgewonden als een kind. Hoewel er niet zo vaak een nieuw huis in Enkhuizen werd gebouwd, had Minke het toch wel eens gezien: vers gezaagde balken, de geur van nieuw hout, nieuw gevoegde bakstenen en mooie houten vloeren. Het enige wat ze hoefde te doen was dat beeld te vermenigvuldigen tot tientallen huizen, over de hele pampa... en daar was haar ongerepte dorp aan het glinsterende water van de Atlantische Oceaan.

'Wij zijn samen in ons verdriet, Minke.' Hij richtte zich op en slingerde de auto aan, terwijl Minke toekeek. Ze was het liefst blijven staan om de mooie auto na te kijken, maar ze ging toch naar binnen. Anders zouden de mensen nog denken dat ze verkikkerd op hem was.

Thuis was het een drukte van belang. Minke hoorde veel meer stemmen dan die van haar ouders en Fenna toen ze door de achterdeur binnenkwam. Buurvrouw Ostrander was er; haar schelle stem klonk boven alles uit. Minke liet de deur opzettelijk met een klap dichtvallen, en meteen was het stil. Ze zaten allemaal rond de tafel, ook Fenna. Een half opgegeten brood lag op een bord in het midden, tussen de kruimels.

'Nou? Wat zei hij?' Fenna zat schrijlings op haar stoel, met dikke wollen sokken aan haar voeten. Haar schenen glansden bleek tussen de sokken en de zoom van haar rok.

'Hij zei...' begon Minke, maar verder kwam ze niet. Ze had tijd nodig om na te denken, dus verzon ze maar een leugentje. 'Hij zei van alles. Zoveel dat ik het allemaal niet meer weet.' Ze was niet van plan hun persoonlijke gesprek te herhalen tegenover een roddeltante als buurvrouw Ostrander.

'Probeer het toch maar!' lachte Fenna, en ze rolde met haar ogen. 'Hoe moeilijk kan het zijn?'

'Zeg je nog steeds nee?' vroeg mama.

'Over twee dagen komt hij terug. Wat ik vandaag zeg, maakt niet uit.'

'O!' zei mama. 'Dus je geeft hem nog een kans.'

'Nee is nee, zou ik denken.' Buurvrouw Ostrander, een dikke, in het zwart geklede vrouw met wit haar in dunne, strakke krulletjes, liep met zware passen naar de haard, pakte de pook en zwaaide ermee alsof het een wapen was. 'Als het nee is, moet je hem zo ontvangen als hij terugkomt.' Het was een raar oud gebruik om een afgewezen vrijer met een pook het huis uit te jagen.

Minke nam de pook uit haar hand en zette hem bij de haard terug.

'Hij is met zijn auto weggereden,' zei de buurvrouw. 'Zonder iets te zeggen tegen je vader en moeder?'

'Hij heeft nog veel te doen.'

Vrouw Ostrander keek afkeurend. 'Hij had nog even binnen moeten komen.'

*Maar gelukkig dat hij dat niet deed,* dacht Minke. *Dan was hij jou tegengekomen.*

'Hij wil er zeker met je vandoor?' zei Fenna.

'Fenna, toe!' zei mama.

'Vandoor? Hij wil met me trouwen,' zei Minke.

'Dinsdag al? Onmogelijk!' snauwde vrouw Ostrander.

'Iedereen heeft jullie gezien,' zei Fenna.

'Ze heeft zich schandalig gedragen, hoorde ik,' zei de buurvrouw tegen mama. 'Daar op het ijs. Ze koketteerde met hem en rende voor hem uit, dansend en springend.'

'Je hebt toch ja gezegd? Je doet wel van niet, maar het is gewoon ja.' Fenna en vrouw Ostrander vormden samen een gemeen span.

'Ik heb me helemaal niet schandalig gedragen,' loog Minke. Ze wist wat voor indruk ze moest hebben gemaakt.

'En Argentinië!' riep de buurvrouw. 'Het is daar een oerwoud.'

'Het is een land met kansen,' zei Minke.

Daar had de oude vrouw niet van terug.

'Dus je gaat wél!' jammerde Fenna.

Vrouw Ostrander leunde naar achteren, schudde haar hoofd en zei tegen mama: 'Hij sleurt haar de halve wereld over, doet wat hij wil met haar en zal haar dan de deur uit schoppen. Het zou niet de eerste keer zijn dat een man misbruik maakt van een naïef jong meisje.'

Papa schraapte zijn keel. Hij zat kaarsrecht, met de kop van zijn lange stenen pijp tussen zijn duim en wijsvinger. 'Volgens mij gaat het stormen,' zei hij, met een knipoog naar Minke. 'In het noorden wordt het al flink donker.'

'De wind wakkerde wel aan,' zei Minke. Papa had haar gered. 'Het ging flink tekeer, daarbuiten.' Van pure vermoeidheid was ze bijna in tranen. Ze kon geen enkele gedachte langer dan een paar seconden vasthouden voordat hij weer door een andere werd verdrongen.

'Omdat meneer DeVries mij om je hand heeft gevraagd,' ging papa verder, 'zal ik hem ook antwoord geven als hij terugkomt. Ik moet dus zeker zijn van mijn zaak.'

'Dat is maar een formaliteit, Oscar. Het betekent niets,' zei mama.

Waarom wees ze hem zo terecht? Minke had vaak medelijden met haar vader. 'Ik ben het met papa eens,' zei ze.

'Hoe moet je in zo'n korte tijd een bruidsschat bijeenbrengen?' wilde de buurvrouw weten.

'Hij is bereid van een bruidsschat af te zien,' zei mama.

'Zeg dan maar ja!' zei Fenna. 'Zo'n kans krijg je niet meer.'

'Willen jullie me even alleen laten met Minke? Iedereen?' Papa gebaarde met zijn pijp. 'Ik wil met haar praten, van vader tot dochter.'

Mama zette haar handen in haar zij alsof ze wilde protesteren, maar met een luide zucht verliet ze de kamer, terwijl ze Fenna en de buurvrouw meeloodste.

Papa staarde een paar seconden uit het raam, zuigend aan zijn onaangestoken pijp. Hij had zijn wenkbrauwen gefronst en zijn gezicht stond somber. Toen de anderen niet meer te horen waren, zei hij: 'Mannen hebben een vrouw nodig. Sommigen meer dan anderen. Een huwelijk geeft...' – hij zocht naar het juiste woord – 'evenwicht.'

'Ja,' zei Minke, hoewel ze geen idee had wat hij bedoelde. Papa kon heel langdradig en filosofisch zijn, zonder ooit ter zake te komen. Ze was bang dat dit een van die momenten was.

Hij zoog zijn onderlip in en dacht nog eens na. 'Iedereen vond het vreemd dat meneer DeVries zo snel met zijn aanzoek kwam.' Hij keek haar aan alsof hij hoopte dat ze begreep wat hij wilde zeggen.

'Ja, het was wel snel.'

'Maar dat is geen teken van een slecht karakter. Hij had weinig keus, vanwege zijn zaak. Ik begrijp dat jij het hem kwalijk neemt, maar probeer het wat ruimer te zien.'

Minke keek verbaasd. 'Dus u vindt dat ik met hem moet trouwen!'

Papa dacht weer na. 'Ik probeer je alleen iets duidelijk te maken wat je misschien niet beseft. Zoals zoveel mannen voelt meneer DeVries zich totaal verloren zonder een vrouw.'

'Zoals u het zegt, klinkt het alsof hij zijn oude schoenen wil vervangen!'

'Ik ben niet zo'n goede prater, Minke, maar ik probeer het je eerlijk uit te leggen.'

'Het spijt me, papa. Ga door.'

'De manier waarop hij naar je kijkt, Minke, maakt wel duidelijk dat jij niet zomaar een vervangster bent. Hij heeft meer tijd gehad om jou te observeren dan jij hem. Tot nu toe zag je hem alleen als je werkgever, de man van je vriendin. Daarom kwam dit heel onverwachts en heb je tijd nodig om het te verwerken.' *Niet helemaal,* dacht Minke, die zich de kus op het strand herinnerde, nog geen uur geleden. Er begon iets te verschuiven. Ze voelde de verandering bij zichzelf, zoals je de wind voelde draaien op een najaarsdag. Dat was ook al gebeurd toen Sander zijn handen om haar middel had gelegd. Daar had ze heimelijk van genoten. En later, toen ze alleen in bed lag, had ze dat moment nog eens beleefd. Ze hoopte vurig dat Elisabeth inderdaad haar zegen aan dit huwelijk had gegeven.

'Hij zei dat Enkhuizen steeds minder belangrijk zal worden,' fluisterde ze schuldbewust. 'Dat het binnenkort niets meer zal betekenen.'

'Nou, dat lijkt me overdreven, maar we zijn geen belangrijke zeehaven meer, daar heeft hij gelijk in. Die tijd is lang geleden en komt nooit meer terug.'

'Maar hij is bijna net zo oud als jij, papa,' zei ze.

'Dat is een heel andere zaak, Minke. Als zijn leeftijd je tegenstaat, moet je nee zeggen. En als hij je om een andere reden niet bevalt, waarom dan ook, zou je op zijn verzoek geen ja mogen zeggen. Maar dat kun je alleen zelf bepalen.'

'Ik heb zeker geen hekel aan hem.' Een gevoel van opwinding sloeg door haar heen.

'Dat dacht ik al.'

'O, papa.'

'Wat een leven,' zei papa. 'Over een jaar kom je naar Enkhuizen terug met al je verhalen over de grote wereld.'

Fenna stormde de kamer binnen. Ze had aan de deur geluisterd. 'Dus je gaat wél! Mama! Buurvrouw! Minke gaat trouwen met meneer DeVries!'

# 3

ZE ZATEN AAN het avondeten: dikke erwtensoep, zo stevig dat je lepel er rechtop in bleef staan, en brood met harde korsten. Uit de ketel die mama bijna de hele dag op het fornuis liet staan, stegen geuren op van pepermunt. Fenna at met smaak en schepte zich nog eens op. Normaal zou mama haar berispen, maar vanavond niet. Minke had geen trek.

'Het moet een echte bruiloft worden, voor zover mogelijk in deze omstandigheden,' zei mama.

'Meneer DeVries zei dat daar geen tijd voor was totdat we in Comodoro waren aangekomen.'

'Dat heeft meneer DeVries niet te bepalen,' zei mama. 'Hoe laat komt hij?'

'Dat weet ik niet,' zei Minke, en toen Fenna met haar ogen rolde, voegde ze eraan toe: 'Het maakt ook niet uit, want we zijn niets anders van plan dan het breken van een ring.'

'In dit huis wordt er geen ring gebroken,' verklaarde mama met een hoogrode kleur. 'Het wordt een nette bruiloft. Oscar, je moet de deur groen schilderen. We hebben lelietjes-van-dalen en dennentakken nodig. Fenna, dat is jouw werk. Ik zorg voor eten en drinken. De dominee moet worden gewaarschuwd en de kerk gereedgemaakt.'

Een kille angst sloot zich om Minkes hart. Meneer DeVries had gezegd dat hij het simpel wilde houden. Dit was niet zijn bedoeling, hij verwachtte dit niet. Hoe zou hij reageren als ze tegen zijn wensen in ging? Maar mama was al net zo onverzettelijk.

'Beide keren kwam meneer DeVries vroeg in de middag,' verklaarde mama ferm. 'Laten we daar van uitgaan. We regelen alles voor de middag. Als hij eerder komt, des te beter.'

Minke voelde zich steeds moedelozer en wanhopiger, alsof ze een touw was dat door twee mensen – haar moeder en meneer DeVries – twee kanten op werd getrokken. 'Mama, maak nou niet zoveel drukte.'

'Onzin,' zei mama. 'Fenna, jij doet vanavond maar de afwas. Ik moet Minke onder vier ogen spreken.' Ze zette zich af tegen de tafel. 'In de voorkamer, Minke, als je wilt.'

Minke volgde haar moeder en ging bij het raam zitten dat uitkeek over de donkere straat. Mama zat kaarsrecht, met haar handen in haar schoot gevouwen. Ze haalde diep adem en stak haar kin naar voren. 'Ik zal je vertellen wat je van meneer DeVries kunt verwachten.'

'Je kent hem nauwelijks.'

'In dit opzicht zijn alle mannen hetzelfde,' verklaarde mama.

*O, nee,* dacht Minke. 'We hoeven hier toch niet over te praten?'

Mama duwde haar dikke onderlip vooruit. 'Bepaalde dingen moet je van je eigen moeder horen. Zoals ik het ook van de mijne heb gehoord.' Ze liet zich tegen de rugleuning zakken en wiebelde haar achterste in een gemakkelijke houding. 'Hij zal je in zijn bed willen hebben.' Ze hield Minke scherp in het oog.

'Dat wéét ik, mama. Papa en u slapen ook in één bed.'

Mama knikte. 'En dan gebeuren er dingen.'

'Ik weet wel wat er gebeurt, mama.' Minke staarde uit het raam. Het was koud geworden, en er glansde ijs in de klinkerstraatjes.

'Vertel het me dan eens.'

Minke durfde haar moeder niet te zeggen wat ze had gehoord over de dingen die zich afspeelden tussen man en vrouw. Het was makkelijker om het aan te horen dan hardop te herhalen wat ze van vriendinnetjes had gehoord. 'Nee, ga door,' zei ze.

'Het is niet zo ingewikkeld, Minke. In bed komt de man op de vrouw liggen en steekt zijn fallus in dezelfde opening waardoor zij haar maandelijkse ongemakken heeft. Heel eenvoudig.'

Minke knikte. 'O. Dat dacht ik al.' Ze was geweldig opgelucht door die beknopte, klinische beschrijving. Ze stelde zich voor dat ze met meneer DeVries in bed zou liggen, maar ze kon hem niet anders zien dan in zijn cameljas. Ze stond op om te vertrekken.

'Niet zo snel.' Mama pakte haar bij haar mouw. 'Weet je wat ik bedoel met de "fallus"?'

Jongens zwommen soms naakt aan het strand aan de noordkant van het stadje. Meisjes ook, maar verderop langs de kust. De jongens loerden naar de meisjes, en de meisjes naar de jongens. Minke had het wel gezien, van een afstand. Maar dat durfde ze haar moeder niet te zeggen. 'Ik weet wat het is.'

Mama glimlachte en tekende met haar vinger een langgerekte, omgekeerde U op de beslagen ruit. 'Zoals dit. Begrijp je?'

Minke zou hem andersom hebben getekend, maar ze knikte toch.

Mama veegde haar tekening weer van het raam. 'Heb je nog vragen?' wilde ze weten.

Minkes belangrijkste vragen gingen nog steeds over kleding.

Moest ze haar kleren aanhouden? Ze dacht van niet, maar moest echt álles uit? En als dat zo was, waar moest ze zich dan uitkleden? In bed, of in de kamer? Stel dat ze zich zou uitkleden, terwijl meneer DeVries dacht dat ze haar kleren nog aan had? En hij? Bleef hij wel aangekleed? 'Wat moet ik dragen?' vroeg ze.

Mama fronste. 'Een nachthemd,' zei ze. 'Zoals elke nacht.'

'O,' zei Minke.

'Heeft meneer DeVries je gekust?'

'Nee!'

Weer fronste haar moeder. 'Voel je...' Ze aarzelde. 'Heb je warme gevoelens voor hem? Affectie?'

Minke knikte nadrukkelijk. Natuurlijk hield ze van meneer DeVries. Maar ze wilde vooral een eind maken aan dit gesprek. Ze zou het allemaal wel merken.

'Mooi. Dan komt het wel goed, dat weet ik zeker.'

Weer stond Minke op om te vertrekken.

'Nog één ding.' Er glinsterde een vrolijk lichtje in mama's ogen. 'Iets wat ik zelf graag had geweten toen ik met papa trouwde.'

Minke dacht liever niet aan papa in die rol.

Mama boog zich naar haar toe en fluisterde: 'Je zult denken dat hij doodgaat, maar dat is niet zo.'

'Wat bedoelt u?'

'Het geluid, Minke.' Mama leunde naar achteren. 'Ze maken zoveel herrie.'

'Wat voor herrie?'

Mama dacht even na. 'Een soort gejammer, als van een man die door een beer wordt opgevreten, als je je dat kunt voorstellen. Of de beer zelf!' Ze sloeg een hand voor haar mond om een lach te onderdrukken.

'Heeft hij dan pijn?'

'Integendeel!'

'En hoe luid klinkt het?'

Mama schommelde heen en weer op haar stoel en dacht daarover na. 'Zo luid als een misthoorn,' zei ze, wiebelend van plezier. 'Hij schokt over zijn hele lijf en wordt vuurrood in zijn gezicht. Het bed maakt ook lawaai en de deuren trillen. En jullie straks, aan boord van dat schip! Een man van zijn postuur kan de hele boot laten deinen. En dan...' Ze spreidde haar handen. 'Opeens valt hij neer alsof hij door zijn hart geschoten is.' Ze sloeg haar handen tegen haar eigen hart, om een heftige schok na te bootsen, en liet haar hoofd opzijvallen. Toen keek ze weer op, met haar lieve glimlach. 'Maar zoals ik al zei: dood is hij niet.'

'En dat gebeurt allemaal terwijl hij boven op me ligt?' vroeg Minke.

'Ik vrees van wel,' zei mama.

'Het klinkt verschrikkelijk.'

'Ach, dat valt wel mee,' zei mama, terwijl ze haar ogen droogde. 'Je zult het zien.'

Alle voorbereidingen waren achter de rug. De voordeur was diep mosgroen geschilderd, als aankondiging van het huwelijk. Dennentakken lagen op de grond bij het fornuis waar Minke en meneer DeVries zouden zitten om de gelukwensen in ontvangst te nemen als ze waren getrouwd. De dominee kwam als eerste, en liet wat kritische geluiden horen over de haast en het gedoe, terwijl hij iets te eten en te drinken nam.

Minke begroette de gasten en liet zich zoenen, één kus op iedere wang. Er was geen tijd geweest om de familie in Friesland te waarschuwen, dus waren er niet veel bruiloftsgasten: alleen de buren uit de straat. Minke droeg dezelfde jurk van zwarte Lyon-zijde waarin ook haar moeder was getrouwd. Binnen een paar uur had Minke de jurk ingenomen bij de schouders en de taille, de mouwen langer gemaakt en de zoom uitgelegd. Zwart was geen ongebruikelijke bruiloftskleur bij de mensen uit Enkhuizen of Berlikum. Zo'n jurk kon weer tevoorschijn worden gehaald bij een begrafenis, hoewel dat in mama's geval niet mogelijk was, omdat ze er nooit meer in zou passen. Van alle dingen waarom Minke zich moest bekommeren – vooral de angst dat meneer DeVries boos zou zijn over de huwelijksvoorbereidingen – was de jurk een van de vele. De bruid van een rijke man hoorde een witte jurk te dragen, die speciaal voor deze ene gelegenheid was uitgekozen. Zou de zwarte jurk hem eraan herinneren dat hij beneden zijn stand trouwde, reden genoeg om van het huwelijk af te zien? Het voelde als verraad aan haar eigen familie om zich daar zorgen om te maken, maar ze kon er niets aan doen.

Het werd halfvier, en nog altijd was hij niet gearriveerd. Steeds als de voordeur openging, draaiden alle gasten zich er naartoe. Minke probeerde haar nervositeit te verbergen en wierp alleen een blik naar het raam, in de hoop zijn mooie auto te zien aankomen, als ze dacht dat niemand keek. Maar ze zag niets, alleen de gebruikelijke fietsen, paarden, en de man die fournituren verkocht met zijn hondenkar. Papa schonk met gulle hand de zoete wijn, en een tijdlang was de kamer gevuld met het geroezemoes van stemmen en de bulderende lach van de dominee. Tegen halfvijf leken donkere wolken zich samen te pakken boven de aanstaande bruiloft. De paar mensen die nog waren achtergebleven wierpen verholen blikken op de familie.

'Je zou de eerste niet zijn,' zei buurvrouw Ostrander met enige voldoening tegen Minke. 'En zeker niet de laatste.' Andere vrouwen knikten somber en instemmend.

Minke liep naar het achterplaatsje, waar het wasgoed hing, stijfbevroren aan de lijn. Daar kon ze even alleen zijn. Na een minuutje kwam Fenna haar achterna, met gebogen hoofd. Ze had al iets op haar jurk gemorst en probeerde de vlek eruit te poetsen. 'Mama had niet al die moeite moeten doen,' zei Fenna. 'Dit is een ramp. Al die mensen hier. Iedereen lacht je uit.'

'Je wordt bedankt.'

'Nou, het is toch zo? Je zou ze moeten horen, daarbinnen.'

'Hij heeft nooit gezegd hoe laat hij precies zou komen.'

'Ik zeg het alleen maar.' Fenna ging op het stoepje zitten, met haar hoofd tegen de muur, en staarde troosteloos voor zich uit. Ze had wat wijn gedronken en had een hoogrode kleur. Haar bewegingen gingen traag. 'De dominee probeert onder mijn rok te voelen als er niemand kijkt. Smerige man. Ik heb zijn bril gepikt.' Ze hield hem omhoog en lachte smalend.

'Dan kan die arme dominee niets meer zien,' zei Minke.

'Precies wat hij verdient.'

'Nou, ik ben er nog,' zei Minke. 'Jij dacht dat ik zou vertrekken, maar ik ben er nog steeds.'

'Hij komt heus wel.'

'Denk je dat?' Dat had Minke uit Fenna's mond niet verwacht.

'Natuurlijk. Je hebt hem toch je jawoord gegeven, of niet?'

'Eerst heb ik nee gezegd.'

'Maar daarna ja.'

'Daarna zei ik dat ik het niet zeker wist.'

'O jee, o jee.'

'Wat?'

'Je houdt hem aan het lijntje. Mannen willen niet terugkomen om nog een keer nee te horen.'

'En jij weet alles over mannen?'

'Nou, dát weet ik nog wel.'

Alle mogelijkheden waren al door Minkes hoofd gegaan: dat Griet kwaad was geworden over het huwelijk; dat Sander van gedachten was veranderd; of erger nog, dat hij vanaf het eerste begin een spelletje met haar had gespeeld. Maar wat Fenna opperde, was nog niet bij haar opgekomen: dat hij haar had geloofd toen ze nee zei en niet nog eens het lid op de neus wilde krijgen. 'Wat moet ik nou doen?'

'Je kunt niks doen,' zei Fenna. 'Waarschijnlijk heb je het verpest.'

'Doe niet zo akelig,' zei Minke.

'Je vroeg me wat je moest doen, en ik geef antwoord.'

Minke liep weer naar binnen en trof haar moeder in de keuken. 'Stuur iedereen maar naar huis,' zei ze. 'Hij komt niet meer.' Ze kon al dat medelijden niet verdragen.

Mama zei tegen Minke dat ze maar even moest verdwijnen. Over een tijdje zou ze de gasten wel wegsturen zonder dat Minke erbij was. Maar ze kon niet zo makkelijk verdwijnen in dat kleine huisje met twee kamer. De enige mogelijkheid was de ladder naar de zolder op te klimmen zonder dat iemand het zag. Zodra ze de kans kreeg, was dat ook wat ze deed. Vanaf de zolder kon ze de gedempte gesprekken beneden volgen, de dronken lach van de dominee, de gasten die hun vertrek zo lang mogelijk probeerden uit te stellen.

Ze was zo dom geweest! Dom om te geloven in het idee van een huwelijk – een idee dat haar hele blik op de toekomst had veranderd. Ze had beter moeten weten. Ze had geen moment moeten aarzelen toen meneer DeVries het haar vroeg. Ze had meteen ja moeten zeggen, haar koffer moeten pakken en wegwezen. Dat zou Fenna hebben gedaan. Het verschil tussen haar en Fenna? Dat Fenna altijd precies wist wat ze wilde. Fenna kende geen fatsoen. Maar wat had dat fatsoen Minke opgeleverd? Een pijnlijke, gênante situatie.

Ze had diep medelijden met zichzelf, al bijna verzoend met een leven in Enkhuizen, toen de klank van de stemmen beneden opeens veranderde. Er was iets gebeurd. Op haar buik schoof ze over de rand van het luik, een eindje de ladder af, terwijl ze met haar handen op de bovenste sporten leunde. Eerst zag ze niets anders dan de ruggen van de gasten bij de voordeur. Mama moest hun hebben gevraagd om te vertrekken. Het zou niet meevallen om achterwaarts de ladder weer op te kruipen.

Haar moeder verhief haar stem. 'De dominee is dronken en de kerk zit op slot!' Het groepje bij de deur viel uiteen en een paar mensen werden weer naar binnen geduwd. En daar was *hij*. Meneer DeVries wrong zich tussen de mensen door en stond zo dichtbij dat ze hem bijna aan kon raken. Hij had haar nog niet gezien en keek om zich heen of hij haar ergens in de lege voorkamer kon ontdekken. Minke probeerde zich omhoog te worstelen om netjes de ladder af te dalen. Maar hij keek al naar boven. De anderen ook. Minke was al een paar sporten omlaag gegleden, bijna ondersteboven.

Van aangezicht tot aangezicht met hém.

Hij lachte hartelijk. 'Kom eens kijken, Cassian,' zei hij. Een elegante man in een prachtige blauwfluwelen jas – zelfs ondersteboven zag ze hoe mooi die was – stapte naar hem toe, terwijl Minke zichzelf omhoog probeerde te duwen met het schaamrood op haar kaken. 'Laten we haar even helpen.' Meneer stak zijn handen onder haar oksels. Zodra ze zich ondersteund voelde, lieten haar handen los. Voorzichtig, met de hulp van de andere man, hielp hij haar omlaag.

'Mag ik je voorstellen aan mijn vriend, dokter Cassian Tredegar,' zei hij, terwijl hij met moeite zijn lach inhield. Het was dezelfde man, zag Minke, die op de dag van haar vertrek in de voorkamer van het huis in Amsterdam had gezeten. Maar ze kreeg de tijd niet daar iets over te zeggen, want alles ging nu snel. Meneer vroeg papa om even naar buiten te stappen voor een praatje, en de dokter wilde Minke spreken. Mama fladderde rond als een duif, nog steeds ontdaan over de dronken dominee en de gesloten kerk.

Minke nam hem mee naar de keuken, waar de restanten van het feest nog overvloedig aanwezig waren. Op alle beschikbare oppervlakken stonden schalen en borden met eten. Maar dokter Tredegar leek de chaos niet op te merken. Hij zette zijn Engelse hoed af; zijn haar glansde vochtig zwart in het licht van de lamp. 'Ik reis met meneer DeVries mee naar Comodoro, aan boord van de SS *Frisia*. Ik ken het leven op een schip; dat is soms niet eenvoudig. Maar ik kan u verzekeren dat ik goed ben opgeleid. Ik heb in Wales gestudeerd. Als u in Comodoro moet bevallen, kan ik het kind op de Europese manier ter wereld brengen. En ik kan u ook inenten tegen bepaalde ziekten van het gebied. Waarschijnlijk hebt u daar nog niet over nagedacht, jong als u bent.' Zijn blik gleed door de keuken. 'Dit feest betekent dat u ja zult zeggen tegen meneer DeVries, neem ik aan?'

'Hij was zo laat!' zei Minke.

Op dat ogenblik dromde iedereen weer de keuken binnen. Het ene moment wrong Fenna zich nog langs de anderen heen om vooraan te kunnen staan, het volgende moment zat meneer DeVries al op een knie en keek naar haar op. 'Wil je met me trouwen, Minke van Aisma?'

'Ja,' zei ze zonder aarzelen, en opeens was het stil in de keuken, alsof het allemaal een grote grap had geleken, die nu pas ernst werd.

Meneer DeVries haalde een zakdoek uit zijn borstzakje, vouwde die open en liet een gouden ring zien. 'We zullen de ring breken en ieder de helft nemen. Dan zijn we getrouwd.'

'Onzin,' zei mama. 'We leven in 1912, meneer DeVries, niet in de middeleeuwen. U wacht maar tot de kerk morgen weer opengaat. Bovendien, hoe zou u die ring willen breken?' Ze leek een donzige witte moederkloek, fladderend en kakelend, zonder iets te bereiken.

De dokter pakte een kleine hamer, een metalen beitel en een groene lap, waarin hij zorgvuldig de ring neerlegde.

'Kniel alsjeblieft met me, Minke,' zei meneer DeVries, zonder acht te slaan op het verhitte gekwek van haar moeder.

Minke knielde bevend neer. Een paar bruiloftsgasten die al waren vertrokken kwamen terug, aangelokt door de komst van de auto. Meneer DeVries legde de in stof gewikkelde ring op de houten vloer, zette de beitel erop en gaf die een harde klap met de hamer. Toen vouwde hij de doek weer open. De ring was keurig in tweeën gebroken. Hij pakte de twee gouden helften, kuste ze, en liet ze in de palm van zijn andere hand vallen. Fluisterend zei hij tegen haar: 'Als je jouw helft aanneemt, Minke, en ik de mijne, zijn we getrouwd, onder het oog van getuigen.' Hij keek naar de mensen die om hen heen dromden en zei: 'Door iedereen hier aanwezig vandaag. Een officiële huwelijksvoltrekking. Ik, Alexander Augustus DeVries, neem jou, Minke van Aisma, tot mijn vrouw.'

Als twee kleine gouden aaltjes lagen de twee halfronde helften in zijn grote hand. Minke drukte haar vingers diep in zijn uitgestoken handpalm, een gevoel dat haar slap maakte van vreugde. Meneer DeVries nam haar gezicht teder in zijn handen, trok haar naar zich toe en kuste haar op de lippen. Ze had een gevoel alsof hij haar had opengevouwen en in haar binnenste keek.

'Jullie moeten wel de huwelijksdaad voltrekken om het huwelijk geldig te maken!' klonk de stem van buurvrouw Ostrander ergens achter uit de kamer. Een luid gelach verbrak de stilte. Een reusachtige schaal met in brandewijn gewelde rozijnen werd binnengebracht, en het feest kon nu echt beginnen. Zelfs mama kreeg er plezier in. Minke en meneer DeVries namen hun plaatsen in op de stoelen tussen de altijd groene takken die de bestendigheid van hun huwelijk moesten symboliseren. De tijd leek stil te staan. Minke verkeerde in een droom waarin ze niets anders hoefde te doen dan te glimlachen, zich te laten kussen en het geld in ontvangst te nemen dat de mensen in de zakken van haar zwarte jurk staken. Ze drukte haar wijsvinger tegen de scherpe randen van haar halve ring. De zoete pijn gaf haar houvast en vertelde haar dat dit echt gebeurde.

Na een tijdje werd ze zich bewust van een contact tussen meneer DeVries en dokter Tredegar. Ze zeiden niets, maar terwijl de arts zich glimlachend onder de gasten mengde en hier en daar een praatje maakte, keek hij regelmatig in de richting van meneer DeVries en knikte dan heel even. Ten slotte tikte de dokter op het horloge in zijn borstzak, vlak voordat hij zijn stem verhief om iedereen tot stilte te manen. Hij haalde een boek met lege pagina's tevoorschijn, dat hij de mensen liet zien. 'Ik vraag u allemaal dit boek te tekenen, als getuigen van deze gelukkige gebeurtenis.' Hij liep rond en vroeg iedereen om zijn naam te zetten. Toen bracht hij het boek naar meneer DeVries en fluisterde weer iets tegen hem, waarop Sander tegen Minke zei: 'Het is twee uur rijden naar Amsterdam, en ik moet nog de hele nacht op het schip zijn.'

Mama had blijkbaar op dit moment gewacht, want ze dook onmiddellijk naast Minke op en zei: 'Kom mee naar boven. Nu.'

Minke volgde haar de ladder op naar zolder, waar papa tegen een zak gedroogde bonen zat, bij het licht van een enkele kaars. Minke begreep het meteen. Het was gebruikelijk om even rustig te gaan zitten voor een reis, je gedachten op een rij te zetten en je gereed te maken voor het vertrek – iets wat ze hadden nagelaten toen Minke voor het eerst naar Amsterdam vertrok.

Minke en mama knielden bij papa neer. Ze gaven elkaar een hand, sloten hun ogen, maar zeiden niets. Minke klampte zich vast aan de grote knuist van haar vader aan de ene kant en mama's kleine hand aan de andere. Alles zou kunnen gebeuren. Niets was nu zeker meer. Ze nam afscheid van iets wat haar al door de vingers was geglipt.

Het geroezemoes beneden werd luider toen de gasten haar naam riepen, maar Minke bleef nog even zitten, omdat ze niet als eerste het contact met haar ouders wilde verbreken. Ten slotte liet haar vader haar hand los, maar mama greep nog altijd haar hand vast, met zoveel kracht dat het bijna pijn deed.

Beneden had dokter Tredegar de leiding genomen en de portieren van de auto geopend om het afscheid te bespoedigen. Minke zocht Fenna en zag haar voor het huis van de Ostranders, waar ze vanuit de schaduw alles volgde. Ze liep naar haar zus toe en ze keken elkaar aan.

'Je mag je gelukkig prijzen,' zei Fenna.

'Jij hebt nu de hele zolder voor jezelf.'

'Vaarwel, Minke.'

Dokter Tredegar kwam haar halen. 'We moeten weg.'

Ze had nauwelijks tijd om papa en mama te kussen voordat ze al in de auto zat, op weg naar Amsterdam, met dokter Tredegar achter het stuur en meneer DeVries naast hem. Minke had zich op de kleine achterbank geïnstalleerd. Zo nu en dan draaide Sander – hij was nu Sander voor haar – zich om en keek haar stralend aan, alsof hij zeker wilde weten dat ze er nog was. Dokter Tredegar sprak veel met hem, maar Minke kon hen niet verstaan, omdat het zo'n herrie was op de hobbelende achterbank, boven de achterwielen. Het kwam haar wel goed uit, omdat ze toch niet had geweten wat ze moest zeggen.

De *Frisia* lag afgemeerd aan de kade, prachtig verlicht en groter dan enig schip dat Minke ooit had gezien. Het was druk op de steiger. Mannen liepen de loopplanken op om de lading aan boord te brengen, geholpen door kranen die als reusachtige spinnen bij het voor- en achterdek stonden opgesteld.

Ze worstelden zich door de menigte en kwamen bij de loopplank, die loodrecht omhoog leek te gaan. Sander stapte opzij om haar voor te laten gaan. Halverwege zei hij dat ze moest blijven staan om achterom te kijken. Geschrokken klampte Minke zich aan de leuning vast en zette haar knie tegen de zijkant uit angst om te vallen, zo steil was de plank. Maar toen ze vooruit keek, zag ze dat ze op ooghoogte was met de gevels van Amsterdam. Sander wees omlaag naar de kade waar ze vandaan kwamen. Dokter Tredegar stond daar nog, een klein poppetje in de verte, bezig om hun bagage uit de gele auto uit te laden.

'Zie je daar? Ze wachten al dagen.' Sander wees naar een onverlicht gedeelte van de kade, bij de pakhuizen. Toen haar ogen aan het donker gewend waren, zag ze de ronde vormen – tientallen mensen die in dekens gewikkeld in de rij lagen. 'De eersten krijgen de beste plaatsen. De laatkomers moeten zich behelpen.'

'Wat veel! Waar gaan ze allemaal naartoe?'

'Naar Argentinië, net als wij! Comodoro groeit met de dag.'

'Maar wat moeten wij daar doen? Wat voor werk heb jij?'

'Alles wat ik nu al doe, en meer.'

'O,' zei Minke. Het was haar nog niet duidelijk. 'Ik heb te doen met die arme kerels die daar in de kou liggen. Redden ze het wel?'

'Ja, hoor. Maak je geen zorgen.' Hij legde een hand op de hare, die nog altijd op de leuning lag, voordat hij haar voorzichtig een zetje gaf. Tijd om door te lopen. Boven aan de loopplank, een beetje buiten adem, kwam ze tussen een volgende groep arbeiders terecht. De lucht van zweet hing om hen heen. Sander nam haar mee tussen de mannen door, via een dubbele glazen deur een kort trapje af, naar een helder verlichte gang met een goudgele houten betimmering en een glimmend gepoetste houten vloer. Bij de laatste deur bleef hij staan, duwde hem open en stapte opzij om haar te laten passeren.

De tegenoverliggende wand was gebogen van vorm, met een rij vierkante ruitjes. Minke had zoiets nog nooit gezien. De meubels, die aan de wanden en de vloer zaten vastgeschroefd, waren van hetzelfde goudgele hout als in de gang. Het bed had vier poten en een witte sprei.

Het bed.

Een lichte paniek beving haar toen ze ernaar keek, maar ze kon haar ogen er niet van afhouden en dacht weer aan wat haar moeder had gezegd over het geluid dat hij zou maken.

'Wat is er, Minke?'

'Het is wel een groot bed,' zei ze, en ze voelde dat ze bloosde.

Na die opmerking staarden ze allebei naar het bed. Minke had wel door de grond kunnen gaan. Nu had ze zelf iets gezegd over het bed, over de gróótte ervan, terwijl ze juist de aandacht ervan had willen afleiden. Het was de opeenvolging van emoties die haar had verraden, te beginnen met de aanraking van zijn handpalm toen ze de halve ring van hem had aangenomen, daarna de snelle kus die hij op haar lippen had gedrukt, zijn adem in haar hals, en zijn hand over de hare op de leuning. Hoe vluchtig ook, al die momenten tezamen hadden haar nuchtere verstand ondermijnd en haar tot deze domme opmerking verleid.

De verbaasde uitdrukking op Sanders gezicht zei genoeg. Zijn litteken contrasteerde bleek met de blos op zijn wangen. Zo stonden ze tegenover elkaar, twee vreemden in een kleine, benauwde ruimte. Minke voelde zich verlamd door schaamte, onzekerheid en angst, alsof ze met een gevaarlijk dier werd geconfronteerd, een slang, of een stier in de wei. Moest je het beest recht in de ogen kijken? Vluchten? Stilstaan? Het dier zou iedere nuance herkennen.

Eindelijk verbrak Sander de stilte, die een eeuwigheid leek te duren, hoewel het waarschijnlijk niet meer dan twee seconden was. Hij trok zijn das wat losser. 'Nou,' zei hij, en Minke voelde alle spanning uit zich wegvloeien. Ze merkte dat ze haar adem had ingehouden. 'Daar zijn we dan. Cassian heeft onze spullen al laten opbergen. Maar Minke...' hij schraapte zijn keel, 'ik ben bang dat ik weer ergens anders moet zijn. Er is altijd veel te doen op deze momenten. Daarom heb ik Cassian gevraagd of hij met je wil gaan eten. Over een halfuurtje komt hij je halen.'

Toen hij was vertrokken, keek Minke nog eens rond. Ze opende de deur om een blik door de gang te werpen. Sander was verdwenen. Ze had hem afgeschrikt. *Het is wel groot!* Dat zou Fenna mooi hebben gevonden: Minkes eerste keer met een man, en hij was op de vlucht geslagen!

Ze keek door een van de raampjes. Op ooghoogte zag ze de voeten van de arbeiders aan dek. Ze trok het gordijntje dicht en opende de bovenste la van de toilettafel, waarin ze haar zaken terugvond uit het huis in Amsterdam: ondergoed, blouses en haar borstel. In de kast hingen de twee zelfgenaaide jurken – roodbruin en blauwgeruit – die ze in Amsterdam had achtergelaten. Maar wat zag ze daar nog meer? Ze boog zich naar binnen en vond drie jurken in roze en rode tinten. Ze haalde ze naar voren, verbaasd hoe zacht ze aanvoelden, en hield ze in het licht. Ze waren oogverblindend, gemaakt van dure stof, twee voor overdag en een, met cultivéparels in het lijfje genaaid, voor de avond. Haar oog viel meteen op de rode jurk, die ze van zijn hanger nam om het mooie, strakke weefsel te bewonderen, en de halslijn, diep uitgesneden en met koraalrood lint geborduurd. De jurken moesten voor haar zijn bedoeld, maar ze durfde ze niet aan te trekken voordat ze het zeker wist. Ze had al genoeg fouten gemaakt voor één dag.

Cassian arriveerde om negen uur, precies een halfuur na Sanders vertrek. Hij klopte aan en riep: 'Mevrouw DeVries?' *Mevrouw?* O ja, dat was ze nu. Ze ving een glimp op van zichzelf in de spiegel, een meisje in een zwarte jurk, waarvan de zakken nog waren volgepropt met geld. Ze deed de deur open en de dokter kwam binnen. Hij keek om zich heen. 'Alles zit vastgeschroefd,' riep Minke uit. 'En kijk!' Ze opende een deur van de kast om hem te laten zien dat de planken kleine leuninkjes hadden.

'In geval van een storm,' zei hij. 'Dan blijft alles op zijn plaats.'

'Bedankt dat u al onze zaken hebt opgeborgen.'

'Ik heb alleen maar toezicht gehouden.'

'Er hangen ook jurken bij die niet van mij zijn.'

Cassian droeg nog steeds zijn blauwfluwelen jas. Hij leek zo uit een opera weggelopen. 'Ze zijn van u.'

'Ik herinner me nog dat ik u in de voorkamer zag, voordat Elisabeth stierf. Dat was u toch?'

Hij keek op zijn zakhorloge. 'Ja, dat was ik. We kunnen verder praten terwijl we naar de eetzaal lopen.'

In de gang ging ze erop door. 'Ja, ik dácht al dat u het was, die dag.' Hij zei niets. 'Wat is er met Elisabeth gebeurd, Cassian? Jij bent dokter. Je moet weten wat er is gebeurd.'

'God hebbe haar ziel.'

Hij gedroeg zich heel irritant. Zodra ze in de kleine eetzaal zaten, met twee obers achter zich, gekleed in witte schorten, raadpleegde Cassian heel nadrukkelijk het menu voordat hij zijn bestelling in het Spaans doorgaf. 'Warme chocola om mee te beginnen,' zei hij, toen de ober was vertrokken. 'Met koekjes.'

'Ik ben geen kind.'

'Iedereen houdt van chocola.'

'Ik hield van Elisabeth.' Ze gaf het niet op. Ze moest het weten.

'Ik ook,' zei hij.

'Het is zo vreemd om met Sander getrouwd te zijn, terwijl Elisabeth pas een paar dagen dood is.'

Cassian trok een wenkbrauw op. 'Vraag je me nu of ik vind dat je iets verkeerds hebt gedaan? Of je hebt gezondigd?'

'Dat ook.'

'Ook?'

'Wat is er met Elisabeth gebeurd? Ze leefde nog toen ik vertrok.'

'Probeer gelukkig te zijn, Minke.'

'Maar...'

Hij maakte een breed gebaar om zich heen. 'Niemand weet wie je bent, waar je vandaan komt of wat je hebt achtergelaten. Je kunt van jezelf maken wat je wilt. Dat is de essentie van het reizen. Je kunt worden wie je zegt dat je bent. Begrijp je wat ik bedoel?'

'Dat is liegen,' zei ze. 'En ik heb altijd geleerd de waarheid te spreken.'

'De waarheid? Dat is een kwestie van wat je vertelt en wat je weglaat,' zei Cassian. 'Er bestaat geen absolute waarheid, voor wie dan ook.'

'Ik ben een meisje van het platteland. Sander heeft mijn familie betaald om voor zijn stervende vrouw te zorgen. Zijn kinderen mogen me niet. Dat is de waarheid.'

'Je bent een mooie jonge vrouw die het oog en het hart heeft veroverd van een avonturier. Je hebt een sterke wil en heel wat passie onder dat bedeesde uiterlijk. Begrijp je? Jouw versie en de mijne zijn allebei waar. Het ligt er maar aan welke feiten je eruit pikt.'

'Ik heb niet veel school gehad. Ik kan alleen handwerken. En ik kom uit een familie die heel schamel afsteekt bij de zijne.'

'Waar je vandaan komt is minder belangrijk dan waar je naartoe gaat.'

'Leefde ze nog toen je haar zag, die dag – de dag dat ik vertrok? Ik móét het weten.'

'Je moet helemaal niets. Moeten is dwang. Je wilt het graag weten, meer niet.'

'Leefde ze nog?'

Cassian plaatste de toppen van zijn slanke vingers tegen elkaar en bracht ze naar zijn lippen. 'Stel dat het leven een dambord is en dat er op elk veld een kaars zou staan. Dat zijn er dus... zesendertig. Bij je geboorte branden ze allemaal even helder, maar in de loop van de tijd dooft er steeds ergens een kaars, als aankondiging van de dood. Dat proces is onomkeerbaar als de meeste kaarsen uit zijn, en definitief als de laatste is gedoofd. Dat kan nog heel lang duren, vooral tegen het eind, als een paar koppige kaarsen weigeren de geest te geven.'

'Je geeft geen antwoord op mijn vraag.' Was ze ooit zo brutaal geweest tegen een volwassene? Cassian had iets waardoor ze vrijuit tegen hem durfde te spreken.

'Je vergist je. Ik heb heel nauwkeurig antwoord gegeven.'

Minke nam een slok van haar chocola, de lekkerste die ze ooit had geproefd, uit het mooiste kopje dat ze ooit had vastgehouden. 'Hij geeft zijn huis aan Pim. Wist je dat?'

'Het huis van Elisabeth,' zei hij. 'Dat was al heel lang in haar familie. Sander kon daar niet blijven.'

'Kón?'

'Sander wil dat Pim een succes maakt van zijn werk, ondanks zijn handicap. Zijn praktijk zal baat hebben bij een goed adres. Bovendien ligt Sanders leven niet langer in Amsterdam. Dat ligt nu bij jou, Minke, en bij de nieuwe wereld.'

'En die drie nieuwe jurken in de kast?'

'We vertrekken morgenmiddag. Dan trek je er een aan.'

Hij was wel een leuke man, maar ook een beetje vreemd, zoals hij altijd in zijn handen klapte – de handen van een chirurg. En hij had plezier in haar. Dat beviel haar nog het meest aan hem.

Hij wenkte de ober. 'Heb je honger? Wil je iets anders? Kijk maar op de kaart.'

Ze had haar chocola nog niet voor de helft opgedronken, hoe lekker die ook was. En van de koekjes had ze er nog niet één genomen. Ze had geen honger. Elke keer als ze aan de komende nacht dacht, en aan Sander, en wat er ging gebeuren in dat grote bed, voelde ze zich niet echt misselijk, maar verging haar wel alle eetlust. Cassian las haar gedachten. 'Lieve meid...' hij maakte een breed gebaar, 'alle vrouwen in de wereld, behalve misschien de nonnetjes, hebben meegemaakt wat jij straks gaat beleven. Zou het dan zo erg zijn?' Zijn ogen lachten, net als die van mama. 'Veel vrouwen vinden het best plezierig. Misschien ben jij een van die gelukkigen.'

Minke dacht van niet. Meisjes als Fenna vonden dat prettig.

'Kom, eet nou wat.'

'Nee, dank je,' zei ze.

Cassian nam haar mee over de dekken, naar de boeg van het schip. Arbeiders waren nog steeds bezig de vracht in te laden, en op de steiger sliepen de passagiers in een donkere rij. Hij wees haar de brug van de kapitein, de masten en de tweedeklashutten aan weerskanten van het hoofddek.

Van waar ze stonden had Minke uitzicht over het brede,

vlakke, zwarte Noordzeekanaal, waar lichtjes op het water dansten. De hemel was bezaaid met sterren. 'Laten we eens kijken of we Sander ergens kunnen ontdekken,' zei Cassian toen ze langs de reling liepen. De kade was slecht verlicht. 'Ja, daar!' zei hij.

'Hoe zag je hem zo snel?' Zelfs toen Cassian hem aanwees, moest Minke haar ogen tot spleetjes knijpen om Sander te herkennen.

'Ik ken hem al zo lang. Ik weet hoe ik hem moet vinden.'

'Hoe lang dan?'

'Heel lang.'

Weer zo'n ontwijkend antwoord. Nou ja, ze was te moe om erop door te gaan. In plaats daarvan keek ze hoe Sander de ene kist na de andere inspecteerde en een teken gaf om ze in het ruim te laden. Hij leek zo'n belangrijk man dat Minke zich voelde zwellen van trots.

*Mijn echtgenoot.*

# 4

ZE SCHROK WAKKER toen er op de deur werd geklopt. 'Ja!' riep ze, half in paniek vanwege de onbekende omgeving en de stortvloed van herinneringen aan de afgelopen dag. Sanders kant van het bed was stevig ingestopt, met het laken keurig over de deken gevouwen. Hij was niet eens in bed gekomen! Ze had zenuwachtig liggen wachten, gespitst op ieder geluidje, maar ten slotte moest ze in slaap zijn gevallen. Nu ging de deur open en wilde ze het bed al openslaan. Maar het was Cassian die naar binnen keek en fluisterend een heel stel vragen op haar afvuurde: Had ze goed geslapen? Was ze al toe aan het ontbijt? Moest hij later terugkomen? Ja, ja, ja, antwoordde ze op alle drie. 'Waar is Sander?' vroeg ze haastig, voordat hij kon vertrekken.

'Op de kade, bij de kinderen.' Cassian deed een stap de hut in, weer heel stijlvol gekleed vanochtend, in hemelsblauw fluweel. 'Voorlopig blijf je onder mijn hoede. Hij vroeg me ervoor te zorgen dat het je aan niets zal ontbreken terwijl hij nog aan het werk is.'

'Ik moet erheen.' Ze zwaaide haar benen over de rand van het bed. 'Ik moet afscheid nemen.'

'Echt?' Door zijn boosaardige lachje leek Cassian opeens veel jonger. 'Hoe bedoel je dat?'

'Wat denk je? Ik voel me verplicht.' Hij was wel aardig, maar met zijn filosofische beschouwingen schoot ze weinig op.

'Maar wíl je dat wel?' Vrolijk trok hij zijn donkere wenkbrauwen op. 'Je hebt er zeker over nagedacht, dit afscheid van Griet en Pim?' Hij vouwde zijn handen en legde zijn vingertoppen tegen zijn mond.

'Daar gaat het niet om,' zei ze.

'Juist wel.' Hij zou het wel goed bedoelen, maar Minke verzette zich tegen zijn suggestie dat ze enige keus had. Het waren Sanders kinderen. Haar stiefkinderen. Het zou vreselijk grof zijn om hen te negeren. 'Ik kleed me snel aan,' zei ze.

'Ik wacht op je in de gang.'

Ze opende de kast en wilde al haar oude blauwgeruite jurk pakken toen ze de drie nieuwe zag. Meteen kwam ze in een beter humeur. Ze haalde ze tevoorschijn en legde ze op bed, de rode links, de paarse in het midden en de mooie roze rechts. Toen waste ze zich met water uit de lampetkan en maakte gebruik van de kleine wc achter het gordijn. Ze poetste haar tanden en kamde haar lange haar, terwijl ze haar ogen niet van de jurken af kon houden. Ze draaide een vlecht in haar haar, bond het op met een zwart lint en trok haastig de rode jurk over haar hoofd. Aan de linkerzij zat een hele rij met stof beklede knoopjes. Minke maakte ze vast, trillend van opwinding. De jurk paste goed over haar slanke heupen, maar als ze de komende weken nog tijd had, zou ze hem bij de taille wat innemen. Ze bond de ceintuur van achteren dicht, maakte de knoopjes van de manchetten vast en draaide zich naar de spiegel. Ademloos bekeek ze de glans en de weelderige snit van de jurk, die haar geweldig flatteerde.

Toen ze de gang in stapte, nam Cassian even afstand om haar goed te kunnen bekijken. 'Je ziet er geweldig uit.'

'Ze moeten een fortuin hebben gekost.' Minke trok haar jas aan, over de jurk.

'Geniet er nou maar van.'

'Ik moet naar de kinderen,' zei ze, met een vreemd gevoel omdat ze hen zo noemde. Ze was zelf nog meer een kind dan zij. Maar die rode jurk hielp wel. Ze wist dat ze er fantastisch uitzag, mooier dan Griet.

Aan dek was het een drukte van belang. Passagiers kwamen aan boord, mensen riepen en verdrongen elkaar. Drie grote nonnen in een zwart wollen habijt met een witte kap die hun vlezige gezicht tot een grappig taartje boetseerde, wrongen zich strijdlustig langs haar heen. Minke was bang dat ze op de zoom van haar jurk zouden trappen. Met haar ene hand hield ze de jurk omhoog, terwijl ze zich met de andere aan Cassian vastklampte, die haar door de menigte naar de reling loodste.

'Daar,' zei hij, wijzend naar de kade. 'Zie je hen?'

Ja, daar stonden ze: Sander, Griet en Pim, drie kleine figuurtjes tussen honderden andere.

Ze worstelde zich naar de loopplank, waar haar de weg werd versperd door passagiers, koffers, kisten en zelfs levende kippen. In de drukte gebruikten de mensen nu zowel de loopplanken omhoog als naar beneden, zodat er geen doorkomen meer aan was.

Een reusachtige houten lift, zo groot als een kamertje en volgestouwd met mannen, zwaaide gevaarlijk boven het schip heen en weer voordat hij met een klap werd neergelaten op een vrijgemaakte plek op het voordek. Een van de wanden klapte open en een stuk of tien mannen stapten uit. Minke liep die kant op. De bewaker wilde de houten wand alweer sluiten, maar Minke stapte snel naar binnen, voordat hij kon protesteren. De lift, met alleen Minke aan boord, zwaaide weer de lucht in. Ze moest zich aan de rand vasthouden om op de been te blijven. Vanuit de lucht probeerde ze Sander nog te ontdekken, maar dat had weinig zin. De kist tolde heen en weer als een draaimolen. Het ene moment had ze uitzicht op de hemel, de volgende seconde staarde ze weer naar de menigte beneden, totdat de lift eindelijk over de kade schraapte. De zijkant viel open en Minke moest zich haastig uit de voeten maken voordat de volgende lading passagiers naar binnen dromde.

De *Frisia* verhief zich hoog en donker aan de steiger. Minke keek of ze Cassian nog aan de reling terug kon vinden – ze had zijn hulp nodig om Sander te lokaliseren – en herkende hem onmiddellijk aan zijn blauwe jas. Hij hield haar nog steeds in de gaten en wees naar de voet van een van de loopplanken.

Ze liet zich door de menigte meevoeren naar de loopplanken, terwijl ze regelmatig omhoog keek om Cassians aanwijzingen te volgen. Zelf kon ze niets zien in de drukte om haar heen. Maar opeens doemde het drietal voor haar op, een paar meter bij haar vandaan. Ze had hen bijna bereikt, maar ze zagen haar nog niet. Pim, die een paar passen bij Sander vandaan stond, keek ellendig. Griet had een hoogrode kleur. 'Je hebt helemaal niets voor ons achtergelaten!' brieste ze tegen Sander, zonder zich er iets van aan te trekken wie haar hoorde.

'Ik heb mijn eigen zaken meegenomen, Griet. Niets meer en niets minder.'

'O, de stommiteit van mama om met jou te trouwen!' Het kreng, dacht Minke, om zo'n scène te schoppen, een paar dagen na de dood van haar moeder.

'Je moeder heeft het me zelf nagelaten, meisje. Hou je een beetje rustig, want je weet niet hoe het zit.' Sander deed zichtbaar moeite zich te beheersen, maar slaagde daar niet in.

'O, en wie zegt dat? Jij?' Griet lachte luid en onaangenaam. Minke dook weer in de menigte onder voordat ze haar zagen.

'Je hebt een heel goede bruidsschat meegekregen,' zei Sander.

'Dat is niets vergeleken bij het huis. Of bij alles wat jij gestolen hebt. Ik had recht op de hele opslag van de benedenverdieping.'

'Je moeder heeft het zo besloten.'

'Ik geloof er geen woord van.' Griet wilde nog iets zeggen, toen ze Minke ontdekte. 'O God, en daar heb je háár! Laat me je ring eens zien. Die zal ook wel van moeder zijn.' Griet greep Minkes hand. 'Niet eens een ring!'

'Gedraag je,' zei Sander.

Minke keek omhoog naar het dek van de *Frisia*, alsof Cassian haar van die afstand nog te hulp zou kunnen schieten. 'En die rat! Gaat hij ook mee?'

'Laten we proberen om goed afscheid te nemen, Griet,' zei Sander.

'Mijn stiefvader laat geen kans voorbijgaan,' zei Griet tegen Minke. 'Je bent gewaarschuwd.'

Een heel vijandig meisje, dacht Minke. Wat sneu voor haar om zo kwaad te zijn bij het afscheid. 'Het is verstandig om je kansen te benutten,' zei Minke.

Griet gooide haar hoofd in haar nek en lachte honend. 'Nou, dat kun je aan hem overlaten!'

'Ik moet me weer verontschuldigen voor mijn zus,' zei Pim, waar Griet bij was. 'Ik wens je het beste,' vervolgde hij tegen Minke. 'En dat meen ik oprecht.' Toen keek hij Sander aan. 'Goede reis, meneer. U bent altijd welkom in mijn huis. En Minke ook.' En met die woorden verdwenen hij en Griet tussen de menigte.

'Ik kwam alleen maar afscheid nemen,' zei Minke.

'Griet stoort zich nooit aan de feiten als ze een mening ten beste geeft. Trek je er niets van aan.' Sander maakte het bovenste knoopje van haar jas los, zodat hij de jurk kon zien. 'Dus je hebt ze gevonden!'

'Dank je,' zei ze.

'Kom, anders missen we de boot nog.'

'Is het een schip van jou?' vroeg ze.

'Snel.' Hij nam haar mee terug naar de loopplank en ze klommen naar het dek.

Er klonk een luide stoomfluit uit de schoorsteen op het dek, begeleid door een grote wolk zwarte rook. Toen nog een signaal. Achter hen werd de loopplank ingehaald en aan dek gelegd. Matrozen gingen met hernieuwde ijver aan de slag. De zware trossen over de bolders op de kade werden naar het schip gegooid, waar de dekbemanning ze inhaalde. Sander, die nog altijd achter haar liep, hield haar stevig bij haar middel en duwde haar tussen de andere passagiers door, naar de reling. Om hen heen zwaaiden mensen naar hun dierbaren op de kade, en de achterblijvers zwaaiden terug. Toen het schip het sein gaf tot vertrek, daalde er een onheilspellende stilte neer. Als een spookschip maakte de *Frisia* zich van de kade los en gleed de vaargeul in. Minke keek naar de droevige gezichten van de families op de steiger en begreep wat hier gebeurde. De vrouwen zouden hun mannen misschien nooit terugzien.

Het volgende signaal van de scheepshoorn brak de ban. Mensen kwamen in beweging, riepen naar elkaar en sleepten met bezittingen. Sander fluisterde iets, maar Minke had moeite zich op zijn woorden te concentreren – iets over de vaargeul en de zijkanalen. Ze had meer aandacht voor zijn warme adem op haar wang, de aanraking van zijn lippen tegen haar nek en de manier waarop zijn lichaam zich over haar ontfermde, alsof ze een kind was. Hij hield haar warm, terwijl Amsterdam langzaam achter hen verdween.

Ze zaten te ontbijten aan een tafeltje voor twee in de kleine eetzaal van het schip. Twee jonge obers, nauwelijks ouder dan zijzelf, brachten kannen met koffie en thee, verse room, gedroogde en gezouten vis, roggebrood, kaas en jam.

Sanders ogen, vermoeid omdat hij de hele nacht in touw was geweest, volgden de kleine zilveren vork toen ze een plakje roomwitte kaas van de schaal nam, op het dunne roggebrood legde, er wat vijgenjam op smeerde, een hap nam en haar lippen aflikte met het puntje van haar tong. 'Ik zie een vrouw graag eten,' zei hij.

Papa had dat ook wel eens gezegd als hij zag hoe mama of Fenna op een bord hutspot aanviel en met smaak begon te eten, maar iets zei haar dat Sander het niet zo bedoelde. Minke had niet echt honger en maakte meer een voorstelling van het ontbijt. Ze besefte dat hij het gewoon prettig vond om naar haar te kijken, wat ze ook deed. Hij volgde met plezier haar kleinste bewegingen, de manier waarop ze haar eten proefde en haar lippen aanraakte met haar vingertoppen. Ze nam een druif, rolde hem tussen haar duim en wijsvinger, stak hem tussen haar lippen en zag dat hij werd bevangen door een soort zwakte. De spieren van zijn gezicht leken te verslappen, heel subtiel maar onmiskenbaar. Hij was een oudere man, een belangrijke man, dacht ze, maar nu waren zijn ogen alleen gericht op háár. Sander keek haar aan. Minke legde haar vork neer en duwde haar bord weg. Zijn aandacht maakte iets in haar wakker. De omgeving vervaagde; de obers en de gedempte geluiden van het schip verdwenen en Minke was zich enkel nog bewust van de ogen van haar man, zoals hij naar haar lippen keek. Het bezorgde haar een lichte, aangename tinteling in haar borsten.

'Laten we een luchtje scheppen,' zei hij. Op het dek drukte hij haar tegen de reling aan, zo hard dat ze de hitte van zijn kruis door hun kleren heen kon voelen. Hij kuste haar hals, met volle, zachte lippen. Ze legde haar armen om zijn nek, kuste hem terug en opende haar lippen onder de druk van zijn tong. Maar hij stapte terug, haalde diep adem en schudde zich als een hond die uit het water kwam. Toen draaide hij haar zijn rug toe en deed een paar passen bij haar vandaan, met een ondoorgrondelijke uitdrukking op zijn gezicht.

'Wat is er?' O, hij joeg haar angst aan. Het ging zo abrupt, dat het leek alsof hij was neergeschoten. *Maar dood is hij niet.* Mama's woorden galmden door haar hoofd. Was dit wat ze bedoeld had?

'Ik heb nog werk te doen, Minke,' zei hij, op een toon alsof hij ervan uitging dat ze dat al wist.

'Werk?' Ze had geen idee wat er gebeurde.

'Ik moet de lading inspecteren.'

'Nu?'

'Ja, nu,' zei hij.

'Ga nog niet weg, alsjeblieft.'

'Ik moet wel.' Hij fatsoeneerde zijn kleren, trok zijn vest en zijn das recht. 'Ik loop al achter op het schema, en jij hebt mijn achilleshiel gevonden.' Weer haalde hij diep adem, alsof hij probeerde zich te vermannen. 'Jij.'

Terug in de hut, verward en nog steeds opgewonden, wierp ze zich op bed en draaide zich op haar rug. Ze wilde zijn gespierde lichaam, zijn sensuele lippen. Ze streek met haar handen langs haar zijden, trok de jurk uit en gooide hem in een hoop op de vloer, voordat ze zich weer op het bed uitstrekte met een bijna pijnlijk verlangen naar haar man. Maar hij was weg en zou voorlopig niet terugkomen. Wat had ze verkeerd gedaan? Eerst kon hij niet wachten om haar uit de eetzaal naar het dek te sleuren, daarna wist hij niet hoe snel hij bij haar vandaan moest komen. Hij had haar niet eens naar hun hut teruggebracht, wat wel zo hoffelijk zou zijn geweest. Hij beweerde dat hij aan het werk moest, maar het was wel duidelijk dat ze iets had gedaan om zijn ongenoegen op te wekken. Maar wat? Dat ze haar lippen had geopend? Iets anders kon ze niet bedenken. Dat was duidelijk het moment geweest waarop hij was teruggedeinsd. 'O, mama,' kreunde ze. 'Wat gebeurt er allemaal?'

In gedachten zag ze mama's bezorgde frons, haar fletsblauwe ogen en haar kinderlijke gezicht, zo zacht en mooi. Mama zou op haar lip bijten en zeggen dat het inderdaad heel vreemd was dat Sander haar nu alleen liet, terwijl hij eerst zoveel werk van haar had gemaakt.

Maar wacht. Hij liet haar niet alleen, maar onder de hoede van een andere man. Hoewel mama daar ook weinig van zou hebben begrepen. Helemaal niets, zelfs! Cassian was een soort vriendelijke, wijze grootvader. Hij moest al zestig zijn. Die ochtend had ze gezien dat zijn zwarte haar was bijgekleurd met schoenpoets en dat hij een netwerk van dikke blauwe adertjes op de rug van zijn handen had. Mama was gewend aan een man die tevreden was met zijn plaats in het leven. Sander was een heel ander dier. De suggestie van Sander als een dier bracht haar weer helemaal in staat van opwinding. De gedachte aan hem, aan haar echtgenoot. Een heel bijzondere man, zoals niemand in Enkhuizen, dat stond wel vast. Hoewel ze niet precies wist wat voor zaken hij deed. Het had iets te maken met Elisabeths medicijnen en met de prachtige dingen die Julianna haar had laten zien. Zaken waarvoor hij de hele wereld afreisde. Maar wat het ook was, het maakte papa's werk als scheepstimmerman zoveel saaier in vergelijking daarmee.

Zuchtend ging ze weer liggen, uitgeblust. Comodoro Rivadavia. Ze moest toegeven dat het allemaal een teleurstelling was. Toen Elisabeth voor het eerst over de stad had gesproken, was het de meest exotische naam geweest die Minke zich kon voorstellen, een reeks prachtige, buitenlandse klanken, aaneengeregen tot een rivier van welluidende lettergrepen. Toen dacht ze nog dat het één woord was: Comodororivadavia. Maar nu had ze niet alleen de naam geschreven gezien, maar wist ze ook dat ze in werkelijkheid niets anders betekenden dan de rang van de man die een paar jaar geleden de haven had ontdekt en bevel had gegeven daar een nederzetting te stichten: Comodoro Rivadavia.

Ze wilde gezelschap. Ze zou Cassian gaan zoeken, dat leek haar het beste. Dus trok ze de rode jurk weer aan, en vastberaden ging ze op weg. Ze wist waar zijn hut moest zijn, ergens tegenover die van haar en Sander, maar aan bakboord, de andere kant. Ze hoefde alleen maar om het stuurhuis – of hoe het ook heette – heen te lopen en dan weer terug naar midscheeps. Minke liep de gang uit en stapte door de glazen deuren het dek op. Langs de reling wandelde ze naar de boeg, toen via de andere kant terug, en de deur door naar de gang waaraan zijn hut zou moeten liggen.

Een smalle ijzeren trap daalde af naar een volgende, lichtgroene deur, die uitkwam bij een nog langere trap omlaag. Minke zag niemand aan wie ze de weg kon vragen, maar er was maar één deur, dus dat moest wel de juiste zijn. Bovendien had ze er wel plezier in. Ze trok haar rode jurk op tot aan haar knieën, liep de trap af en een volgend trapje omhoog. Haar hakken tikten luid tegen het metaal. Ze bleef staan bij een splitsing en koos voor de gang links. Na een meter of tien zag ze een zijgang naar rechts, even later een gangetje dat naar links verdween. Het was misschien beter om terug te gaan. Nee, ze gaf het niet op. Nog één afslag naar links. Maar de gang eindigde bij een onbekende deur. Minke liep terug en aarzelde toen ze boven aan een spiltrap kwam.

Weer trok ze haar rode rok wat omhoog, pakte met haar andere hand de stang in het midden en daalde voorzichtig de trap af. De bochten leken eindeloos door te gaan en het werd steeds donkerder. Beneden was het plafond zo laag dat ze moest bukken. Het stonk er naar zweet en tabaksrook. Ergens hoorde ze iemand snurken. Wat verderop, dichter bij het midden van het schip, zat een groepje mannen rond een lamp. Ze waren lastig te tellen, maar het moesten er wel twintig zijn, zo verdiept in hun bezigheden dat ze haar niet zagen. Als het fout ging, dacht Minke, kon ze altijd weer de trap op rennen, zoals ze gekomen was.

Ze probeerde zich te oriënteren. Ze bevond zich aan het einde van een ruimte vol met scheepskooien. Langzaam zocht ze haar weg. Het gangetje tussen de kooien was een labyrint van kisten en hutkoffers, waar ze zich onmogelijk langs kon wringen zonder iets om te stoten en de aandacht op zichzelf te vestigen. Ze aarzelde en sloop toen langs de lage zijwand, waar het donkerder was en ze niet gezien zou worden. Opeens hoorde ze de mannen lachen en roepen. Met bonzend hart bleef ze staan. Hadden ze haar ontdekt? Nee. Minke wilde weten wat ze precies deden. Op de tast sloop ze verder, langs de volgende rij kooien, totdat ze voldoende dichtbij was om te kunnen zien wat er gebeurde. De mannen zaten te dobbelen. En er was niet één spelletje aan de gang, maar twee. Iemand riep getallen, de stenen werden gegooid, en de spelers riepen en joelden. Als Fenna haar nu eens zou kunnen zien!

Haar hand raakte iets zachts en warms. 'Hé, wat moet dat?' gromde een mannenstem. Minke schrok en probeerde zich weer in het donker terug te trekken. De man ging rechtop zitten. Ze kon zijn forse gedaante onderscheiden, een silhouet tegen het licht in de verte. Haastig draaide ze zich om, maar ze struikelde. De man liet zich uit zijn kooi op de grond vallen en kwam haar op handen en voeten achterna, als een logge beer.

Ze probeerde te vluchten, maar struikelde nu ergens anders overheen.

Schimmen bewogen zich in het duister. Ook andere mannen reageerden.

Iemand greep haar arm en sleurde haar overeind. Ze probeerde zich los te rukken en weg te rennen, maar hij hield haar tegen. 'Ze praten alleen maar over vrouwen,' siste hij tegen haar. Zijn stem klonk jong. Met kracht sleepte hij haar mee naar de duisternis. Ze kon zijn gezicht niet zien, alleen de helderwitte X van zijn bretels over een donker hemd.

'Laat me los!' Ze was doodsbang.

'Je moet hier weg.'

'Ik ga wel terug zoals ik gekomen ben.'

'Dat kan niet. Dan krijgen ze je te pakken.' Hij duwde haar vooruit, een kant op waar ze niet naartoe wilde. De man op handen en voeten brulde iets, vlakbij. Nog meer licht vlamde op achter het groepje ruwe kerels. 'Als de anderen je zien, ren dan zo snel mogelijk naar het dek.' Hij sloop nu voor haar uit. 'Blijf gebukt.'

'Ik dacht dat er families zouden zijn.'

'Sst!' Hij liep gebogen voor haar. De X van zijn bretels bewoog zich snel, maar was gemakkelijk te volgen. Een ander gezicht verhief zich boven een van de kooien, zo dichtbij dat ze de naar vis stinkende adem van de man kon ruiken. Opeens was het stil. Minke keek om. Ze hadden haar ontdekt. Ze zou het niet redden. Sommigen van de dobbelaars kwamen al op haar af. In paniek zocht ze naar een uitweg, maar ze kon er geen vinden. De jongen met de bretels was ze uit het oog verloren. Ze deinsde terug en tastte met haar handen langs de wand, zoekend naar een opening of wat dan ook. Toen rende ze verder, in de hoop dat de duisternis aan de rand van het ruim haar zou beschermen. Van hieruit kon ze onmogelijk het dek bereiken.

Daar! Haar vingers vonden een nis. Het was een gangetje dat uitkwam in een smalle, pikdonkere ruimte. In paniek tastte ze om zich heen. Als ze haar hier ontdekten, was ze verloren. De sport van een ladder? Ze voelde nu met twee handen. Ja. En nog een, erboven. De ladder was nauwelijks breed genoeg voor haar, maar ze begon toch te klimmen, hoger en hoger. Bovenaan was een open luik van een halve meter hoog, groot genoeg om zich er doorheen te wurmen. Ze kwam in een koude opslagruimte terecht, waar lappen vlees aan haken hingen. Er verscheen een man in een met bloed besmeurd schort. Hij nam haar van hoofd tot voeten op. Minke stond als versteend, zich ervan bewust hoe ze eruit moest zien, in haar rode jurk in deze akelige ruimte. Ten slotte vond ze haar stem terug. 'De scheepsdokter?' zei ze. 'Dokter Tredegar?' Zodra ze het zei, vroeg ze zich af waarom ze niet naar Sander had gevraagd.

'*Sí.*' Hij wenkte haar om mee te komen. Ze wilde alleen maar een aanwijzing, maar ze zou hem toch niet hebben verstaan, zelfs als hij haar de weg had gewezen. Ze hield haar rokken omhoog om ze niet te besmeuren toen ze langs het bloederige vlees liep. Twee mannen achter hakblokken verderop staarden haar uitdrukkingsloos na.

De slager liep met zware pas voor haar uit. De linten van zijn schort deinden heen en weer. Door een volgende deur kwamen ze in de keuken, waar ze nog meer mannen met messen zag, die groente sneden aan lange tafels. In de eetzaal waren jongens bezig de tafel te dekken. De slager opende een deur voor haar.

'Dank u,' zei Minke. Ze was de deur al door voordat ze besefte dat ze *gracias* had moeten zeggen, maar de slager was alweer verdwenen.

Ze leunde tegen de wand, nog altijd bang, maar toch tevreden over zichzelf. Ze had in elk geval iets gedaan, een avontuur beleefd. Jammer dat ze er Fenna niet over kon vertellen.

Minke keek om zich heen. Ze bevond zich in een luxueus betimmerde gang, net als die waaraan de hut van Sander en haar lag. De nummers op de deuren liepen op van vijf naar zeven. Cassian had nummer negen, wist ze. Dus had ze hem toch gevonden. Ze luisterde aan zijn deur. Van binnen klonken zachte stemmen en gedempt gelach. Minke had ook behoefte aan wat vrolijkheid. Ze wilde hem over haar avontuur vertellen. Ze klopte op de deur. Meteen werd het stil binnen. 'Cassian?' riep ze. 'Ik ben het. Minke.'

Eerst kwam er geen antwoord, maar toen ging de deur open. Cassian droeg een wit hemd met een open kraag. Hij klapte enthousiast in zijn handen en loodste haar naar binnen. Dezelfde twee obers die 's ochtends het ontbijt hadden opgediend lagen lui onderuit, de een op het bed, de ander, met zijn ogen half open, in een hangmat in de hoek. Ziek, dacht Minke. Ze maakten geen aanstalten om op te staan. Blijkbaar had ze zich vergist wat de vrolijkheid betrof. Deze mannen leken veel te zwak om te kunnen lachen.

Cassian zei iets in het Spaans. Minke herkende haar eigen naam tussen de woorden. De jongen in de hangmat kwam overeind en ging naast de ander op het bed liggen. Hij bewoog zich op een dromerige manier. Cassian gebaarde naar de hangmat en Minke ging voorzichtig op de gevlochten rand zitten en probeerde met haar tenen de grond te raken om haar evenwicht te bewaren.

Een van de obers zei iets in het Spaans. 'Hij zegt dat rood je goed staat,' vertaalde Cassian.

'Zijn ze ziek?' Ze zocht nog steeds haar balans in de hangmat.

'Vermoeid. Ik laat ze hier uitrusten.' Hij ging op de rand van het bed zitten en glimlachte. 'Wat kom je hier doen, kind?'

'Ik was verdwaald.' Hoe verder ze haar gewicht naar voren verplaatste, des te meer het leek alsof de hangmat achter haar omhoog zou klappen en haar eruit gooien. 'In het vooronder.'

'Wat deed je daar, in vredesnaam?'

'Eigenlijk was ik naar jou op zoek.'

'En waarom dacht je dat je me daar kon vinden?'

'Nou, ik zocht je niet daar. Ik bedoel, ik was naar jou op zoek toen ik verdwaalde en bij een trapje uitkwam.'

'Benedendeks vind je alleen maar mannen, deze reis.'

'Zeg het niet tegen Sander,' zei ze.

Cassian zweeg.

Ze moest overeind komen, anders zou ze uit de hangmat vallen. En toen ze eenmaal stond, had ze geen andere keus dan te vertrekken. 'Zie ik je bij het avondeten?' vroeg ze.

'Natuurlijk.' Cassian deed geen poging om haar tegen te houden. Hij bracht haar naar de deur en wees de gang door naar rechts. 'Het is heel eenvoudig om weer bij je hut te komen. Je loopt deze gang uit, de glazen deur door, en je bent er al.'

# 5

TERUGGEKOMEN IN HUN hut trof ze Sander diep in slaap. Hij lag dwars over het bed, op zijn rug, met zijn armen en benen gespreid, alsof hij zich zo had laten vallen, nog helemaal aangekleed. Minke keek een paar lange seconden hoe hij sliep – de beweging van zijn brede borstkas en het blazende geluid waarmee hij uitademde. Een van zijn handen bewoog, alsof hij iets probeerde te grijpen in zijn droom.

Ze kwam wat dichterbij, in de verwachting dat haar aanwezigheid of het geluid van de dichtvallende deur hem wel zou wekken, maar hij was volledig uitgeteld. Hij was al aan het werk sinds de vorige dag, zesendertig uur aan één stuk. Geen wonder.

Het voelde niet goed om zo naar hem te staren, maar het was niet alsof ze hem bespiedde. Ze kon immers niets anders doen dan hem wakker maken of vertrekken, en waar moest ze heen? Hij was haar man, en dit was haar kans om hem eens goed te bekijken, om het bed heen te lopen en hem uit verschillende hoeken te observeren. Alleen al zijn been, het dichtstbijzijnde, was fascinerend genoeg. Zijn broekspijp was opgeschoven over zijn zwarte elastieken sokophouder, waarboven een streepje bleke huid te zien was. Minke boog zich over hem heen om zijn gezicht wat beter te kunnen zien en zijn litteken te bestuderen, dat nu bijna onzichtbaar was, een dunne roze lijn tegen zijn bleke wang. Ze raakte zijn zijdezachte haar aan en bewonderde zijn gladde kastanjebruine wenkbrauwen. Hij had zijn ogen niet helemaal dicht, maar er bleven twee kleine spleetjes over, met een vochtige glans. Aandachtig bekeek ze zijn lippen, die hij enigszins vaneen hield. In het midden van zijn onderlip vertoonde zich een kleine verticale rimpel.

Zijn zwarte jasje lag open, zodat de mosgroene voering zichtbaar was. Zijn gekreukte witte overhemd werd gesloten door een rij parelmoeren knoopjes die over zijn brede borst naar zijn holle buik liep en onder zijn losse broeksband verdween.

Die broek. Een mannenbroek. Ze had nog nooit zo'n mooie gezien. Lichtbruin en van keperstof, dacht ze, maar dat wist ze niet zeker voordat ze het materiaal in haar vingers had gehad. De gulp had knopen en lag een beetje naar rechts, ongetwijfeld opzij getrokken toen hij was gaan liggen – of zich achterover op het bed had laten vallen, zoals het leek. Links lag de stof glad en strak, afgezien van een lichte maar duidelijke bobbel, als van een grote duim in zijn broek.

Voorzichtig streek ze met haar wijsvinger over het materiaal, om de kleine ribbeltjes te voelen. Ja, keperstof, geen twijfel mogelijk. Heel even drukte ze op de 'duim' in zijn broek, die een beetje meegaf.

Schielijk trok ze haar hand terug. Had ze hem wakker gemaakt? Nee. Hij lag nog steeds in dezelfde houding en ademde zwaar en regelmatig, met zijn ogen dicht. Goed. Als een ondeugend schoolmeisje betastte Minke de broek opnieuw. Deze keer liet ze haar hand wat langer op die plek liggen, drukte zachtjes, en wist toen zeker dat ze een beweging voelde. De duim begon te groeien, eerst heel licht, toen duidelijk waarneembaar.

Wat er toen gebeurde, ging zo snel dat het haar de adem benam. Sander trok haar tegen zijn borst, rolde zich boven op haar en drukte haar zo stevig tegen het bed dat ze nauwelijks lucht meer kreeg. Hij dwong met zijn knie haar benen uiteen en bewoog zich krachtig tegen haar aan. Zijn fallus voelde als een stuk staal tegen haar schaambeen.

'Minke, Minke.' Hij hijgde en kreunde haar naam.

Ze kreeg geen adem. Hij was te groot voor haar, te zwaar. Ze probeerde zich onder hem vandaan te worstelen.

'O, jij kleine feeks,' kreunde hij in haar oor.

'Laat me los,' zei ze.

Hij lachte, luid en diep.

'Ik krijg geen lucht,' zei ze.

Sander richtte zich op en rolde half van haar af, terwijl hij met zijn vrije hand aan haar jurk prutste en haar ondergoed omlaag trok. De gesp van zijn riem kwam met een metaalachtige klap op de grond terecht en het volgende moment lag hij weer boven op haar. Hij bewoog op en neer, beukte tegen haar aan en drong met een brandende pijn bij haar binnen. Zweet droop van zijn gezicht op het hare, totdat hij opeens over zijn hele lijf begon te schokken en zich hijgend weer op zijn rug draaide, met een rood aangelopen hoofd. *Maar niet dood,* herinnerde Minke zich de woorden van haar moeder. Sander kwam overeind en verdween achter het gordijn naar de wc.

Ze bleef stil op het bed liggen. Haar hart ging wild tekeer en tranen drongen pijnlijk achter haar ogen. Dit kon toch niet zijn wat mama had bedoeld? Ze hoorde dat hij zich waste en zachtjes in zichzelf neuriede.

'Heb je honger?' riep hij naar haar.

Hónger? Was dat alles wat hij te zeggen had?

Hij rommelde nog wat achter het gordijn en kwam toen terug met de roze jurk over zijn arm gedrapeerd. 'Deze lijkt me wel geschikt voor het avondeten,' zei hij, maar zijn glimlach verdween zodra hij haar zag. 'Wat is er, Minke? Wat scheelt eraan?'

'Weet je dat niet?'

'Niet zo pruilen! Je kunt niet het ene moment een vrouw zijn en dan weer een kind, zoals het je uitkomt.'

Hij had gelijk. Ze knoopte de rechterkant van haar jurk los, toen de manchetten, heel langzaam, en trok hem uit. Sander liet de nieuwe jurk over haar hoofd zakken.

'De volgende keer wat rustiger, dat beloof ik je.' Hij maakte de knoopjes op haar rug vast. 'Je zult het zien.'

Kapitein Roemer was een magere, stijve man met een slecht oog en een grijze baard die in een opvallend volmaakt driehoekje was geknipt. Hij stelde zijn gasten voor; de rest van de reis zouden ze samen eten, en hij was ervan overtuigd, zei hij, dat ze elkaars gezelschap op prijs zouden stellen. Minke had de ereplaats (legde Sander haar later uit) aan kapitein Roemers rechterhand. Rechts van haar aan de grote ronde tafel zat pater Bahlow, een oude priester uit Antwerpen. Dan volgden een dikke, praatzieke vrouw die Tessa Dietz heette, haar man Frederik, dokter Tredegar, Sander en ten slotte Astrid, de dochter van de Dietzen, die links van kapitein Roemer zat. Minke schatte Astrid ongeveer van haar eigen leeftijd.

'Een doorn tussen twee rozen,' zei kapitein Roemer met een lichte buiging naar Astrid en Minke.

'Schavuit!' zei meneer Dietz met een hartelijke lach.

Kapitein Roemer wendde zich tot Minke. 'Bevalt de reis je tot nu toe, kind?'

'Ja, hoor,' antwoordde ze als vanzelf. Sander had haar verteld dat het gebruikelijk was dat iedere man aandacht besteedde aan de vrouw rechts van hem. Dat noemden ze protocol.

'We verwachten goed weer in het Kanaal,' zei kapitein Roemer. 'Daarna moeten we maar afwachten. Het kan flink spoken in deze tijd van het jaar.'

Astrid glimlachte om iets wat Sander tegen haar zei. Haar ogen glinsterden en Minke mocht haar wel, maar was een beetje jaloers dat Sander haar deed lachen. Ze wilde dat de kapitein iets zei om háár te laten lachen.

Er werd een kom heldere soep voor haar neergezet. Ze had honger – ze rammelde, zelfs – maar ze wist dat ze op degene aan het hoofd van de tafel moest wachten voordat ze kon gaan eten. Ook de anderen werden bediend, maar niemand pakte zijn lepel. Ten slotte boog kapitein Roemer zich naar haar toe en zei: 'Het is de gewoonte dat de dame rechts van mij begint met eten.'

Nou, dat hadden ze haar wel mogen vertellen! Ze voelde zich beschaamd, vooral toen de anderen, nadat zij voorzichtig van de heerlijke, zoute soep had geproefd, hongerig aanvielen en de gesprekken nog levendiger werden. Kapitein Roemer gaf haar een beschrijving van wat ze onderweg kon verwachten: ergens lagen de krijtrotsen van Dover, en de weidse luchten die hij omschreef als 'Gods schilderdoek'.

Er verscheen een schaal met vlees en groente over haar linkerschouder, haar voorgehouden door een van de obers die ze in Cassians hut had gezien. 'O!' zei ze. 'Hallo.'

'Señora,' zei de ober.

Ze stak een hand uit om de schaal aan te nemen, omdat ze dacht dat dat de bedoeling was, maar de ober trok hem terug.

'Hij houdt hem voor je vast. Neem maar wat je wilt, kind,' zei kapitein Roemer. Weer voelde Minke zich vernederd. Hoe moest ze ooit alle regeltjes van deze mensen leren? Ze nam wat vlees.

'Hoe heet je?' vroeg ze de ober.

'Marcelo,' zei hij.

'Ik ben Minke.'

Tessa Dietz boog zich naar Minke toe en fluisterde luid: 'Je moet niet naar hun namen vragen, kind. En je zeker niet aan hen voorstellen. Is het wel, meneer DeVries?'

Sander wierp Minke een toegeeflijke glimlach toe. 'Mijn vrouw doet wat ze zelf wil.'

'Wij moeten onze Europese manieren naar Zuid-Amerika brengen,' zei Tessa Dietz bits. 'Je hoort nu eenmaal afstand te bewaren tot het personeel.'

'Ik was hem al tegengekomen bij dokter Tredegar, maar ik wist niet hoe hij heette. Hij lijkt me heel aardig.'

Mevrouw Dietz keek haar een beetje zuur aan en riep toen over de tafel naar Astrid dat ze haar soep moest opeten om op krachten te blijven. 'En ik zeg het niet nog een keer,' voegde ze eraan toe. Astrid rolde samenzweerderig met haar ogen naar Minke, voordat ze braaf haar soep begon te lepelen. Minke wist nu zeker dat ze met Astrid zou kunnen opschieten.

'En waarom reist u naar Comodoro?' vroeg pater Bahlow aan Minke. Hij had kleine grijze tanden en was de oudste man aan tafel. Minke wendde zich weer naar de kapitein om hem niet voor het hoofd te stoten, maar hij was al in gesprek met Astrid. Sander praatte met Cassian, enzovoort. Blijkbaar begon je het avondeten met een gesprek met de man links van je, om hem na enige tijd te verruilen voor de man rechts. Ook al zoiets wat Sander haar had moeten vertellen.

Ze dacht even na over de vraag van pater Bahlow. Eigenlijk wist ze het niet, maar ze wilde geen onnozele indruk maken. Sander had alleen gezegd dat hij dingen te koop had, en omdat ze die mooie spullen in de opslag beneden in het huis had gezien, antwoordde ze: 'Mijn man gaat daar een zaak openen in dure artikelen. En u, eerwaarde?'

Hij zuchtte. 'Ik moet een kerk bouwen.'

'Veel succes daarmee,' zei meneer Dietz, die het had gehoord. Nu de gesprekspartners waren gewisseld, had hij alleen zijn vrouw om mee te praten. Hij lachte bulderend, een geluid dat Minke nog al te vaak zou horen tijdens de reis. De man lachte na bijna alles wat hij zei. 'Ik zit in de olie,' deelde hij de hele tafel mee. 'De boortorens liggen in het ruim. De nieuwste en beste installaties!'

'Helemaal in uw eentje?' vroeg Minke aan pater Bahlow, vastbesloten om haar rol in het gesprek vol te houden. 'Bouwt u die kerk alleen?'

'Zo is het.'

'Ik zag ook een paar nonnen aan boord gaan. Kent u hen misschien?'

'Ze gebruiken de maaltijd liever in hun hut.'

En daar liet hij het bij. Hij had de gewoonte om een kruisje te slaan en een slok wijn te nemen voor elke hap, met als gevolg dat hij na het eten dronken was.

Daarna was ieder gesprek onmogelijk, omdat Dietz zijn luide stem tot Sander richtte en de hele conversatie domineerde met zijn praatjes over olie. Hij vond het jammer, zei hij, dat de *Frisia* geen raket was, die hen naar Comodoro kon brengen voordat iemand anders hem voor kon zijn om aanspraken te maken op de olie. Hij had al zijn boorinstallaties in het ruim. Ze hadden hem een fortuin gekost. 'Alleen de allerbeste machines,' zei hij weer, met een knipoog naar Minke. Als je hem mocht geloven, was de stad een soort Enkhuizen, maar dan met boortorens tussen de huizen, twee keer zo hoog als ieder gebouw. Dat beeld veranderde toen Dietz vertelde hoe lang het wel duurde om zijn materiaal van de ene oliebron naar de andere te verplaatsen. Dat scheen uren te kosten, met houten pallets die door paarden werden versleept. Blijkbaar lag alles dus niet zo dicht bij elkaar als thuis. Op plaatsen waar de rotsen door erosie waren uitgesleten, vertelde hij, stroomde de olie gewoon in zee. Maar er waren nog niet genoeg arbeiders om alle olie af te tappen, in vaten op te slaan en te verschepen. Hij transpireerde toen hij zijn verhaal deed en gebruikte een servet om zich het zweet van zijn voorhoofd te wissen.

'En die mooie landgoederen, de *estancias*?'

Hij keek haar verbaasd aan en spreidde zijn handen in een gebaar van *Wat bedoel je?* Minke keek naar Astrid, die haar eten over haar bord heen en weer schoof terwijl haar vader aan het woord was. Astrid zou er beter uitzien in een van haar nieuwe jurken, vond Minke. Grijs stond haar niet; het maakte haar gezicht te grauw. Het meisje voelde Minkes blik op zich gericht en keek op met een gezicht van *Is dit geen ramp?*

Na het eten loodste Sander haar tussen de andere vijf of zes tafeltjes door. Aan elke tafel zaten nog eens vier gasten te eten. Hij scheen een paar mensen te kennen, maar deelde ook kaartjes uit met zijn naam erop. Deze mannen maakten een grovere indruk dan de gasten aan hun eigen tafel. Ze waren niet zo goed gekleed en minder voorkomend, hoewel ze wel opstonden en bleven staan toen zij aan hen werd voorgesteld. De hele tijd hield Sander zijn arm stevig om haar middel geslagen. Toen ze de eetzaal verlieten, fluisterde hij in haar oor: 'Zag je hoe jaloers ze waren?'

De gang leek zich eindeloos voor hen uit te strekken, veel te stil en te helder verlicht. 'Ik zag Dietz naar je kijken,' ging hij verder. 'En het was een briljante zet van je om die ober zijn naam te vragen.'

'Ik wilde het echt weten. Ik had hem ontmoet in Cassians

hut.' Dat deed haar ergens aan denken. 'Cassian was erg stil onder het eten.'

'En de kapitein! Zelfs die priester! Ze lagen allemaal aan je voeten.' Sander leek heel tevreden met zichzelf.

'Cassian zei niet veel. Voelt hij zich wel goed?'

'Hij heeft stemmingen.'

'Astrid leek me wel aardig,' zei ze.

'Dietz is een rijk man. Het zou nuttig voor je zijn om vriendschap met hen te sluiten.'

'Mevrouw Dietz was niet echt weg van me,' zei ze.

Hij bleef staan en trok haar tegen zich aan. 'Tessa Dietz is een domme koe,' fluisterde hij in haar oor. Minke moest lachen, omdat het kietelde en omdat ze het met hem eens was. 'Frederik Dietz, daar gaat het om.'

'Maar zijn vrouw zal spullen van ons kopen.'

'Nou, probeer dan de schade te herstellen. Dat kun je best, dat weet ik.'

In de hut viel een wazig licht naar binnen door de patrijspoorten. Minke stak haar hand naar achteren om de ceintuur van haar jurk los te maken. 'Wacht! Bekijk jezelf nou even.' Hij duwde haar naar de spiegel. 'Kleine Minke van Aisma uit Enkele Huizen!' zei hij. Het was de onnozele vertaling van Enkhuizen.

Ze herkende nauwelijks haar eigen vage spiegelbeeld in die lange jurk, laag uitgesneden om de blanke huid van haar boezem, haar schouders en haar smalle taille te accentueren. De cultivéparels vingen het schemerlicht en haar witblonde haar leek een stralenkrans. Sander kuste haar nek, heel zacht, een heerlijke, lichte kus, onverwacht sensueel. Ze vlijde zich tegen hem aan. Hij liet zijn vingertoppen over haar schouder naar haar hals glijden, bijna zonder haar aan te raken, zodat ze nog meer naar zijn strelende handen verlangde. Hij maakte haar

haar los, ook al zo'n zalig gevoel, en in de halfdonkere hut hielp hij haar uit haar jurk.

Heel vroeg in de ochtend, nog voordat de zon hun hut binnen viel, vrijde Sander weer met haar, net zo lief en teder als de vorige avond. Nog warm en opgewonden had Minke een gevoel alsof ze zweefde toen ze samen naar de eetzaal liepen voor het ontbijt.

Op tafel stonden schalen met kaas, vleeswaren, fruit, verschillende soorten brood en broodjes, en gekookte eieren, nog in hun bruine schaal. Twee nieuwe obers wachtten met potten koffie en thee. Pater Bahlow en Frederik Dietz waren de enige ontbijtgasten. Minke zei goedemorgen en pater Bahlow hief een grote bel cognac. 'Voor de spijsvertering,' legde hij uit.

Ze voelde zich slaperig en vloeibaar door de seks, en blijkbaar was dat duidelijk te zien, want Dietz staarde haar openlijk aan. Het meisje van de maaltijd van gisteravond was opeens een jonge vrouw geworden, die aan niets of niemand anders kon denken dan aan Sander. Honger had ze niet, en dat zou voorlopig wel zou blijven. Ze at, omdat ze wist dat het nodig was, maar zonder veel trek: een toastje met jam en een kop hete thee. Ze was blij toen Tessa en Astrid arriveerden, Astrid in een lichtgele jurk die haar te wijd was, en haar moeder in het oranje, als een grote exotische vogel. Minke boog zich langs pater Bahlow heen en pakte Tessa's zachte hand. 'Ik ben bang dat ik gisteravond nogal onbeschoft was,' zei ze. 'Neem het me alstublieft niet kwalijk.'

'O!' Tessa Dietz straalde van plezier. 'Zand erover.'

'Dat ik die ober naar zijn naam vroeg... u had natuurlijk gelijk. Mijn moeder zou hetzelfde hebben gezegd als u.'

Een voldaan lachje speelde om Tessa's kleine mond. 'Gelukkig maar,' zei ze. 'Mis je je familie erg?'

'Nog niet,' zei Minke, naar waarheid. 'Er is zoveel gebeurd dat ik nauwelijks de tijd heb om na te denken.'

Dietz lachte suggestief.

'Vanochtend is er touwtrekken, aan dek,' zei Astrid tegen Minke. 'Ga je mee?'

'Natuurlijk!' riep Minke, hoewel ze niet wist of dat wel mocht. Touwtrekken was een kinderspel, en nu ze niet langer een kind was, moest ze misschien Tessa wel gezelschap houden.

'Veel plezier.' Sander gaf haar onder de tafel een kneepje in haar been. 'Ik heb vanochtend nog zaken te doen.'

'Tot tien uur, dan!' zei Astrid.

Tientallen mensen slenterden over het dek in dikke jassen onder een hemel die zich egaal grijs uitstrekte van horizon tot horizon. Een dik touw van een meter of tien lengte lag op het dek. Hier en daar tilden mannen het op om het gewicht te testen. Minke liep naar de reling en keek uit over de zee, die donkerder grijs was dan de hemel, met overal witte golftoppen. Ze zoog de lucht diep in haar longen, tintelend van leven op dit moment. Haar lichaam gloeide nog na van de afgelopen nacht. Mama had nooit gezegd dat het zo zou zijn – dat iedere centimeter van haar lijf zich zo heerlijk zou kunnen voelen, of dat ze zo naar hem zou kunnen verlangen, meer en meer.

Ze zag Astrid tussen de menigte door naar haar toe komen. Minke kreeg een snelle kus op haar wang. 'Eindelijk, iemand van mijn eigen leeftijd,' zei het meisje.

'Ik weet het,' zei Minke. 'We zijn in de minderheid.'

'En geen enkele echte man aan tafel, behalve de jouwe. Ik wou dat ik zelf ook een getrouwde vrouw was. Hoe is dat?'

'Ik ben pas drie dagen getrouwd.'

'Nou?' Astrid knipoogde.

'Ik kan er geen genoeg van krijgen,' fluisterde Minke.

Astrid jubelde van plezier. 'Ik hoor mijn ouders ook wel eens, weet je.'

'Wat hoor je dan?'

'Je wéét wel!'

'O,' zei Minke, en toen 'O!', bij de gedachte dat die twee dikke mensen hetzelfde deden als Sander en zij.

Astrid porde haar in haar zij. 'Ik weet het. Als konijnen...' zei ze.

'Nee!' Minke schaterde het uit en voelde de blikken van sommige omstanders op zich gericht. Ze werden door de menigte meegeloodst naar een plek aan de reling.

'Die jongen zwaait naar je,' zei Astrid.

Minke keek om zich heen. Welke jongen? O! Ze herkende zijn witte bretels. Hij stond tussen een groepje van vijf of zes forse kerels.

'Hij wil jou,' zei Astrid.

'Hij *wil* me?'

'Bij zijn partij, rare!' zei Astrid. 'Hij is aanvoerder. Ga nou maar.'

Minke liep erheen en nam haar plaats in de rij in. De jongen, die bij daglicht van haar eigen leeftijd leek te zijn, had mooi blond haar, net als het hare. Hij drukte haar hartelijk de hand. 'Hallo, opnieuw. Ik heet Pieps,' zei hij. 'Blij dat alles goed met je gaat.'

'Ik ben Minke,' antwoordde ze.

'Kies jij maar de volgende,' zei hij. Minke koos Astrid, die naar voren huppelde.

'Ken je hem?' fluisterde Astrid toen ze in de rij naast Minke stond.

'Ik ben hem tegengekomen in het vooronder.'

'Daar mag je helemaal niet komen! Ze kunnen je wel verkrachten.'

'Kies maar iemand. Ze staan te wachten,' zei Minke.

Astrid wees naar een man vlakbij. 'Jij,' zei ze.

'Nou, dat ben ik dus niet,' zei Minke.

'Wat?' vroeg Astrid.

'Verkracht,' fluisterde Minke.

'Mijn moeder zou me vermoorden als ik een jongen kende zoals hij.'

'Hoe zou ze dat moeten weten?'

Astrid giechelde. Ze kregen hun plaatsen aangewezen. De mannen kozen positie aan het begin en het eind van het touw, met de vrouwen tussen hen in. Pieps stond achter Minke. Op een teken begon iedereen te trekken. Minke vergat helemaal haar mooie jurk en gooide zich in de strijd. Ze kromde haar rug tegen Pieps aan toen ze langzaam terrein wonnen en groef haar hakken tegen het dek om zich niet naar voren te laten trekken. Opeens liet de tegenpartij los, waardoor Minkes ploeg boven op elkaar viel, op hetzelfde moment waarop het schip in een golfdal dook. Hulpeloos lachend rolden ze over het dek.

'Mijn vriendin Astrid. Astrid, dit is Pieps,' stelde Minke de twee aan elkaar voor toen ze overeind probeerden te komen.

Astrid kreeg een hoestbui. Ze boog zich voorover en ging rechtop zitten. 'Het is niets; gewoon de lucht. Het is zo vochtig op zee.'

'Ik moet weg,' zei Pieps. 'We mogen hier alleen komen voor onze spierkracht. Daarna weer snel terug naar de kerkers.'

Astrid hoestte weer.

'Kan ik iets doen?' vroeg Minke.

'Tegen me praten. Dat leidt af.'

Arm in arm liepen ze naar de reling.

'Ga jij na Comodoro weer terug naar Amsterdam?' vroeg Minke.

'Papa zegt dat het oorlog wordt.'

'Nederland zou neutraal zijn in een oorlog.' Dat had ze haar vader wel duizend keer horen zeggen. Dus hoefden ze niet bang te zijn voor een oorlog.

'Papa wil heel erg rijk worden, en je kunt niet rijk worden in Nederland, zelfs als het neutraal blijft,' zei Astrid, die haar hoestbui heel even onderbrak om haar vader vlekkeloos te imiteren. 'Hoe dan ook, hij wil een heleboel land, en een huis zo groot als een kasteel, met bedienden en een zwembad.' Ze lachte. 'Mama kan niet wachten. En jouw man?'

'Ik geloof dat hij een winkel wil beginnen.'

'Dan kom ik een heleboel dingen bij jullie kopen. En we gaan samen picknicken en zwemmen in zee.'

Cassian dook naast hen op. Minke vermoedde dat hij hen de hele tijd al in de gaten hield. Misschien had Sander hem dat gevraagd. Die gedachte gaf haar vreemd genoeg een goed gevoel. 'Kijk daar!' zei hij. 'Dolfijnen.' Er sprongen tientallen dolfijnen boven het water uit, kronkelend in de lucht als biggetjes. 'Ze houden van een ruwe zee,' zei hij. Het water was inderdaad ruiger geworden, de golven hoger en verder uiteen. 'Jullie moeten maar snel naar jullie hut terug, allebei.'

'Dat doen we ook wel,' zei Minke. Hij liet hen alleen, en ze zagen hoe de zee een muur van water vormde, wel acht of tien meter hoog en twee keer zo breed, gemarmerd met schuim. Uit die helling doken de dolfijnen op en beschreven een hoge boog door de lucht voordat ze weer in het schuimende golfdal verdwenen.

Astrid slaakte een benauwde kreet en hoestte een paar keer, heel hard.

'Cassian is dokter, weet je,' zei Minke. 'Hij kan je wel helpen.'

'Ik heb alleen een droog klimaat nodig.'

Een volgende golf tilde de boeg van de *Frisia* omhoog en omlaag. Minke en Astrid werden tegen de reling gesmeten. Ze hervonden hun evenwicht, net toen een nieuwe golf over het dek sloeg en hen op hun knieën wierp. Geschrokken van de macht van de zee en tot op de draad doorweekt kropen ze naar een binnenwand, waar ze zich op de been hesen. Alles wat niet nagelvast zat, dreef rond hun voeten: het touw, een jas, allerlei rommel. Iemand aan dek begon te kotsen met een bekend maar akelig geluid. Een zure lucht sloeg over hen heen toen er nog iemand moest braken. Ook Astrid boog zich over de reling om haar maag om te keren.

Deinend op de bewegingen van het schip wankelden ze naar Astrids kleine hut, die maar een paar deuren bij die van Minke en Sander vandaan lag. Tessa stond al in de gang te wachten op haar dochter en nam haar van Minke over, bozig dat ze zo doorweekt waren en zich zo dom aan dek hadden gewaagd in dit weer.

Terwijl de eerste twee dagen aan boord van de *Frisia* heel rustig waren verlopen, volgden daarna zes dagen van een ware hel. De golven, als bergen zo hoog, smeten het schip heen en weer. 's Nachts dreunde het water over het dek. Mannen schreeuwden, de meeste passagiers waren zeeziek, en de stank was overal. De enige plek waar je tijdens dat eindeloze noodweer nog een beetje rust had was in je hut, in bed.

Wonderbaarlijk genoeg hadden Minke en Sander geen last van misselijkheid. Ze bleven allebei gespaard voor die ellende. Terwijl het schip rolde en stampte, kreunend onder het geweld van de ene storm na de andere, en allerlei wrakhout tegen de buitenwand van hun hut sloeg, lagen Sander en Minke eindeloos te vrijen. Dagenlang had ze hem helemaal voor zich alleen.

Tussen het vrijen door, als ze naakt in bed lagen, deinend met het schip mee, streelde ze zijn huid en vertelde hem verhalen uit haar leven. Niemand had ooit zo aandachtig naar haar geluisterd als Sander. Het kleinste detail fascineerde hem: haar talent voor handwerken, het pak dat ze voor haar vader had genaaid. Ze vertelde hem met hoeveel plezier ze polsstok had gesprongen over de slootjes. 'Ik was kampioen van de stad. Ik ben heel snel,' zei ze. 'Fenna was woedend als ze van me verloor – van *mij*, nota bene! Ze riep dat ik vals speelde, alsof je kunt vals spelen met polsstokspringen! Je haalt de overkant, of niet.'

'Fenna is iemand om rekening mee te houden, zo te horen.'

'We zijn totaal verschillend. Fenna houdt van bedenkelijke spelletjes.'

Hij schoot in de lach en streelde haar borst. 'Wat bedoel je daarmee?'

'Fenna ging naakt zwemmen met de jongens. Ze trok zich nergens wat van aan.'

'Tot afschuw van je moeder, neem ik aan?'

'Die wist van niets, maar dat kon Fenna toch niet schelen.'

'En jij? Heb jij nooit naakt gezwommen met de jongens?'

Ze gaf hem een speelse tik.

'Wat ben ik toch een ouwe mazzelaar.'

'Raar, vind je niet? Hoe snel het allemaal is gegaan.'

'Minke, ik wist het al vanaf het eerste moment dat ik je zag.'

❧

Op een dag, toen de zee weer rustig was maar er toch een stevige wind stond en de andere passagiers nog misselijk in hun hutten lagen, nam Sander haar mee aan dek en liet haar zien hoe leuk het was om aan stuurboord tegen de wind in te lopen, vechtend voor iedere meter, en vanaf de boeg weer terug langs bakboord, met de wind in hun rug, zodat ze bijna op hun achterste tegen het dek werden gesmeten. Dat deden ze steeds weer, lachend en half struikelend, terwijl ze elkaar overeind hielden. Er was geen mens te zien. De *Frisia* was van hen alleen. Daarna gingen ze iets eten, samen in de verlaten mess, waar het een puinhoop was. De bemanning had geen tijd om alles bij te houden, en overal lagen kapotte borden. Ze aten met hun tweeën aan een tafeltje, als een stel oorlogsvluchtelingen.

In die dagen bracht Minke Astrid dikwijls een kop thee. Het meisje lag op haar smalle bed onder zweetdoordrenkte lakens, en Minke dacht onwillekeurig terug aan Elisabeth als ze Astrids haar van haar voorhoofd streek en haar wat thee met melk en suiker liet drinken om op krachten te komen. Maar die arme Astrid kon nog geen slokje binnenhouden. Cassian kwam ook bij haar kijken en gaf haar morfine tegen de misselijkheid. Het leek wel een wondermiddel, geschikt voor alle kwalen.

Minke wist niet hoe lang het noodweer duurde. Vier dagen, misschien? Of vijf? Aan boord verloor ze alle besef van tijd. Maar opeens was het voorbij. Ze hadden de tropen bereikt onder een zon die veel warmer was dan thuis, zelfs hartje zomer. De temperatuur in de hut liep op tot bijna veertig graden, veel te heet om te vrijen of voor wat dan ook. Ze namen de met zweet doorweekte lakens mee naar het dek, waar ze konden drogen aan provisorische waslijnen. Minke was nog nooit zo moe geweest. Ze voelde zich uitgeput door het nooit eindigende genot met Sander, haar voortdurende opwinding, het gebrek aan eten en de ellende van de andere passagiers. Aan dek, in de lome hitte, knipte ze Sanders haar om de tijd te doden en strooide zijn blonde haren over de golven uit. Op een middag ving een van de matrozen een haai. De passagiers verdrongen zich om te zien hoe de zeeman het dier met een ijzeren staaf de kop insloeg, het hart uit zijn lijf sneed en het kadaver wegsleepte. Het hart was zo groot als een gebalde vuist, porseleinblauw en helderrood gemarmerd waar de aderen liepen. Het hart klopte nog wel een uur voordat het stopte.

Diezelfde nacht kruisten ze de evenaar bij een vlakke zee onder een wolkeloze hemel. Sander nam haar mee aan dek om de maan recht boven hen te kunnen zien, wat alleen op de evenaar mogelijk was. Daarna gingen ze terug naar hun hut voor weer zo'n heerlijke, sensuele nacht – de laatste keer dat ze aan boord zouden vrijen, zoals bleek.

Ze waren nu op driekwart van de reis naar Comodoro, vertelde hij haar, en elk moment kon de kust van Brazilië aan stuurboord zichtbaar zijn. De volgende ochtend stond hij al vroeg op, ging op het bed zitten om zijn sokken aan te trekken, kamde zijn haar voor de spiegel, strikte zijn das, drukte een kus op haar voorhoofd en zei op zakelijke toon: 'Ik zie je bij het avondeten. Probeer wat frisse lucht te krijgen. Een beetje zon zou goed zijn voor je teint.'

O ja? Ze voelde zich gekwetst. Een beetje zon? Ze bekeek zichzelf in de spiegel. Wat mankeerde er aan haar teint? Ze had geen zin om bruin te worden. Maar het ergste was toch dat ze zich afgedankt voelde, alsof ze van al haar krachten was beroofd.

Buiten was de bemanning bezig de dekken te schrobben en alle rommel van de storm op te ruimen. De drie nonnen die met pater Bahlow reisden lagen op ligstoelen in hun zwarte habijt. Hun bleke, vlezige gezichten zogen de zon op. Verderop in de rij zat Astrid thee te drinken. Minke nam de stoel naast haar.

'Ik voelde me helemaal binnenstebuiten gekeerd,' zei Astrid

over haar zeeziekte. Ze beet in een koekje, spuwde het uit en trok een gezicht.

'Ik weet het. Ik was erbij,' zei Minke.

'Straks gaan we samen rijden, jij en ik,' zei Astrid. 'In Argentinië. Papa zal een stel prachtige paarden kopen, dat weet ik zeker.'

'Dan kunnen we over de pampa's galopperen,' zei Minke.

'Jij komt bij mij logeren en we gaan er elke dag op uit, wekenlang. Om alles te ontdekken!'

'Maar ik kan niet bij je logeren, Astrid.' Minke ging rechtop zitten om te zien of haar vriendin een grapje maakte. 'Ik ben een getrouwde vrouw, weet je nog?'

'Je moet toch echt blijven logeren. Het is een dag rijden vanaf Comodoro.'

'Een dag rijden? Waarheen?' vroeg Minke.

Astrid keek haar fronsend aan. 'Naar ons huis, natuurlijk.'

'Staat dat dan niet in Comodoro?'

Astrid maakte een grimas. 'Mama wil niet in Comodoro wonen, maar op het platteland, waar het rustig is. Er stromen rivieren, er woont een beter slag mensen en je hebt er geen smerige oliebronnen. Dus hebben wij een huis buiten de stad. Met miljoenen vogels om ons heen. Je houdt toch wel van vogels?'

'Vogels zijn vogels,' zei Minke. 'Wat hebben vogels ermee te maken?'

'Wat mankeert je?'

'Dan moet jij maar bij mij komen logeren,' zei Minke. 'Er zijn toch wel huizen in Comodoro?'

'Dat vinden mijn ouders nooit goed. Daarom gaan we juist zo ver weg wonen. Je zou mama eens moeten horen! Comodoro is een grensstad, net als in het wilde westen van Amerika, met revolvers en gokhuizen en hoeren.'

'Dat lieg je!'

Astrid haalde haar schouders op. 'O God, daar komt weer een storm.' Ze wees naar de donkere wolken die zich samenpakten boven de horizon. 'Ik word al zeeziek als ik ernaar kijk.'

Maar de storm kwam niet, en de *Frisia* doorkruiste in alle rust de tropen, op weg naar koelere wateren. Een paar dagen voordat ze in Comodoro moesten aankomen ging het gerucht dat er die avond in de mess een feestmaal zou worden gehouden. Geen ingeblikt of gedroogd vlees, maar een vers geslacht lam.

Met een kritische blik gooide Minke haar drie jurken op het bed. Welke moest het worden? Sander keek toe, maar ze vroeg hem niet naar zijn mening. Ze was nog steeds boos om de abrupte manier waarop hij haar alleen had gelaten. Ten slotte koos ze voor de lavendelblauwe jurk. Nee, eigenlijk was het mauve. Niet de mooiste van de drie, maar hij maakte wel indruk. Met haar blonde haar en haar bleke huid zou ze anders een meisje in roze zijn. In de rode jurk was ze die keer naar het vooronder afgedaald, dus had ze daar heel andere associaties mee. Nee, die lavendelblauwe was wel statig en wat lager uitgesneden dan de andere. Minke wist wat voor effect dat had. Ze streek de jurk glad en bekeek hem nog eens. Er zaten kleine oneffenheden in de stof, alsof hij al eerder was gedragen. Nu pas kwam het bij haar op dat de jurken ooit van iemand anders waren geweest; misschien van Elisabeth.

Voor de spiegel kamde ze haar haar totdat ze er met haar vingers doorheen kon strijken zonder nog klitten tegen te komen. Toen rechtte ze haar rug, borstelde het haar van haar voorhoofd en bekeek zichzelf. Ze voelde Sanders blik op zich gericht. Ten slotte boog ze zich naar links, totdat haar haar bijna op haar heup hing, en begon het te vlechten tot een lang, zijden koord. Ze legde de vlecht over haar kruin, maakte hem vast bij haar rechteroor, draaide nog een lus naar links en speldde die aan de rechterkant op zijn plaats. Drie keer. Het was een ware gedaanteverandering. Vorstelijk. En het gewicht van de vlecht op haar hoofd gaf haar de perfecte houding van een vrouw met een boek op haar hoofd.

Tot haar teleurstelling trof ze enkel kapitein Roemer en pater Bahlow aan de eettafel. Ze had zich zo verheugd op de indruk die ze zou maken, vooral op Astrid. Ze wilde haar laten zien wat het betekende om een getrouwde vrouw te zijn!

Sander en zij namen hun vaste plaatsen in. Minke had het protocol inmiddels zo goed onder de knie dat ze zich onmiddellijk naar kapitein Roemer keerde. 'Wat een geweldig idee om een afscheidsdiner te geven,' zei ze.

Ze had nog nooit zo'n stijve man ontmoet als hij. Toen hij zijn gezicht naar haar toe draaide, bewoog zijn hele bovenlichaam mee, als van een kartonnen pop. 'Astrid voelt zich niet goed,' zei hij. 'Dokter Tredegar is bij haar.'

'Maar het ging juist beter met haar!'

'Ze voelt zich weer ziek, ben ik bang.'

De soep werd opgediend. Toen de vis. Het was allemaal erg lekker, maar Minke bleef bezorgd. Het moest wel ernstig zijn als Cassian en de Dietzen dit bijzondere etentje oversloegen. Pater Bahlow vertelde een verhaal over zijn ervaringen op een ander schip in een ander deel van de wereld. Toen hij een boertje liet, miste Minke de veelzeggende grijns van Astrid aan de overkant van de tafel. Voordat het vlees kwam, excuseerde de kapitein zich en zei dat hij even bij de Dietzen ging kijken.

Hij bleef een hele tijd weg. Het hoofdgerecht werd gebracht, daarna het toetje, de kaas en de koffie, maar de kapitein liet zich niet zien. Pater Bahlow scheen nergens erg in te hebben en kletste maar door, blij met zijn kans nu die luidruchtige Dietzen er niet waren.

Pas bij de cognac kwam kapitein Roemer terug. 'Tot mijn grote verdriet moet ik u zeggen dat Astrid van ons is heengegaan.'

Minke staarde hem aan. Heengegaan? Betekende dat wat ze dacht dat het betekende? Ze kon het niet geloven.

'Hoe is dat gekomen?' wilde Sander weten.

'Wat bedoelt u met *heengegaan*?' vroeg Minke.

De kapitein sloot zijn ogen. 'Juffrouw Dietz is gestorven.'

'Nee! U vergist zich. Het ging juist beter met haar!' riep Minke uit. Dit kon niet waar zijn.

'De tering. Gepaard met uitdrogingsverschijnselen vanwege haar misselijkheid.'

'Ik heb haar vandaag nog gesproken en ze voelde zich beter. Weet u het wel zeker, kapitein?'

Kapitein Roemer knikte, nog steeds met zijn ogen dicht.

'De tering? En is ze niet in quarantaine gehouden?' schreeuwde Sander tegen de kapitein.

Minke keek met open mond toe hoe Sander de kapitein de mantel uitveegde over roekeloos gedrag en het gevaar van besmetting. Ze kon aan niets anders denken dan haar eigen rol, haar boze reactie tegenover Astrid, eerder die dag, voor iets wat Astrid ook niet kon helpen, en dat wist ze. Ze had Astrid heel gemeen behandeld, en alleen maar omdat zij – Minke – egoïstisch, boos en teleurgesteld was geweest toen ze ontdekte dat Astrid een heel eind bij haar vandaan zou wonen en omdat ze zulke akelige dingen over Comodoro had gezegd; dingen die ze niet tegenover Sander of zelfs Cassian zou durven herhalen. En nu was Astrid dood.

'Hoor je me?' Sander keek haar van dichtbij aan.

Minke schudde haar hoofd.

'Je laat je nu meteen door Cassian onderzoeken. De tering? Dat kunnen we niet hebben! Echt niet!'

Tessa kwam die avond in haar eentje naar hun hut. Ze huilde en haar haar zat in de war. Ze smeekte Sander en Cassian een beroep op kapitein Roemer te doen om Astrids lichaam aan boord te houden totdat het fatsoenlijk kon worden begraven in Argentinië. Haar man had het al geprobeerd, maar tevergeefs. 'Het is nog maar een paar dagen varen,' jammerde ze. Maar Sander weigerde. Hij kon het gezag van de kapitein in deze zaak niet ondermijnen, zei hij. Zo luidden de wetten op zee.

'Maar, Sander, ze mag toch niet op die manier worden ontheiligd!'

Sander hield voet bij stuk.

'Waarom mag dat niet?' vroeg Minke toen Sander terugkwam nadat hij Tessa naar haar hut had gebracht.

'De zee kent haar eigen wetten,' zei hij. 'Als je je daar niet aan houdt, wordt het een chaos.'

'Wat bedoelde ze met "ontheiligd"?'

Hij trommelde met zijn vingers op de tafel. 'Het lichaam moet in een lijkwade van zeildoek worden genaaid. De laatste steek gaat door de neus, om zeker te weten dat ze dood is.'

Minke huiverde. 'Maar ze *is* dood! Cassian zei het toch?'

'Dat is gebruik. Morgen wordt het lichaam op een tafel uit de bemanningsmess gelegd en bij de loopplank aan stuurboord geplaatst, met de voeten naar de zee en bedekt met de vlag. Aan de voeten wordt schrootijzer gebonden om ervoor te zorgen dat het lichaam zinkt.' Hij vertelde het zonder enige emotie, alleen de zakelijke feiten. 'Zo gaat dat.'

De volgende morgen zwegen alle machines en bleef het schip

loom op de golven dobberen, met de zeilen halfmast als teken van een dode aan boord. Minke klampte zich aan Sanders arm vast toen ze naar het dek liepen.

Ze ontdekte Pieps onder de omstanders. Hij had zijn haar glad naar achteren gekamd en zijn ogen neergeslagen. De bemanning stond in de houding in twee strakke rijen, aan weerszijden van de tafel. Tessa zat huilend en bevend in een stoel; blijkbaar ontbrak haar de kracht om te blijven staan. Minke zag dat de arme vrouw haar blik afwendde toen kapitein Roemer zijn bevelen riep en de bemanning hun mutsen afzette. Zes mannen in uniform droegen het lichaam in zijn canvas lijkwade naar het dek, legden het op de tafel en bedekten het met de Nederlandse vlag.

Kapitein Roemer las uit de Bijbel, maar Minke hoorde nauwelijks wat hij zei. Ze kon niet geloven dat die kleine gestalte daar op de tafel, onder de vlag, werkelijk Astrid was – dat Astrid was gestorven voordat ze nog goed en wel met leven was begonnen. 'En zo vertrouwen wij haar lichaam aan de diepte toe, om aldaar te vergaan, wachtend op haar lichamelijke herrijzenis wanneer de zee haar doden weer opgeeft. Wachtend op het leven van de nieuwe wereld in onze Here Jezus Christus, die bij Zijn wederkomst ons zondige lichaam zal helen zodat het zal zijn als Zijn stralende lichaam, dankzij de goddelijke macht waarmee Hij in staat is alle dingen aan Hem te onderwerpen.'

De zes bemanningsleden stapten naar voren, staken hun handen onder de tafel, tilden die hoog in de lucht en kantelden hem naar het water. Astrids lichaam gleed onder de vlag vandaan, en even later klonk een plons.

'Rust zacht, lieve vriendin,' fluisterde Minke.

Kapitein Roemer ging hen voor in het Onzevader. 'Onze Vader...' begon Minke, en ze sloeg haar ogen naar de hemel. Het was haar nooit gelukt om haar ogen te sluiten tijdens het bidden. Ze prevelde de rest van het gebed en dacht aan Astrids ziel. Hoe moeilijk zou het niet zijn voor een ziel om aan het gewicht van al dat water te ontsnappen? Misschien vroeg Tessa zich wel hetzelfde af. De vrouw klampte zich aan de reling vast, starend naar de plek waar Astrid was verdwenen.

Iemand hield Minke in de gaten. Ze voelde vreemde ogen op zich gericht. Voorzichtig keek ze om zich heen in de plechtige menigte. Iedereen hield zijn hoofd gebogen, behalve Frederik Dietz. Hij stond op enige afstand van zijn vrouw Tessa, met zijn voeten gespreid om zijn grote gewicht te torsen, en zijn armen over elkaar geslagen. Hij bad niet met de anderen mee, maar keek naar Minke. Toen haar blik de zijne kruiste, grijnsde hij listig.

# Deel twee

## Comodoro Rivadavia, Argentinië

*April 1912*

# 6

HET WAS EEN mooie ochtend – koel, met een stevige bries. Een vlucht sternen dook laag over het dek. De kust was niet ver meer. Aan dek verdrongen de mensen zich om een plaats aan de reling te vinden, maar Minke liet zich niet wegduwen. Ze had dit plekje al een uur en ze was niet van plan het op te geven.

Eindelijk zag ze het land opdoemen, nog zo ver en vaag dat het ook een wolk had kunnen zijn, voordat het zich ontpopte tot een grillige, hennepkleurige streep aan de horizon.

Ze trok haar jas wat strakker om zich heen tegen de wind. Waar was de stad? Niets te zien. Zelfs toen het water steeds ondieper werd en tot een melkachtig groen verkleurde, was er aan land geen teken van leven te bespeuren.

De stilte aan boord vertelde haar dat de anderen net zo verbaasd waren als zijzelf. 'Daar?' opperde iemand voorzichtig. En ja, Minke zag wat beweging bij de waterlijn. Wat verderop verhieven zich een paar gebouwen, net zo grijs als de omgeving. Cassian wrong zich tussen de mensen door en kwam naast haar staan.

Waar waren die mooie stenen huizen, en het wuivende gras van de pampa's? Waar was het centrum van de stad? Sander had Enkhuizen een gewoon vissersdorp genoemd, dus had Minke iets veel groters verwacht, maar moest je Comodoro zien! Een stel hutten op een akelig, dor stuk land. Ze kon nu wat paarden en wagens onderscheiden op het strand, mensen in donkere kleren die heen en weer liepen. Kleine stofstormen waaiden op.

'Waar is alles nou?' vroeg ze.

'Gun het de tijd, Minke,' zei Cassian.

'Maar waar moeten we wonen?'

'Voorlopig in een hotel, het Nuevo Hotel de la Explotación del Petróleo.'

Minke vond het wel een interessant idee om in een hotel te logeren, wat ze nog nooit gedaan had. 'Wat betekent die naam?'

'Het hotel voor het boren naar olie.'

Een diep dal van teleurstelling volgde op elk sprankje hoop. Ze boog zich over de reling om in het water te kijken. 'In elk geval kan ik in zee gaan zwemmen. Het ziet er heerlijk uit. Zodra het warm genoeg is, duik ik erin.'

'Het is bijna winter.'

'O, Cassian!' zei ze. 'Het is april.'

'O, Minke,' zei hij.

Ze draaide zich om en zag die eeuwige glimlach om zijn lippen, alsof de wereld hem voortdurend amuseerde. 'Wat?'

'Alles is hier omgekeerd. Zomer is winter, winter is zomer. Het is warm in het noorden en koud in het zuiden.' Hij maakte een kleine, cirkelende beweging met zijn hand. 'Zelfs het water draait de andere kant op in een wasbak.'

❧

Ze stapte op een van de eerste pendels naar de kust, samen met Cassian, pater Bahlow, de Dietzen en vier mannen die ze niet kende. Sander bleef achter om toezicht te houden op zijn lading. Minke kwam naast Tessa Dietz zitten, sloeg een arm om haar heen en hield de jas van de vrouw voor haar gezicht om de wind tegen te houden. Tessa wiegde ongelukkig heen en weer, met gebogen hoofd, jammerend van verdriet.

Bij het strand aangekomen werd er een brede plank uitgegooid waarover ze aan land konden gaan. Cassian hielp haar met Tessa, die nauwelijks op haar benen kon staan. Mannen in dikke wollen jassen en mutsen liepen af en aan. Minke voelde hun nieuwsgierige blikken op haar en Tessa gericht toen ze over het zand naar een stenen muurtje ploeterden dat enige beschutting bood tegen de wind.

De ene boot na de andere arriveerde, eerst met de eersteklaspassagiers, later met de mannen uit het vooronder, die meehielpen de grote kisten en voorraadzakken het strand op te zeulen over boomstammen die als rollers dienden. De vracht werd op wagens geladen en de paarden kregen een klap om op weg te gaan. Nog meer wagens, nog meer boten. Pater Bahlow sjokte over het strand met een gejaagde blik en zijn drie nonnen op sleeptouw. Minke maakte zich zorgen om Tessa, die zwijgend voor zich uit zat te staren. Hoe moest ze het hier redden zonder Astrid? Hoe zou ze het beeld van Astrid, diep in haar donkere graf in het water, ooit uit haar hoofd kunnen zetten? Minke dwong haar aandacht weer naar het lossen van de lading.

Tot haar verbazing zag ze Sanders gele auto naar de kust komen, vastgesjord op een platform achter een van de boten. Op de een of andere manier leek het een godsgeschenk in dit vreemde oord, een tegengif tegen Tessa's verdriet en een welkome herinnering aan die eerste dag met Sander, toen ze zelf zijn auto uit de greppel had gereden. Ze sprong op om de auto te zien en aan te raken.

Frederik Dietz was in gesprek met Sander, die met de auto mee aan land gekomen was. Dietz wilde hem lenen voor de rit naar zijn *estancia*. Sander, die medelijden had, vond het goed. Minke had haar bedenkingen toen de Spyker het strand op werd geduwd, de kofferbak werd leeggehaald en de auto naar het muurtje gereden. Tessa wrong zich op de passagiersstoel en Dietz greep met een stoer gebaar het stuur, alsof het zijn eigen auto was. Hoe kon ze zo kleinzielig zijn, berispte Minke zichzelf, tegenover twee mensen die zo'n verlies hadden geleden? Maar ze kon er niets aan doen. Dietz maakte er echt een voorstelling van. Hij wilde in dit land gezien worden in Sanders auto, zodat de mensen zouden denken dat die van hem was. Zo'n type was hij.

Minke rende het stoffige pad op om de auto na te kijken, samen met wat kinderen uit de stad. De Spyker liet een stofwolk na, begon te slingeren en liep vast in een greppel. De wielen draaiden dol. Dietz rende over de weg terug, riep Sander iets toe en wees naar de greppel waar de auto was gestrand. Sander en hij klommen in een van de wachtende rijtuigen, gaven de koetsier bevel hen naar de auto te brengen en hielpen Tessa eruit. Toen Dietz en Tessa in het rijtuig waren geklommen, reed het door, terwijl Sander en een paar grotere kinderen de auto uit het zand duwden. Minke had graag willen helpen. 'Mag ik hem terugrijden? Toe, Sander!' zei ze. 'Alsjeblieft.'

Hij kneep in de brug van zijn neus, zoals hij deed wanneer hij moest nadenken. 'Goed,' zei hij toen. Hij draaide zich om en liep snel terug om weer toezicht te houden op het uitladen van zijn bezittingen.

Er stonden een paar kinderen om Minke heen, en ze liet de grootste jongen zien hoe hij de motor moest aanslingeren, terwijl zij de pedalen bediende. Het kostte een paar pogingen. Steeds als ze de twee pedalen langs elkaar liet gaan, zoals ze die eerste dag had gedaan om de Spyker uit de greppel te krijgen, hoorde ze de versnelling knarsen, weigerend om te schakelen. Net toen ze de wanhoop nabij was, gleden de pedalen soepel langs elkaar en kroop de auto naar voren. Verderop zag ze de koets van de Dietzen over het kale land hobbelen. Er waren geen wegen die die naam verdienden, alleen wat karrensporen in verschillende richtingen. Minke wist niet hoe ze de auto moest keren, zoals Sander dat deed, door achteruit te schakelen. Ze kon alleen vooruit, dus deed ze dat, terwijl de kinderen joelend achter haar aan renden. Ze raakte hen kwijt toen ze gas gaf om een ruime bocht langs de Dietzen te beschrijven. Ze zwaaide toen ze hen voorbij reed, maar Tessa en Frederik reageerden niet. Minke was opgewonden en trots op de manier waarop ze over het stoffige land terugreed naar de *Frisia*, waar ze te hard remde. De auto kwam schokkend tot stilstand, weer met een knarsende versnelling, omdat ze de koppeling was vergeten. Gelukkig was Sander nergens te bekennen. Als hij aan het werk was, konden zulke kleine foutjes hem behoorlijk ergeren.

Sander en zij waren onder de laatsten die van het strand vertrokken. Sander controleerde zijn hele vracht. Iedere kist werd op een lijstje afgestreept als hij van de pendelboot op een wagen werd geladen. Minke wilde niet in haar eentje naar het hotel, zelfs niet met Cassian, dus wachtte ze bij het muurtje. In werkelijkheid durfde ze de stad gewoon niet van dichtbij te bekijken. Ze had het akelige gevoel in haar maag dat ze het einde van de bekende wereld had bereikt en elk moment over de rand kon vallen.

Pieps hielp bij het uitladen, en ze keek naar hem. Hij was vrolijk, lachte veel en had altijd een grap voor de andere mannen als ze de zware zakken, koffers en meubels het strand op sjouwden. Minke vroeg zich af waar hij de energie vandaan haalde om zo opgewekt te blijven.

Ze wist niet eens dat hij haar gezien had totdat hij naar haar toe liep en vroeg of hij even bij haar mocht komen zitten om op adem te komen. Van dichtbij zag ze dat zijn bleke huid rode vlekken vertoonde van de inspanning en dat zijn zachte blonde haar tegen zijn bezwete voorhoofd plakte. Hij glimlachte breed. 'Nou, daar zijn we dan!' zei hij, met een gebaar om zich heen. 'De parel van de oceaan: Comodoro Rivadavia.'

'Een parel?' zei ze. 'Dat vraag ik me af. Het lijkt me een beetje primitief.'

'Dat is het ook wel,' zei hij. 'Maar niet lang meer.'

Hij deed haar denken aan de jongens op school, die veel te rap praatten, alles grappig vonden en nooit op haar antwoord wachtten voordat ze alweer over iets anders begonnen. Hij wees naar een man die met veel moeite een zware emmer het strand op zeulde. 'De brandweer,' verklaarde hij, en hij deed kapitein Roemer na door zijn kin terug te trekken en haar loensend aan te kijken, waardoor ze zich tranen lachte. 'O, en die daar!' Hij wees recht naar Sander, die tegen iemand stond te gebaren over het laden van een wagen. 'De gendarme!'

Nu moest ze hem toch de mond snoeren.

'Die man sloop de dag en nacht rond de lading, controleerde alle sloten en telde de voorraden. Hij vertrouwde niemand van ons. Hij zou het meteen weten als iemand ergens mee had geknoeid, zei hij. Dan waren we nog niet jarig. Hoewel hij soms ook met ons dobbelde.' Pieps sprong overeind en gaf een overdreven imitatie van de manier waarop Sander liep, met zijn ene hand achter zich, naar opzij gedraaid. Het wás Sander!

'Dat is mijn man!' zei ze, terwijl ze zich de tranen uit de ogen wiste.

Piep had een lichte huid, die meteen vuurrood werd als hij bloosde. Daar moest ze nog meer om lachen. De arme jongen leek totaal van streek. 'Ik dacht dat je met je zus en je ouders reisde,' zei hij. 'Het meisje dat is gestorven.'

'Astrid? Nee, dat was mijn vriendin.'

Ze zwegen nu allebei. Toen schraapte hij zijn keel en maakte zijn excuses. Ze aanvaardde zijn uitgestoken hand. Op dat moment zag ze dat Sander naar hen keek. Ze sloeg haar ogen neer en vroeg zich een beetje schuldig af of hij zichzelf had herkend in de parodie van Pieps of – nog erger – had gezien hoe zij erom moest lachen.

Het was al laat in de middag toen Sander en zij samen naar het Hotel de la Explotación del Petróleo liepen, een eenzaam gebouw van maar één verdieping, ergens op de geelbruine vlakte. Het was een gammele bedoening, opgetrokken uit golfplaten, tot aan het dak toe. In de kieren fladderden papiertjes, mededelingen die kennelijk van belang waren voor de bewoners van Comodoro.

Toen ze naar binnen stapten, kwamen ze in een bar waar het heerlijk naar gebraden vlees rook. In een hoek stond een groot zilveren espressoapparaat te sissen. Op de vierkante tafeltjes waren flessen cognac en wijn klaargezet. En natuurlijk was het er druk. Overal zag ze mannen, altijd maar mannen, die zaten te praten of te kijken.

Sander loodste haar door de krappe foyer, waar vogels in kooitjes luid zaten te kwetteren, slechts overstemd door het geloei van de wind tegen de rammelende metalen wanden van het gebouw. Hun kamer was niet groter dan hun keuken thuis. Het meubilair bestond uit een doorgezakt bed en een bureau.

Sander trok zijn schoenen uit, zette ze buiten de deur en liet zich met een klap op het bed vallen. 'Kom hier, lekkere meid,' zei hij, terwijl hij haar boven op zich trok, waardoor het bed kreunend nog verder doorzakte. 'Mijn kont raakt de vloer!' zei hij, en ze moesten allebei lachen. Hij wipte nog een tijdje op en neer, totdat ze er duizelig van werden. 'Geen beter begin van ons leven in Comodoro Rivadavia. Neuken!'

'Sander!'

Een glimlach gleed om zijn lippen. 'Wat?' fluisterde hij.

Het verboden woord golfde door haar heen als vloeibaar vuur. Zo opwindend. Ze gooide haar hoofd in haar nek en lachte. Er was hier niemand die haar kon bestraffen voor zo'n woord; niemand die het zelfs verstond. Het was hun eigen woord, hier in de beslotenheid van dit rare hotel in dit kale, dorre land. Minke kleedde zich uit en kroop in bed, genietend van de beschermende, helende warmte van zijn huid. Ze bedreven de liefde, bonkend tegen de vloer in hun passie, terwijl de wind nog aanwakkerde en de duisternis viel.

Comodoro Rivadavia, een uitgestrekt, kleurloos gebied, zo heel anders dan Minke het zich had voorgesteld. Eén grote, bruine vlakte, niet te vergelijken met het frisse groen van Holland. In het oosten verhief zich een enkele heuvel, de Cerro Chenque, zo glad als een omgekeerde trechter.

Hoewel Sander hier nooit was geweest, alleen in Buenos Aires, meer dan vijftienhonderd kilometer ver, leek hij de primitieve omstandigheden te accepteren zoals ze waren. En Minke was zo verstandig om niet te zeuren. Sander ging onmiddellijk aan de slag om een huis voor hen te bouwen. Voorlopig werd het een woning als alle andere: een houten skelet met golfplaten, een harde aarden vloer en een dak dat met balken en betonplaten op zijn plaats werd gehouden, om te voorkomen dat het bij een storm zou wegwaaien. Maar zodra hij zijn zaak op poten had, zou hij een mooi huis van hout en baksteen bouwen.

Hij huurde een paar plaatselijke arbeiders in en koos een plek bij het centrum van de stad. Terwijl hij aan het werk was, verkende Minke de omgeving in haar zwarte trouwjurk. Iedereen droeg hier donkere kleren, en ze wilde niet opvallen. Bovendien vond ze het zonde om haar mooie nieuwe jurken vuil te maken. Op klompen slenterde ze door de modder en het zand, terwijl konijnen, muizen, mussen en een gordeldier voor haar wegvluchtten. In het westen, heel ver weg, veranderden de heuvels – of misschien wel bergen, ze zou het verschil niet weten – van grijs naar heel lichtbruin, afhankelijk van het licht. Een paar uitgesleten paadjes liepen verschillende kanten op, maar in het algemeen doorkruisten de wagens en dieren het vlakke land zoals ze wilden, omdat er niets was om ze tegen te houden, geen bomen, geen rivieren en geen rotsen. Het enige wat in Comodoro wilde groeien was een doornige plant die snel afbrak en over de vlakte rolde.

Op een dag, toen het fris en zonnig was, zonder een wolkje aan de hemel, beklom Minke de Cerro Chenque langs een veelgebruikt pad. Vanaf het hoogste punt had ze een goed uitzicht op Comodoro: het kleine groepje gebouwen in het midden, rond het Explotación, en een winkel die de Almacén heette en waarvan de eigenaar, señor Bertinat, haar als een hondje overal volgde om haar te overreden van alles bij hem te kopen. Minke maakte zich zorgen dat de Almacén een concurrent zou zijn voor hun eigen zaak die ze aan het bouwen waren. Je kon er alles krijgen: zeep, eten, kleren, gereedschap. Wat zou Sander nog meer kunnen leveren? Maar ze zette die gedachte uit haar hoofd. Tenslotte was Sander een man met ervaring en wist zij helemaal niets van zulke dingen. Ze moest hem maar vertrouwen.

Rondom die paar gebouwen waren de andere huizen zo willekeurig neergezet dat ze als een handvol bikkels over het zand leken uitgestrooid. Overal, binnen een cirkel van een paar kilometer, stonden ijzeren hutten waar de mensen woonden, met hier en daar een oliebron, soms afgedekt met metalen platen als beschutting tegen de eeuwige wind.

Op een mooie dag, toen hun huis bijna klaar was, stond Minke op de top van de Cerro toen er aan de noordelijke horizon een donkere stip verscheen. Ze kneep haar ogen tot spleetjes en probeerde te bepalen of het een luchtspiegeling was. Daar werd veel over gepraat. Je kon nooit vertrouwen op wat je zag, zeiden de mensen, voordat je het had aangeraakt. Het stipje werd groter en ontpopte zich tot een stoet van enkele houten wagens, gevaarlijk hoog opgeladen, die wiebelend hun weg zochten over het terrein. Toen ze dichterbij kwamen, kon Minke de broodmagere paarden onderscheiden, een span van acht trekdieren voor elke wagen. Ze hielden halt bij de Almacén.

Een paar kinderen renden erheen om te kijken. De kinderen van Comodoro waren nogal vreemd. Ze speelden nooit buiten, maar bleven in hun ijzeren hutjes. Pas als er iets gebeurde in het stadje, stormden ze naar buiten. Even later verschenen ook de volwassenen, die zich in rijen opstelden om de grote jutezakken uit de wagens te laden. Zo ging dat in de stad. Als er iets arriveerde, vormden de mannen een rij.

De paarden bleven roerloos staan, met gebogen hoofden, terwijl de goederen werden uitgeladen. Toen gebeurde er iets, waardoor de rij werd verstoord. Een van de paarden zakte door zijn knieën. De andere dieren stapten schichtig opzij. Mannen begonnen te schreeuwen, en sloegen het door zijn hoeven gezakte paard om het weer overeind te krijgen. Ten slotte stapten ze achteruit en staarden naar het dier. Een van de mannen maakte het tuig los. Het paard viel opzij en bleef bewegingloos in het zand liggen, terwijl de rest van het span werd weggehaald. Er kwamen nog meer mannen uit het hotel, die druk gebarend om het paard heen liepen en discussieerden met de voerman van de wagen. Een van de andere paarden werd losgemaakt om het dode dier over de brede San Martinstraat naar de achterkant van het hotel te slepen, waar het met zijn benen omhoog door een lier omhoog werd getakeld. De kok stapte vrolijk naar buiten in zijn witte schort, sneed het paard open, van de borst tot aan het kruis, deed een stap terug en liet de ingewanden in het zand vallen. Mensen applaudisseerden.

Minke voelde zich misselijk worden. Nog net op tijd boog ze zich naar voren om haar jurk niet te bevuilen. Ze kotste haar maag leeg, totdat ze alleen nog gal opgaf. Ze sloot haar ogen en liet zich op de grond zakken, met haar handen tegen haar buik gedrukt. Zo bleef ze liggen, snikkend, zonder zelfs haar mond schoon te vegen. Aanvankelijk huilde ze om het paard, dat arme, zielige dier dat zijn last had getrokken, zijn werk had gedaan en was gestorven voordat iemand het nog een slok water had kunnen geven. Ze huilde om de andere paarden, die een metgezel hadden verloren. Toen haalde ze heel diep adem en huilde met luide uithalen om Elisabeth en Astrid, die zo snel uit haar leven waren weggerukt. Ze huilde om Elisabeths ellendige, eenzame laatste uren, om de troebele omstandigheden rond haar dood en om haar schuldige besef dat ze zich door Sander had laten overreden om die dag te vertrekken. Ze huilde omdat ze, als Astrid niet was gestorven, hier nu samen hadden kunnen zitten om elkaar troost te geven. Ze huilde om haar vader en moeder, zoals ze zich hen voorstelde, dicht tegen elkaar aan in hun bedstee, verdrietig om haar vertrek. En ze huilde om het dikke veren bed zelf, in die donkere, knusse, veilige bedstee. Want hoewel het geen pretje was geweest om elke avond met Fenna te slapen, huilde ze toch om haar zus en verlangde ze ernaar haar terug te zien. En ten slotte huilde ze om zichzelf. Ze lag plat op haar rug en snikte luid naar de hoge hemel, om alles wat ze had verloren: haar thuis, haar familie, alles wat ze kende. Waarom had ze Sander ooit haar jawoord gegeven? Goed, ze genoot van hun momenten samen. Ze had gedacht dat ze alles zou kunnen verdragen zolang ze 's nachts maar zijn veilige armen om zich heen voelde, haar heerlijke opwinding en die toppen van gevoel, zo hevig dat haar eigen heftige emotie de wereld leek te verslinden. Ze snikte in haar handen. Weer kwam het beeld van die bloederige ingewanden bij haar boven, en ze kotste nog een stroom gal en braaksel uit.

Toen hees ze zich in zithouding en keek neer vanaf de Cerro, speurend naar Sander. Ja, daar zag ze hem. Hij sleepte net een groot stuk golfplaat over het zand, zette het overeind en spijkerde het op zijn plaats. Het was nog maar midden op de dag, te vroeg om terug te gaan. Minke stond op en liep naar de westelijke helling van de Cerro, waar ze het huis kon zien dat Cassian bouwde, helemaal apart, bij de andere vandaan. Rook kringelde uit de schoorsteen. Hij was thuis.

Ze daalde het pad af naar de vlakte, sloeg af naar rechts en klopte op Cassians ijzeren deur, die rammelde. Ze wachtte, terwijl de kou door haar kleren drong en de wind om haar heen loeide als een valse viool die niet wilde zwijgen.

Geen reactie. Toch moest hij er zijn. Minke stapte naar binnen en bleef in de spreekkamer staan. 'Cassian?' Hij had het zo gezellig gemaakt. Er lagen Perzische kleden op de aarden vloer, in het midden stond een onderzoekstafel met kussens, en tegen de wand had hij glazen kasten opgesteld waarin zijn medische instrumenten keurig lagen geordend: gevaarlijk ogende scharen, en messen met scherpe punten. En een stuk of tien buisjes morfine.

Minke liep de kamer door, klopte op de deur naar de achterkamer en opende die op een kier. Vier jonge mannen lagen op de vloer, als een nest zogende puppy's die boven op elkaar in slaap waren gevallen bij de tepels van hun moeder. Ze deden haar denken aan de obers op het schip, alleen lagen deze mannen doodstil, diep in slaap.

Ze trok de deur weer dicht. 'Zo,' zei Cassian, en Minke maakte een sprongetje van schrik. Hij stond achter haar.

'Ik had je niet gezien,' zei ze.

'Dat weet ik.'

'Wie zijn dat?' Ze wees naar de jongemannen.

'Ze werken hier.' Hij haalde zijn schouders op. 'De nachtwakers van mijn laboratorium.'

'Waarom heb je nachtwakers nodig? Wat is er dan aan de hand?'

'Je ziet er beroerd uit.'

'Ik was misselijk. Ik zag hoe een paard werd opgehangen en gevild. Maar wat moet jij met bewakers? Ze lijken me niet erg geschikt voor hun werk.'

Hij wees haar de leren stoel en bleef achter haar staan, terwijl hij zijn vingertoppen over haar nek en hals liet glijden. Zijn aanraking werkte rustgevend. Ze zou zich gemakkelijk kunnen uitleveren aan de slaperige wereld die Cassian hier had geschapen.

Hij kwam in de stoel tegenover haar zitten en pakte haar handen. Zijn glimlach stelde haar gerust. Het was een lach die zijn hele gezicht besloeg en rimpeltjes vormde rond zijn ogen en zijn mond. 'Hier ben je veilig.'

'Maar toch heb je bewakers,' zei ze.

'Dat is wat anders.' Hij maakte een wegwerpgebaar, dacht even na en zei toen: 'Thuis kennen we de gevaren, hoeveel het er ook zijn. Je kunt door het ijs zakken, in zee verdrinken, of koorts krijgen.' Weer haalde hij zijn schouders op. 'Hier is alles nieuw. Je hebt geen idee wat dodelijk kan zijn en wat niet.'

'Ik ben niet bang om dood te gaan,' zei ze.

'Alle angst is uiteindelijk doodsangst. Je hebt tijd nodig om je aan te passen aan een grote verandering zoals deze.' Hij glimlachte. 'Maar het komt wel goed, je zult het zien.'

'En ondertussen?'

'Er is geen ondertussen, Minke. Daar gaat het juist om. Er is alleen het nu.' Hij legde twee vingers tegen de binnenkant van haar pols en sloot zijn ogen terwijl hij telde. 'Ik geloof niet dat je iets mankeert. Voel je je al wat beter?'

Ja, inderdaad. Haar misselijkheid was verdwenen en ze kwam tot rust. 'Mag ik eens zien wat zij bewaken?'

Hij dacht even na en glimlachte toen. 'Natuurlijk.'

Cassian ging haar voor over het erf naar een ander gebouw, dat bijna klaar was, met een laag plat dak en drie hoge metalen schoorsteenpijpen, die stoom uitbraakten. Minke moest bukken. Binnen kwam ze terecht in een grote, donkere ruimte met een muffe lucht als van een champignonkelder. Drie grote metalen potten hingen boven luidruchtige gasbranders. Een jongeman stond erin te roeren met een lange houten peddel. Aan het plafond hingen zakken van textiel, die elk iets bevatten wat ongeveer zo groot was als een kleine kanonskogel. Op grote tafels in het midden van de ruimte lagen vierkante bladen met een honingkleurig poeder. 'Wat ís dit allemaal?' vroeg ze.

'Medicijnen,' antwoordde hij.

'Maak je die zelf?' Ze herinnerde zich de kisten met kleine flesjes in de opslag van het huis in Amsterdam. 'Is Sander daar ook bij betrokken?'

'We zijn al jaren partners in de productie ervan.'

'En partners in de winkel?'

Cassian schudde zijn hoofd. 'De winkel is maar een speeltje.'

Minke begreep niets van de wereld van mannen – in elk geval niet van déze mannen. Samen met Cassian liep ze weer terug naar zijn huis. Het was nog te vroeg om naar huis te gaan, dus liet ze zich in de grote, gemakkelijke leunstoel vallen. 'Thuis had ik altijd van alles te doen. Hier maar heel weinig,' zei ze. 'Ik doe wat naaiwerk in het hotel, maar ik zou liever wat meer omhanden hebben.'

Cassian verdween naar zijn slaapkamer en kwam terug met een paar boeken. 'Je zou de taal kunnen leren.'

'Spaans?'

'Natuurlijk. Je moet Spaans kennen, en eigenlijk ook Engels. En ik heb gemerkt dat het gemakkelijker is om twee talen tegelijk te leren dan maar één. Bovendien lijkt Engels redelijk veel op Nederlands. Kom.' Hij kwam tegenover haar zitten en begon met het Engels. 'Zeg mij maar na: *"I am. You are. He, she, it is. We are. You are. They are."*'

❧

Die avond rook het in het hotel naar gebraden paardenvlees. Minke had geen trek, in tegenstelling tot Sander, die de hele dag had gewerkt. Ze wachtte in hun kamer onder de dekens en luisterde of Sander terugkwam. Toen ze zijn voetstappen hoorde op de gang, sprong ze uit bed. Het was volle maan en ze wilde nog een wandeling met hem maken om het maanlicht op de oceaan te zien.

Hij had gedronken en was in een lieve, zachte stemming. Op weg naar de zee omhelsde en kuste hij haar.

'Ik dacht dat de zee me aan thuis zou doen denken,' zei ze,

'maar deze zee is leeg. Bij ons zag je de lichtjes van de vissersboten en hoorde je de klokken en het geluid van de dobberende boeien.' Ze staarde naar die eindeloze duisternis en voelde zich klein en verloren. 'Hou me vast, Sander.'

Hij sloeg van achteren zijn armen om haar heen en ze keken allebei over de zee uit. 'Je mist Enkhuizen,' zei hij.

De wind was eindelijk eens gaan liggen en er heerste stilte om hen heen. 'Nee, eigenlijk niet, Sander, maar ik vraag me wel eens af...'

'Wat?'

'Uit de verhalen van Elisabeth had ik een beeld gekregen van wuivend gras, klaterende beekjes en mooie boerderijen.' Ze voelde zijn greep verslappen. 'Niet dat ik wil klagen, want dit heeft ook een eigen schoonheid, waaraan je moet wennen.' Zijn handen gleden van haar middel en bleven op haar heupen rusten. Had ze hem beledigd? 'Er is hier zo weinig kleur, weet je? Ik heb ook geen jonge vrouwen van mijn eigen leeftijd gezien, en wanneer zou ik mijn mooie jurken moeten dragen?' Ze brabbelde als een schoolmeisje, maar ze kon er niets aan doen. Ze probeerde de schade te herstellen. 'In de zomer zal het wel prachtig zijn, dat weet ik zeker. En Holland is niet zo anders, goed beschouwd. Daar kan het 's winters ook knap troosteloos zijn.'

'Dus jij denkt dat Elisabeth heeft overdreven?'

'O, ik neem haar niets kwalijk.' Ze haalde diep adem. 'Ik had niets moeten zeggen. Ik weet niet wat me bezielde.'

'Zeg maar eerlijk wat je vindt, Minke.'

Minke dacht even na. Wat wilde ze eigenlijk zeggen? Ze probeerde de gedachten op een rij te krijgen die al weken door haar hoofd spookten. 'Waarom ben je hierheen gegaan, Sander? Waarom naar Comodoro? Het lijkt me een vreemde plek voor een man als jij.'

'Wat voor man is dat dan?'

'Een rijk man zoals jij. Om helemaal opnieuw te beginnen, met maar zo weinig?' Ze wilde dat hij zijn armen weer om haar heen zou slaan, net als in het begin, om alles goed te maken.

'Is het niet genoeg voor jou?'

'Voor mij wel. Maar jij had dat prachtige huis in Amsterdam.'

'Je bent teleurgesteld,' zei hij.

'Ik probeer het te begrijpen.' Ze spreidde haar armen, als om de hele stad te omvatten. 'Het was gewoon een verrassing.' Zijn kalmte was om gek van te worden. 'Zég nou iets, Sander. Je vroeg me wat ik ervan vond, en dat heb ik je verteld.'

'Laten we naar het huis gaan kijken,' zei hij.

Ze was verbijsterd. Hij kon zo raadselachtig zijn. Dat kwam natuurlijk ook door hun verschil in leeftijd, maar toch moest ze er greep op krijgen. Ze wist niet hoe ze de dingen kon beredeneren zoals hij. Ze zou moeten leren om haar gedachten helder onder woorden te brengen, zodat ze niet verkeerd begrepen werd. Elisabeth iets verwijten! Dat was wel het laatste wat ze bedoelde, maar toch begreep ze waarom Sander het misschien zo had opgevat. Ze liep met hem mee, zigzaggend rond de touwen die de grenzen van de stukjes grond markeerden. Op sommige plaatsen kon je niet eens rechtdoor lopen. Bij hun huis gekomen stak Sander de sleutel in het slot, zwaaide de deur open en stak de lamp aan in een grote kamer met een laag plafond, die vol stond met kisten en zakken. De schone lucht van nat pleisterwerk deed haar aan thuis denken. Dit was hun huis! Hij gaf haar dus toch een antwoord.

'Wat zit er in die kisten?'

'Dingen die we willen verkopen. Deze ruimte gebruiken we als winkel.' Hij opende nog een deur. 'Kom mee.'

Ze kwamen in een volgende kamer, ongeveer zo groot als de eerste, maar halverwege gescheiden door een schouderhoge wand, zodat je vanuit de deur twee kanten op kon gaan. De ruimte rechts was door een volgende scheidingswand in twee kleinere kamers verdeeld. Sander wees naar rechts en zei: 'Onze woonkamer.' Toen naar links: 'Onze slaapkamer.' Minke liep er haastig naartoe en keek om zich heen. Meteen zag ze een raam met uitzicht op zee. Dit zou hun thuis worden.

Op dat moment hoorden ze een luid gejoel in de verte. Ze renden naar buiten om te zien wat er aan de hand was, en zagen een bijna bovennatuurlijk schouwspel dat Minke nooit meer zou vergeten. Naar het westen was een heldere oranje lichtcirkel te zien, met een nog fellere oranje gloed in het midden. Vuur. Een groot kampvuur en vijf of zes kleinere, die een hele fontein van vonken naar de donkere hemel lieten opstijgen. Nooit in haar leven had ze zoveel vuur gezien of zoveel lawaai gehoord. Ze wist niet eens of het menselijke of dierlijke geluiden waren.

Vanuit heel Comodoro doemden gedaanten op, donkere silhouetten, mensen die in hun eentje of in twee- of drietallen uit hun huizen naar buiten kwamen om te kijken. Het was prachtig om te zien, maar nog mooier om te horen. Het gejubel klonk zo uitbundig. Het was alsof je naar de hel keek en de hemel hoorde, dacht Minke.

Sander sloeg zijn armen om haar heen. 'De gaucho's zijn gekomen.'

# 7

Het zware, dreunende geluid van hoefgetrappel wekte Minke uit haar slaap. Ze sprong uit bed en rende naar het raam. Stofwolken overal, met hier en daar een flits van zware paarden en zilverkleurig metaal. Haastig kleedde ze zich aan. Ze koos haar rode jurk, speciaal voor de gelegenheid. Sander was al vertrokken. Hij wilde zijn koopwaar gereed hebben om handel te drijven met de gaucho's, zei hij. Dit was de dag waarop hij had gewacht.

Minke had geen trek, maar ze moest wat eten. Sander stond erop. Ze werd gewoon te mager, omdat er in Comodoro nauwelijks iets anders op het menu stond dan vlees. Soms rammelde ze van de honger, maar één blik op een bord met niertjes en ze had geen trek meer. Alleen bij het ontbijt kreeg ze wat naar binnen: brood en kaas, waar ze van hield, weggespoeld met zwarte koffie met veel suiker.

De bar van het Explotación had een gedaanteverandering ondergaan. De atmosfeer was vergeven van natte rook, en het was een drukte van belang. De mannen uit de stad waren gekomen om de gaucho's te begroeten. Het rook er naar *yerba maté*. De menigte maakte ruimte voor Minke, op weg naar haar tafeltje achterin. De gaucho's droegen zware zilveren sporen en rode *bombachas*, vettig door het vele gebruik. De glinstering van rood en zilver was alles wat ze zag toen ze zich door de menigte wrong, zenuwachtig maar ook opgewonden, blij toen ze eindelijk aan haar tafeltje zat, waar ze alles onopvallend in de gaten kon houden.

Meteen kreeg ze een kopje voorgezet, en ze nam een slok van de zwarte, zoete koffie. De mannen wierpen verstolen blikken in haar richting en Minke sloeg haar ogen neer, tevreden dat ze een rode jurk had aangetrokken ter ere van de nieuwkomers. Onwillekeurig moest ze glimlachen, en ze boog haar hoofd nog verder, om haar lachje te verbergen.

'Mag ik bij je komen zitten?' vroeg een stem. Toen ze opkeek, zag ze Pieps, maar zonder zijn vertrouwde bretels. Zijn blonde haar was langer nu, en stoffig. Hij had wat pluizig baardhaar – kreeg een rode baard, verrassend genoeg. 'Is dat goed?'

'Natuurlijk.' Ze was blij dat ze met iemand van haar eigen leeftijd kon praten, en in haar eigen taal.

'Ze raken mijn haar aan,' zei hij lachend. 'Dat zullen ze bij jou ook doen. Ze hebben nog nooit zulk haar gezien als dat van ons. Ze zullen wel denken dan we broer en zus zijn.'

De eigenaar, Meduño, bracht haar een snee grof, donker brood met een dikke plak harde kaas, die haar heel in de verte aan het ontbijt uit haar jeugd deed denken.

'Hoe bevalt Comodoro je nu?' vroeg ze Pieps.

'Geweldig. Ik hoor hier thuis.' Hij spreidde zijn eeltige handen, die onder de littekens zaten. 'Hier heb ik een toekomst. Ik ben zeehondenvilder. Tenminste, dat deed ik thuis, maar hier kan ik me verbeteren.'

'Waar zijn die zeehonden dan?'

'Overal langs de kust.'

Een gaucho zigzagde door de mensenmassa naar hen toe. Alleen al zijn omvang was indrukwekkend – niet zozeer zijn lengte, want hij was veel kleiner dan Sander, maar zijn borstkas straalde een geweldige kracht uit en zijn schouders leken net zo breed als hij lang was. Bij het tafeltje gekomen stak hij een grove hand uit, met een huid die zo dik en stug leek als van een reptiel. Zijn zwarte haar was in een rechte pony vlak boven zijn wenkbrauwen geknipt, en hij had een zwarte doek om zijn keel geknoopt, waarvan de punten vrolijk over zijn schouders lagen. 'Señora.' En hij ontblootte zijn witte tanden, in een gezicht dat net zo verweerd was als zijn handen, met diepe groeven onder zijn ogen van het turen. Zijn hand greep de hare als in een bankschroef.

'Señor?'

'Hij heet Goyo,' zei Pieps. Bij het horen van zijn naam grijnsde de gaucho en boog zijn hoofd. 'Ze waren in het noorden toen ze hoorden dat de *Frisia* was aangekomen. Mag hij bij ons aanschuiven?'

'Natuurlijk,' zei Minke, terwijl ze voorzichtig weer ging zitten.

'Ze willen zakendoen,' zei Pieps. Hij vertelde over de door paarden getrokken pallets waarop nog meer spullen waren aangevoerd waarvoor de gaucho's misschien belangstelling hadden – dezelfde wagens die bij de Almacén hadden haltgehouden, die keer. Zo ging het altijd, zei hij. Berichten over nieuwe aanvoer in Comodoro drongen uiteindelijk ook tot de gaucho's door, die bereid waren honderden kilometers af te leggen voor deze handel. Terwijl Pieps zijn verhaal deed, keek Goyo strak naar Minke. Zijn gezicht was een grijnzend masker.

'Is hij gevaarlijk?' fluisterde ze. Pieps porde Goyo in zijn zij, en blijkbaar vertaalde hij haar vraag, want Goyo trok een dreigend gezicht tegen haar en ontblootte zijn tanden. Toen schoten de twee mannen in de lach.

'Jullie houden me voor de gek,' zei ze.

'Een beetje,' gaf Pieps toe.

'Zeg hem maar dat mijn man ook koopman is.'

Pieps vertaalde het, en Goyo keek haar met hernieuwde belangstelling aan. '*¿Qué?*'

'Wat verkoopt hij?' vroeg Pieps.

'Dat weet ik niet precies, maar we kunnen er samen wel heen gaan.' Ze zou een gaucho naar Sanders winkel brengen, en hij zou trots op haar zijn. Ze vertrokken uit het hotel en liepen naar de winkel. Als de mensen uit Enkhuizen haar nu eens konden zien, in haar rode jurk, naast een gaucho!

In de stad heerste een soort feeststemming. Alles leek veranderd, energieker. De gaucho's reden op prachtige paarden, allemaal grijs met zilveren achterbenen. Teugels, bitten en zadels glinsterden zilverkleurig en turkoois. Ze hielden wedstrijdjes door de hoofdstraat en zorgden voor spektakel. Te voet bewogen ze zich elegant, met dezelfde trage tred als Goyo, heel sierlijk, ondanks hun gewicht en hun kromme benen.

Minke ontdekte Sanders gele auto, met een heleboel mensen eromheen. 'Daar is hij. Sander!' riep ze, zich bewust van de aandacht die ze trok in haar rode jurk, tussen Pieps en Goyo in. 'Hier heb ik señor Goyo voor je. Hij wil zaken met je doen,' verklaarde ze.

'Goyo Mendez,' zei Goyo.

Sander sloeg een arm om Minkes middel en trok haar dicht tegen zich aan. Hij nam Goyo van hoofd tot voeten op en wierp Pieps een blik toe die Minke duidelijk maakte dat hij de jongen niet herkende als degene met wie ze de eerste dag had staan praten.

'Ik kan wel tolken, als je wilt,' zei Pieps.

Goyo streek met zijn hand over het glimmende metaal van de auto.

'Hij wil dingen bij je kopen,' zei Minke.

Sander gaf haar nog een kneepje in haar zij. 'Kom binnen,' zei hij tegen de mannen.

In de winkel had hij de zakken en kisten geopend en zijn koopwaar kunstig uitgestald. Minke rende van het een naar het ander. Het was allemaal zo spannend. 'O, deze herinner ik me nog!' zei ze, terwijl ze een rijkbewerkte zilveren vaas oppakte. 'Die stond in de eetkamer in Amsterdam. En dit!' Ze hield een koperen lamp omhoog. 'Allemaal uit het huis, nietwaar?'

Sander kneep in de brug van zijn neus, een teken dat ze iets verkeerd deed en beter haar mond kon houden en zich als een dame gedragen. Maar het kwám toch uit het huis? 'Het was maar een opmerking,' zei ze, een beetje beledigd.

Goyo betastte de voorwerpen zonder dat hij iets liet blijken. Bij een kist met stoffen bleef hij staan. Onmiddellijk begonnen de onderhandelingen, terwijl Pieps vertaalde. Toen er getallen heen en weer vlogen, kon Pieps het zo snel niet bijhouden, dus noteerden Sander en Goyo de prijzen met een stok in het zand, veegden ze weer uit met hun schoen en kwamen ten slotte tot een akkoord, dat ze bezegelden met een handdruk. Het was allemaal zo snel gegaan. Minke had een hoogrode kleur van blijdschap omdat ze haar man een klant had bezorgd en zich nuttig had gemaakt.

'Ik moet eerst zien wat hij zelf te bieden heeft, voordat ik met hem klaar ben,' zei Sander tegen Minke. 'Ga jij maar terug naar het hotel.'

'Nee! Ik wil ook mee.'

Sander keek fronsend. 'Luister even, Minke,' zei hij. Ze volgde hem naar buiten. 'Spreek me niet tegen waar anderen bij zijn.'

'Maar ik sprak je niet tegen!'

'Nu doe je het weer. De handelspost is geen plaats voor vrouwen.'

'Het hotel ook niet,' zei ze.

'Je gaat terug naar het hotel.' Hij draaide zich om naar de winkel en riep: 'Hé, jij! Pieps, is het toch? Breng mijn vrouw veilig naar haar hotel.'

'Ik heb heus geen escorte nodig.' Ze rukte haar schouder los van Sanders hand.

'Breng haar terug,' zei hij nog eens tegen Pieps.

Met gebogen hoofd, haar armen strak over elkaar geslagen en vechtend tegen haar tranen liep ze terug naar het hotel. Ze kon nooit voorspellen hoe Sander zou reageren. Halverwege bleef ze staan, stampvoetend van verontwaardiging.

'Wat is er?' vroeg Pieps.

Ze was hem helemaal vergeten. 'Niets,' zei ze. De gedachte om de hele dag op die kamer te moeten zitten benauwde haar. Dat was ook al zoiets. Hun kamer. Haar toevluchtsoord, hun heiligdom, van haar en Sander. Wat er overdag ook gebeurde, ze kon er altijd op rekenen dat ze zich in die kamer veilig en vrij zou voelen met hem. Maar de vorige avond was er iets merkwaardigs gebeurd. Toen ze terugkwamen van hun wandeling, had Sander haar gevraagd om naakt door de kamer te lopen. Dat was op zich niet zo vreemd – ze liep wel vaker naakt door de kamer en vond dat niets bijzonders – maar hij dronk uit een fles whisky, rookte een sigaar en gaf haar aanwijzingen om zus of zo te lopen, rond te draaien en iets van de grond op te rapen. Dat had ze geweigerd. Ze vond het geen leuk spelletje en had dat ook tegen hem gezegd. Ze voelde zich een hoer. 'Een hoer of een madonna?' had hij gezegd, wat ze niet begrepen had. Ten slotte had ze een eind gemaakt aan de flauwekul door haar peignoir aan te trekken en de ceintuur stevig vast te knopen. 'Nou, je hebt je keus gemaakt, geloof ik,' zei hij. Minke had niet gereageerd en was voor de spiegel gaan zitten om haar haar uit te borstelen.

'Weet je wie dokter Tredegar is?' vroeg ze aan Pieps.

'Ik ken iedereen.'

'Ik wil naar zijn huis, niet naar het hotel.'

'Maar je man heeft duidelijke instructies gegeven.'

Ze trok een gezicht. 'Dan ga ik wel alleen.'

'Ik had beloofd dat ik je naar het hotel zou brengen.'

'Nou, doe dan je plicht tegenover mijn man en breng me naar het hotel. Dan ga ik in mijn eentje naar Cassian, en niemand kan me tegenhouden.'

'Je moet niet alleen hier rondlopen, dat is niet vertrouwd.'

'Ik loop zo vaak in mijn eentje rond.'

Hij zuchtte diep en schudde zijn hoofd. 'Wees toch voorzichtig.'

'Ik ga naar Cassian. Wat jij doet, moet je zelf weten.'

Zonder nog een woord te zeggen liepen ze om de Cerro heen naar Cassians huis. Om de bocht gekomen zagen ze twee paarden aan Cassians hek gebonden staan. Toen ze dichterbij kwam, zag Minke dat het betere paarden waren dan de magere scharminkels die de koopwaar over de pampa's vervoerden, maar niet zo mooi als de paarden van de gaucho's die ze die ochtend op straat had gezien. Ze streelde hun zachte, warme snuit.

Cassian deed open, en wie was er bij hem? Frederik Dietz! Het was maanden geleden sinds Minke hem voor het laatst had gezien. Zijn stuurse gezicht was roodverbrand, wat hem nog afstotelijker maakte.

'Kom binnen, kom binnen,' zei Cassian tegen Minke.

Ze verwachtte Tessa te zien. Ze hóópte het zelfs, hoewel ze de vrouw niet echt mocht. Maar het vooruitzicht om met een vrouw te kunnen praten, welke vrouw dan ook, en in haar eigen taal, was een geweldige opluchting. Haastig stelde ze Pieps aan de twee mannen voor, terwijl ze om zich heen keek, speurend naar Tessa. 'Is uw vrouw er niet?'

Dietz schudde zijn hoofd. 'Ze voelt zich niet goed genoeg om te reizen. Ze hoopte dat je de tijd kon vinden om bij haar op bezoek te gaan.'

'Ja!' riep Minke zonder zich een seconde te bedenken. 'Natuurlijk doe ik dat.'

'Ik heb haar paard meegebracht, dan kun je daarop rijden. Het heeft een amazonezadel.'

'Nu meteen, bedoelt u?'

Dietz spreidde zijn handen. 'Nu, of morgen, dat maakt niet uit. Ik ben nog wel even in de stad. Ga maar wanneer het je uitkomt.'

'Vandaag dan maar,' zei Minke.

Cassian lachte. 'Niet zo snel, Minke. Het is een heel eind rijden, nietwaar, Dietz?'

'Een paar uur.'

Cassian keek haar weer aan. 'Als het donker wordt voordat je er bent, zal het niet meevallen de *estancia* te vinden.' Hij zweeg een moment. 'Kun je wel paardrijden, Minke?'

'Nee.'

'Ik wel,' zei Pieps.

'Ga dan maar, jullie tweeën. Dan kun je haar leren rijden,' zei Dietz, en hij wapperde met zijn vingers. 'Als ze het snel leert, kunnen jullie morgen al vertrekken.'

'Je moet het wel aan Sander vragen,' zei Cassian.

'Ik mag best leren paardrijden zonder het aan Sander te vragen.' Minke wist dat ze in Comodoro moest kunnen paardrijden. 'Bovendien heeft hij het druk.' Ze liep haastig naar buiten om nog eens naar de paarden te kijken. Ze snuffelden wat in het zand, op zoek naar eten. 'Welke is van mij?'

Dietz en Pieps zadelden de paarden. Dietz gaf haar een opstapje en opeens zat ze hoog op dat grote dier. Ze zwaaide haar rechterknie over de zadelknop, fatsoeneerde haar rode jurk en greep de teugels, terwijl het paard achteruit danste.

'Laat de teugels een beetje vieren,' zei Pieps, en als bij toverslag bleef het paard staan. 'Rustig aan,' ging hij verder. 'Je moet het dier onder controle houden. Het mag geen stap doen die jij niet wilt. Maar wees zachtaardig met je bevelen.'

Ze vertrokken stapvoets, eerst om de Cerro heen, niet terug naar de stad, maar over de vlakte in de richting van het gauchokamp. Het zadel, dat prettig aanvoelde nu ze de juiste zit gevonden had, was anders dan ze ooit had gezien. In plaats van schrijlings, zoals ruiters in Nederland, zat ze met haar beide benen naar links, alsof ze zijwaarts een ladder beklom. Het paard ging zo nu en dan over in draf, en Minke hobbelde mee, terwijl ze zich krampachtig aan de zadelknop vastklampte om niet te vallen, Als ze zich in tegengestelde richting van de tred van het paard bewoog, ging het allemaal heel soepel. Het duurde een hele tijd voordat ze het onder de knie kreeg, maar ze was vastbesloten, en volgens Pieps had ze talent. Op en neer, op en neer.

'Kunnen we een kijkje nemen bij het gauchokamp?' vroeg ze hem.

Hij vertrok in korte galop en Minke volgde hem naar het kamp. Er brandden nog een paar vuurtjes, met afgekloven botten eromheen. Thuis zou niemand zo'n vuurtje onbewaakt laten, maar hier was alleen zand en grind, niets wat vlam kon vatten. De meeste gaucho's waren naar de stad vertrokken, maar een paar mannen zaten nog rond een vuur en aten vlees van het spit. Een van hen sprak met Pieps in het Spaans; een brede grijns gleed over zijn gezicht. Hij nam zijn hoed af voor Minke. Het waren vreemde hoeden, vond ze, met de rand van voren steil omhoog en aan de achterkant omlaag. Hun schoenen waren nog vreemder – gemaakt uit de huid van de achterbenen van een paard, waarbij de knik als hak diende en de tenen kaal bleven, waar de hoef was weggesneden. '*Buenos días*,' zei ze.

Een ruiter kwam in hoog tempo naderbij: Goyo, in een stofwolk. Hij grijnsde zijn grote witte tanden bloot en zei iets tegen Pieps. Minke herkende de woorden 'señor' en 'señora'. 'Je man vraagt of we terugkomen,' zei Pieps.

Minke zei '*Adios*,' en met hun drieën reden ze terug naar het Explotación, waar Goyo hun paarden vastbond. In de bar was het nog drukker, rokeriger en luidruchtiger dan die ochtend. Mannen zaten te drinken en te kaarten. Minke trof Sander aan hetzelfde tafeltje achterin waar ze 's ochtends had ontbeten. Ze schoof naast hem en pakte zijn hand onder de tafel, popelend om hem over haar avontuur te vertellen.

'Ik zocht je op onze kamer, maar je was er niet. Die gaucho zag dat je op een paard was weggereden.' Sander trok zijn hand los.

Ze gebaarde om zich heen, naar de drukte in de bar. 'Ik voel me niet thuis in het hotel, met al die nieuwe mensen. Daarom ben ik naar Cassian gegaan. Je zegt zelf altijd dat ik bij hem moet aankloppen als ik iets nodig heb.'

'Maar je was niet bij Cassian. Je ging paardrijden. Wat bezielt je?'

Toen drong het tot Minke door. Natuurlijk! Sander wist niet dat Dietz met de paarden was gekomen of dat Cassian zijn zegen had gegeven aan haar paardrijlessen. 'Dietz is bij Cassian, met twee paarden. Hij vroeg of ik naar Tessa wilde gaan, die ziek en ongelukkig is. Dat doe ik graag. Ik ben niet zomaar op een paard gestapt. Ik heb les gekregen en ik ben best goed. Ik wil naar Tessa toe.'

'Is Dietz nu in de stad?'

'Jij hebt het druk, en wat is er voor mij te doen in Comodoro? Als ik naar Tessa rijd, ben ik veilig en hoef jij je geen zorgen om mij te maken.'

Sander wendde zich naar Pieps. 'Jongen, ga jij naar dokter

Tredegar en vraag of meneer Dietz en hij naar ons toe willen komen.'

'Sander, toe nou!' fluisterde Minke. 'Hij is geen bediende.'

'Hij is een vilder, Minke.' Sander streek met een hand over zijn gezicht.

'Ik heb Goyo naar je toe gebracht,' zei ze pruilend, hoewel ze wist dat hij daar niet van hield. 'Ik dacht dat je blij zou zijn.'

'Je zou jezelf eens moeten zien,' zei hij. 'Je lijkt wel een kind, met je verwaaide haar. Je bent mijn vrouw, Minke, dus gedraag je daar ook naar.' Hij nam een slok cognac en bette zijn lippen met een servet. 'Ik moet weten dat ik je kan vertrouwen.'

'Mij vertrouwen? Hoe kun je dat nou zeggen? Dat is niet eerlijk.' Ze porde hem tegen zijn arm om een reactie uit te lokken. 'Als Astrid nog had geleefd, zou zij me paardrijden hebben geleerd, weet je nog? Maar Astrid is dood, en er zijn geen vrouwen hier die me iets kunnen leren, als je dat nog niet was opgevallen. De vrouwen hier negeren me. Ze spreken geen Hollands en ze ontwijken mijn blik op straat. Het lijkt wel of ik niet besta. Wat moet ik dan doen? Als ik een kind had, zouden ze me misschien beter behandelen, maar dat heb ik nu eenmaal niet. Ik ben altijd alleen, of in het gezelschap van mannen, maar dat is niet mijn eigen keus!'

Hij dronk zijn glas in een teug leeg en gebaarde de ober om er nog een te brengen. Minke probeerde haar stem onder controle te houden. Ze durfde geen scène te maken. Iedereen hield haar in de gaten, waar ze ook was, wat ze ook deed. Sander vertrouwde haar niet! Hoe was dat mogelijk? Ze begreep helemaal niets van mannen, en van Sander zelfs nog minder, dat was wel duidelijk. Misschien had hij geruststelling nodig. Zou dat het zijn? Ze legde haar hand weer om de zijne onder het tafeltje en voelde zich bemoedigd toen hij hem niet terugtrok. 'En onze nachten dan, liefste?' fluisterde ze, terwijl ze zich naar hem toe boog om die woorden in zijn hals te fluisteren. Ze deed alles om tot hem door te dringen. 'Ik lééf voor onze nachten samen.' Ze keek in zijn ogen. 'Je moet me geloven.' Hij glimlachte, maar ze was niet overtuigd. 'Als jij boos op me bent, heb ik helemaal niemand, Sander. Dan ben ik alleen.'

'Daar zijn ze.' Hij trok zijn hand los en wees naar Dietz en Cassian. Toen Pieps aanstalten maakte om ook te gaan zitten, hield Sander hem tegen. 'Dit is een zakelijke bespreking, jongeman. Voor jou is er hier geen plaats, ben ik bang.'

Minke gaf hem een por, maar ze durfde niet aan te dringen. Pieps was zo vriendelijk om te buigen en rechtsomkeert te maken.

Ze installeerden zich rond het tafeltje, onder de dichte rookwolken. In de hoek werd een luidruchtig spelletje faro gespeeld. De tafel stond vol met glazen en flessen; de asbak in het midden vulde zich met de as van de sigaren. Cassian hief zijn glas. 'Dietz heeft olie gevonden, Sander. Stel je voor!' Die twee begrepen elkaar. Dat had Minke al eerder gezien. Het leek of ze geheimtaal spraken. Cassians opmerking was niet zozeer een compliment aan Dietz, maar eerder het tegendeel.

'Kijk eens aan,' zei Sander, terwijl hij met Dietz en Cassian klonk. 'En waar, als ik vragen mag?'

'In het westen.' Dietz maakte een vaag gebaar met zijn vrije hand. 'Precies zoals ze zeiden. We drijven hier op een zee van olie in Comodoro.'

Dat wist Minke maar al te goed. Hier en daar stroomden zelfs kanalen van olie in de openlucht. Vanaf de Cerro leken het zwarte linten, glinsterend in de zon.

Dietz vouwde zijn handen over zijn buik. 'En jij, Sander? Hoe gaan de zaken?'

'Heel goed. Nietwaar, Cassian?'

Cassian knikte.

'Fijn om te horen, beste vriend,' zei Dietz. 'Fijn om te horen.'

'Ik begrijp dat Tessa vroeg of Minke op bezoek kwam,' zei Sander.

'Waar is die jongen?' Dietz stond op en keek rond. 'Jij daar!' riep hij. 'Kom eens hier.' Pieps dook meteen bij hun tafeltje op. 'Ik heb je vandaag zien rijden. Jij kunt mevrouw DeVries wel escorteren naar mijn estancia.'

'Wacht eens even,' zei Sander. 'Ik zal zelf wel bepalen wie mijn vrouw begeleidt. Deze jongen is een vilder.'

'Nou, dan moet u Goyo hebben,' zei Pieps. 'Hij kent elke centimeter van Patagonië.' Pieps wenkte de gaucho, die opstond en naar hen toe kwam. Dietz hield een verhaal tegen hem in rap Spaans, waarna ook Cassian zich in het gesprek mengde. Toen ze uitgesproken waren, zei Cassian tegen Sander: 'We zijn het eens. Hij kent de estancia. Jij betaalt hen allebei. Ze krijgen het geld als ze Minke over een paar dagen weer veilig hebben teruggebracht.'

'Allebei?' zei Sander. 'Nee, nee. Alleen die gaucho.'

'Sander,' zei Cassian, 'hij is een beste kerel, maar als er iets gebeurt, zal er toch één man bij haar moeten blijven, terwijl de ander hulp haalt. Zo gaat dat hier.'

'Geweldig,' zei Dietz. 'Dat is dan afgesproken. O, en Minke? Neem wat medicijnen mee voor Tessa. Ze is er doorheen.'

Minke wierp een voorzichtige blik naar Sander. Hij had het een goed plan gevonden totdat Pieps in het spel kwam, en nu keek hij duidelijk niet blij. Zijn mondhoeken wezen omlaag. 'We moeten onze spullen naar het huis brengen. Het is klaar.'

'Des te meer reden om je vrouw op reis te sturen,' bulderde Dietz, terwijl hij zijn sigaar uitdrukte. 'Dat is geen vrouwenwerk, Sander. Kijk om je heen. Je kunt zo tien sterke kerels inhuren.'

'Hij heeft gelijk, kerel,' zei Cassian.

'Goed dan. Ga maar,' zei Sander, zonder haar zelfs maar aan te kijken.

❧

Ze was te opgewonden om te kunnen slapen. Toen ze eindelijk indommelde, schrok ze meteen weer wakker van het geluid van brekend glas. Ze ging overeind zitten en keek op haar horloge. Het was twee uur 's nachts. Dit was hun laatste nacht samen, maar Sander zat nog steeds te drinken – en waarschijnlijk ook te gokken – in de bar van het hotel. Minke liep naar het raam. Buiten waaide er lichte sneeuw over het zand. Ze besloot hem te gaan halen.

Ze trok zijn ochtendjas aan, een gestreept wollen ding, zo zwaar als een paardendeken, en liep op haar tenen de gang door naar de chaos in de bar, waar nog een glas of een fles sneuvelde. Een dubbele glazen deur scheidde de gang van de foyer van het hotel. Minke tuurde over het armoedige Perzische kleed, langs de tafel, de kwispedoor en de gaslamp. Haastig trok ze zich terug toen er twee mannen uit de bar de hal binnen stommelden en lachend tegen elkaar opbotsten, klaar om naar buiten te stappen in hun zware jassen en dikke mutsen. Voor de deur bleven ze staan, en alsof ze opeens weer nuchter waren wierpen ze een snelle blik over hun schouder, naar de bar, voordat ze elkaar kusten zoals een man en een vrouw zouden doen. Op hetzelfde moment herkende Minke een van hen als Cassian. Bijna riep ze zijn naam, maar ze bedacht zich nog op tijd. Cassian wilde niet gezien worden, dat was duidelijk. Ze voelde zich gechoqueerd, maar ook rustig, alsof ze dit – wat het ook was – altijd al had geweten. Hij duwde de buitendeur open en het tweetal verdween in de nacht. Minke stond als aan de grond genageld. Nu begreep ze het, van die jongens op de *Frisia*, en het gevoel dat er nog iemand in huis was als ze bij hem op bezoek kwam.

Ze glipte de foyer binnen en tuurde door de deur naar de bar van het Explotación. Het was moeilijk om Sander ergens te ontdekken in al die rook, maar ten slotte zag ze zijn achterhoofd, met zijn opvallende lichtbruine haar tussen al die zwartharige mannen, bij het tafeltje in de hoek. Hij zat te kaarten met Dietz en een paar anderen. Een onbekende wankelde op haar toe, verblind door de drank, en Minke rende haastig naar haar kamer terug, deed de deur op slot en bleef op bed liggen luisteren.

Sander kwam niet meer terug. Bij het ochtendgloren werd Minke gewekt door een luide klop op de deur. Ze had nauwelijks de grendel teruggeschoven toen Sander de kamer binnen stormde en zich voorover op het bed liet vallen.

'Ik moet zo meteen weg, naar Tessa,' zei ze tegen zijn achterhoofd.

Hij bromde instemmend.

'Je bent de hele nacht weggebleven.'

Hij draaide zich op zijn rug. 'Kleine Minke is boos op haar Sander.' Hij keerde zijn zakken om, zodat ze als twee grote witte oren uit zijn broek staken.

'Heb je al ons geld verloren?'

Dat scheen hij heel grappig te vinden. 'Niet alles, nee.'

'Hoe kón je!'

'Toe nou. Kom eens bij papa.'

'Je bent mijn papa niet.'

'Kom hier.'

Met tegenzin kwam ze naast hem op het bed zitten.

'Lach eens tegen arme Sander.'

Hij deed zo onnozel dat ze toch moest lachen.

'Wil je wat voor me doen?'

Ze zuchtte. 'Wat?'

'Probeer iets over Dietz te weten te komen.'

'Wat dan?' vroeg ze.

'Iets. Maakt niet uit wat.' Hij bleef op zijn rug op bed liggen en sloot zijn ogen.

# 8

DE PAARDEN STONDEN aan het hek voor het hotel gebonden, trappelend en snuivend. Ze bliezen hun warme adem de koude lucht in. Pieps, Goyo en Cassian wachtten al op haar, en zodra ze naar buiten kwam, stapten Pieps en Goyo op hun paarden. Cassian strengelde zijn vingers ineen om Minke een opstapje te geven. Ze voelde zich kolossaal met haar dikke jas, haar wollen wanten, een muts en een warme sjaal, die ze over haar neus trok tegen de wind. Daaronder droeg ze weer haar trouwjurk, de enige donkere die ze bezat. De zoom was gerafeld door haar wandelingen over de modder en het ijs.

'Sander heeft tot diep in de nacht gewerkt,' zei ze boven de wind en het getrappel van de paarden uit, in een poging zijn afwezigheid te verklaren.

Cassian zei iets in het Spaans tegen Goyo, wierp haar met twee handen een kushand toe, en even later waren ze met hun drieën op weg door de heldere, koude dag. In een korte galop reden ze de stad uit naar de glooiende heuvels. Verbazend hoe ze meteen in een beter humeur kwam als ze dat indrukwekkende landschap zag. De pampa's, dacht ze opgewonden. Het leek een eeuwigheid geleden dat ze aan Sanders eettafel had gezeten terwijl Griet met minachting over de pampa's en die smerige gaucho's sprak. Nu keek ze tegen Goyo's rug aan. De man was echt geweldig. Hij reed alsof hij één was met zijn paard; al hun bewegingen waren op elkaar afgestemd. Regelmatig galoppeerde hij voor hen uit en kwam met een brede grijns weer terug, voordat ze verder reden. Niemand sprak een woord, maar het was een prettige stilte en Minke voelde zich nietig en met de andere twee verbonden te midden van zoveel pracht.

Over het glooiende terrein reden ze naar een gebied dat zo vlak was als een tafelblad, met ondiepe poelen regenwater, zo groot als meren, die nu met een dun laagje ijs waren bedekt. Goyo galoppeerde er dwars doorheen, in fonteinen van water. Minke groef haar hakken in de flanken van het paard en zette ook een galop in. Het dier trappelde met zijn zware hoeven en deed wolken van schuim opspatten. Zo nu en dan zagen ze een kudde vee en soms een ruiter in de verte, maar verder verliep de tocht in grote eenzaamheid. Twee keer wees Pieps naar groepjes bomen die de aanwezigheid van een estancia verrieden. Bomen, legde hij uit, moesten hier worden opgekweekt. Ze groeiden niet vanzelf.

In het begin van de middag, koud en stijf van de rit, kwamen ze bij een brede rivier. Goyo wees naar een steile heuvel aan de overkant en zei iets tegen Pieps, die het vertaalde. Blijkbaar lag Dietz' estancia op de top van die heuvel en moesten ze de rivier oversteken. De paarden draaiden, snoven en stampten. Ze hadden weinig zin in de overtocht. Goyo maakte een sissend geluid dat de dieren even kalmeerde, maar het water maakte ze duidelijk nerveus. Minke had nog nooit zo'n snelstromende rivier gezien, schuimend over de rotsen maar bijna bewegingloos in het midden, waar hij het diepst was.

Zonder een woord stuurde Goyo zijn paard het water in. 'Hou hem in het oog,' zei Pieps tegen Minke. 'Dan weet je wat je moet doen.' Haar hart bonsde in haar keel toen ze probeerde alle details in zich op te nemen. Goyo liet de teugels vieren, legde ze in de nek van het paard en greep de manen met beide handen. Het dier deed voorzichtig een paar onwillige stappen in de snelle rivier. Luid kletterden zijn hoeven tegen de stenen onder het water. Toen het dier tot aan zijn borst in de rivier stond, zei Pieps: 'Nu moet hij zwemmen.' Hij hield zijn hoofd schuin. 'Bang?'

'Natuurlijk niet.' Minke was doodsbenauwd, maar als de mannen dit konden, kon zij het ook.

'Goed zo.'

Goyo's paard verdween nog verder onder water totdat alleen zijn hoofd er nog bovenuit stak. Het dier had moeite zijn neusgaten vrij te houden. Goyo liet zich naar links zakken. Minke onderdrukte een kreet, bang dat hij uit het zadel was gevallen en zou worden meegesleurd, maar Pieps lachte. 'Dat doet hij voor jou. Zodat je hem kunt nadoen.'

Goyo hield zich vast aan de lange leren riemen achter het zadel. Zijn lichaam werd door de stroming tegen de rug van het paard gedrukt. Hij liet zich nog verder naar achteren glijden en greep het paard bij de staart. Zo werd hij meegetrokken, totdat het dier vaste voet kreeg aan de overkant en Goyo zich weer in het zadel slingerde. Het paard schudde zich krachtig uit in een explosie van water, die glinsterde in de zon. Minkes merrie stond te dansen, liep wat opzij en wierp haar hoofd in haar nek.

Pieps dook naast haar op. 'Probeer in het zadel te blijven als je kunt. Als je in het water terechtkomt, grijp dan alles wat je te pakken kunt krijgen, bij voorkeur de staart. Je mag nooit vóór je paard komen, begrijp je? In het water is het precies andersom als op het land. Achter je paard is veilig, ervoor niet.' Hij gaf de merrie een tik op de billen en ze ging met tegenzin op weg.

'Ik was nog niet klaar!' riep ze naar hem, boven het ruisen van het water uit.

'Nu wel,' riep hij terug. 'Zet je hakken in haar flanken!'

Minke schopte hard, boog zich over de dampende nek van de merrie, drukte haar wang tegen de warme vacht en greep de manen in haar wanten. IJskoud water vulde haar laarzen en stroomde over haar jas en haar rokken. Ze klampte zich vast, tot aan haar middel in de rivier, doorweekt tot op de draad. Even later begon het paard te zwemmen, met een sierlijke kracht, waardoor ze gemakkelijk in het zadel kon blijven. Algauw was de beproeving achter de rug. De merrie kletterde over de stenen het water uit, zonder dat Minke uit het zadel was gegleden. Pieps kwam vlak achter haar de oever op. 'Hou je vast!' schreeuwde hij, en op dat moment schudde haar paard zich uit als een hond, van kop tot staart. Minke werd door de sterke borstkas alle kanten op gesmeten. Pieps lachte en wees omhoog langs de heuvel, waar Goyo al aan de beklimming was begonnen.

Boven op de heuvel vlakte het terrein weer af tot een grote steppe. Aan het eind, heel in de verte, begonnen de echte bergen. De estancia kwam in zicht: een lang, laag gebouw van donkere baksteen, met een rieten dak, in een bosje van kale wilgen. Het drietal galoppeerde erheen, klepperde over het stenen terras en steeg haastig af. Pieps en Goyo brachten de paarden naar de schuur, die een meter of dertig bij het huis vandaan stond, en Minke klopte op de deur. Ze stond te klappertanden en beefde over haar hele lijf. Toen er geen reactie kwam, stapte ze naar binnen, bukte zich door de lage deuropening en stond even later in een witgepleisterde kamer met een bakstenen vloer.

'Hallo?' riep ze. Geen antwoord. De meubels waren bekleed met zwartwitte koeienhuiden. Op alle tafels stonden kleine beeldjes en de muren waren behangen met schilderijen van heiligen. 'Tessa?'

Van dieper in het huis klonk het gekwetter van vogels. Huiverend sloop ze van kamer naar kamer, bukkend bij de deuren, terwijl ze Tessa's naam riep, totdat ze haar gevonden had. Tessa Dietz zat in bed. Haar roze gezicht was opgezwollen en haar hals puilde over de stijve kraag van haar nachthemd. Een papegaai zat op haar ene schouder en een paar kleinere, gele vogels fladderden geschrokken de kamer door.

'Tessa,' zei Minke, nog steeds klappertandend.

Tessa liet zich uit bed glijden. Hoewel het al halverwege de middag was, droeg ze nog steeds haar pyjama en rook ze een beetje ranzig. 'Kijk nou toch. Ik wist niet of je echt zou komen.' Ze drukte Minke tegen haar forse boezem, maar deinsde meteen terug. 'O! Je bent kletsnat!'

'We m-m-moesten de r-r-rivier oversteken.'

Tessa pruilde, bedacht toen iets en ging haar voor door een donkere gang. Minke volgde haar met bibberende knieën tot ze bij een kamertje kwamen waar wat opgevouwen kleren op een lange bank lagen. 'Trek die maar aan,' zei Tessa buiten adem, en ze liet zich op een stoel zakken.

Minke trok haar kleren uit; ze had het te koud om preuts te zijn. Het duurde een hele tijd, met haar stijve vingers. Haar jas en jurk vielen op de grond. Toen ze er per ongeluk bovenop ging staan, spoot het water eruit. Minke bekeek zichzelf en zag dat ze blauw was aangelopen.

'Nou,' zei Tessa fronsend toen Minke zich had omgekleed. 'Daar sta je dan, in de kleren van mijn Astrid.'

Ze had Astrids grijze rok en zwarte blouse moeten herkennen. 'O, Tessa! Er moet toch wel iets anders zijn wat ik kan aantrekken totdat mijn kleren droog zijn. Ik wil je geen verdriet bezorgen.'

Tessa riep iets, en een indiaans meisje verscheen. Ze griste de natte kleren van de vloer en vluchtte.

'Wie was dat?'

'O, een van de bedienden.'

'Je hebt een heel mooi huis.'

'Je had mijn huis in Amsterdam moeten zien. Heb je nog berichten van mijn man?'

'Geen berichten, wel medicijn.'

Tessa's gezicht klaarde op. 'Heb je het bij je?'

'In mijn tas.'

'Laten we het gaan halen, voordat we het vergeten.' Met zware stappen verdween ze uit de kamer. De papegaai leek aan haar schouder vastgegroeid. Het huis bestond uit een hele reeks kamers, verbonden door een smalle gang. 'Daar mag je niet naar binnen,' waarschuwde Tessa bij een van de deuren. 'Dat is Frederiks werkkamer. Hij weet het als iemand aan zijn spullen heeft gezeten.'

De kamer waar Minke moest slapen lag aan de achterkant. Er stond een tafel, een smal bed onder het raam, en er was een deur naar buiten. De muren van de estancia waren zo dik dat de vensterbank de diepte had van een tafel. Op de bakstenen vloer lagen kleden die elkaar hier en daar overlapten. Minkes tas was al naar de kamer gebracht. Ze zocht tussen haar spullen en vond het pakje dat Dietz haar had meegegeven voor Tessa, die het in de zak van haar peignoir stak.

'Hoe ben je hier gekomen?' vroeg Tessa.

'Op een van jullie merries. Samen met een gaucho, Goyo, en Pieps, van het schip.'

Tessa's gezicht betrok. 'Zijn die nu ook hier in huis?'

'Ze hebben de paarden naar de schuur gebracht.'

'Ze mogen niet binnenkomen. Dan stelen ze van alles.'

'Welnee!' zei Minke. 'Het zijn aardige kerels, allebei. Je hebt niets te vrezen.'

'Elisabeth zou het met me eens zijn geweest.'

'Kende je haar dan?' Dat was een verrassing.

'Natuurlijk. En de kinderen.' Tessa maakte een gebaar met haar mollige hand.

'Kende je Sander al voordat we vertrokken?' Minke vond het vervelend om steeds weer haar onnozelheid te laten blijken, maar dit was weer zoiets. Ze dacht dat ze elkaar allemaal aan boord van de *Frisia* voor het eerst hadden ontmoet.

'In Amsterdam kent iedereen elkaar. Kom, dan laat ik je de estancia zien, als je het zo kunt noemen.'

Minkes kamer kwam uit op een binnenplaats waar de aarden vloer zo dicht was aangestampt dat hij glansde. Ertegenover lag de keuken, waar twee vrouwen aan het werk waren. Ze keken niet op, maar Minke herkende de jongste als degene die haar natte kleren had meegenomen. Achter de keuken en een volgende binnenplaats lag een reusachtige berg, zo hoog als het huis zelf, van gedroogde stengels. 'Wilde artisjokken,' voorkwam Tessa haar vraag. 'Dat spul brandt veel te snel en geeft totaal geen warmte. Ach, wat een land!'

Pieps en Goyo waren bezig de paarden te verzorgen bij de schuur. Pieps richtte zich op, maar Goyo werkte door. Ze zagen er niet uit, dacht Minke: allebei smerig, stinkend en doorweekt. De paarden stonden te dampen in de koude lucht. Goyo's haar lag in klitten over zijn schouders. Maar hij had alle aandacht voor zijn paard en kamde zorgvuldig zijn staart.

'Hoe lang blijven die mannen hier?' vroeg Tessa.

'Net zo lang als ik,' zei Minke. 'Ze brengen me weer naar huis.'

Goyo ging door met het kammen van zijn paard.

'Misschien herinner je je Pieps nog van de *Frisia*,' zei Minke. Tessa schudde haar hoofd. 'Hij heeft me geleerd op jullie merrie te rijden,' waagde Minke. 'Astrid zei dat ze het me zou leren. Ze was vast een goede amazone. Ik mis haar vreselijk.'

'We gaan theedrinken.' Tessa draaide zich om naar het huis. 'En dan bedoel ik échte thee, niet die afgrijselijke maté die ze hier drinken. Jij...' – ze draaide zich om naar Pieps – 'mag in de schuur slapen, als je wilt. En hij...' Ze wees naar Goyo, die haar negeerde omdat hij het te druk had met zijn paard. 'Ach, die mensen slapen altijd buiten, ook als er een dak beschikbaar is.' Ze schudde haar hoofd en liep terug naar het huis. 'Neem het haar maar niet kwalijk,' fluisterde Minke haastig tegen Pieps. 'Ze heeft veel verdriet om haar dochter.'

Ze installeerden zich op de rundleren stoelen voor de haard in de voorkamer van het huis. Minke bibberde niet meer, maar ze was wel doodmoe en voelde zich heerlijk slaperig worden bij de warme haard. Het kostte haar moeite haar ogen open te houden. De grote, blauwe papegaai vloog de kamer binnen naar zijn plekje op Tessa's schouder. 'Het is een achterlijk land, vind je ook niet?' vroeg Tessa.

'Maar ook heel mooi,' zei Minke. 'De zee, de bergen...'

Tessa glimlachte. 'Jij bent verblind door de liefde.'

'Hij behandelt me als een prinses.'

Tessa stak haar lip naar voren. 'Ja, dat ken ik. Van heel vroeger.'

Op dat moment kwam het dienstmeisje binnen met de thee. Minke bedankte haar.

'Je moet ze niet bedanken. Ze doen gewoon hun werk,' zei Tessa toen het meisje was verdwenen. Ze zocht in haar zak, haalde de medicijnen tevoorschijn, deed een paar druppels in haar thee en nam een slok.

'En je man? Gaat het goed met zijn oliebronnen?'

'Het zal me een zorg zijn.' Tessa keek haar vinnig aan en borg de medicijnen weer in haar zak.

'Daarvoor kwam hij toch naar Argentinië.'

'Heb je honger?' Tessa schoof Minke een schaal met brood toe. 'Als ik naar je kijk, denk ik dat ik Astrid zie, en dan komt alles weer bij me boven.'

Minke wilde haar armen om de vrouw heen slaan en haar troosten. Niets kon erger zijn dan een kind verliezen. 'Ik zal meteen mijn eigen kleren weer aantrekken als ze droog zijn.'

'Ik moet gewoon accepteren dat ik geen kind meer heb,' zei Tessa.

Minke nam een hap van het brood. 'In veel opzichten zitten we in hetzelfde schuitje, jij en ik,' opperde ze. 'Twee Europese vrouwen, helemaal alleen in dit land, zonder andere vrouwen om mee te praten. Dat kan eenzaam zijn. We zouden elkaar kunnen steunen.'

'Als ze niet de hele dag aan dek was geweest met jou en kou had gevat, zou ze misschien nog hebben geleefd.'

Minke staarde Tessa aan. 'Er sloeg een golf over ons heen. Heel onverwachts.'

'Je wist dat ze zwak was.'

'Geef je mij de schuld?'

'Ze hadden haar lichaam nooit in zee mogen gooien. Dat was barbaars.'

'Dat vond ik ook, op dat moment.' Als Tessa in haar verdriet om zich heen wilde slaan, moest Minke dat maar verdragen.

'Het was jouw man die dat besliste.'

'Nee, hoor. Sander liet het over aan kapitein Roemer. De eigenaar is ondergeschikt aan de kapitein in zulke zaken.'

'Eigenaar?' Tessa kwam tot leven. 'Eigenaar? Sander DeVries?'

'Dat dacht ik.' Minke wist eigenlijk niet van wie het schip

was. Ze probeerde zich te herinneren waar ze dat idee vandaan had. Van haar moeder? Nog voordat Sander bij hen thuis was gekomen, die dag, hadden mensen gezegd dat hij schepen bezat.

'Sander is echt niet de eigenaar van de *Frisia*.'

Dit ging helemaal mis. Minke moest informatie inwinnen over Dietz, maar nu werd ze zélf uitgehoord! Ze ging rechtop zitten en streek haar rok glad. 'Je man vertelde over alle olie die hij had gevonden.'

Tessa sloot een paar seconden haar ogen. Haar hele gezicht leek te smelten. 'Aahh...' zei ze met een zucht. 'Dat is beter. Het medicijn begint te werken.'

'Ben je niet in orde?'

'Hoe zou ik in orde moeten zijn na alles wat ik heb doorstaan? Het verlies van mijn Astrid was als een dolk in mijn hart.'

'Dat begrijp ik.'

'Nee, dat begrijp je niet. Hoe zou jij dat moeten weten? Je bent zelf nog maar een kind.'

'Je hebt je man nog.'

'Ik zou nog best een kind kunnen krijgen, hoor. De dokters hebben het zelf gezegd.'

'Natuurlijk.'

'Wat is er met die auto gebeurd?' vroeg Tessa, op bijna zangerige toon.

'Ik heb hem gisteren nog gezien,' zei Minke, blij dat Tessa van onderwerp veranderde. 'Hij staat meestal in de opslag, geloof ik, samen met Sanders andere zaken.'

'Wat voor zaken, kind?'

'Voor onze winkel,' zei Minke. 'Van alles. Prachtige stoffen en kunstvoorwerpen.'

Tessa voerde haar papegaai stukjes brood. 'Die auto is zijn grote trots, nietwaar? Zijn enige echte bezit.'

'Tessa, je moet niet van die rare dingen zeggen.'

'Hmm,' zei Tessa, met haar ogen halfdicht. 'En dokter Tredegar? Is alles goed met hem?'

'Ja, hoor.'

'Een mietje,' zei Tessa dromerig. 'Wist je dat? Hij is altijd onderweg om de wet een paar stappen vóór te blijven.'

'Ik vind het naar dat je zo onvriendelijk over hem spreekt.'

'Niet onvriendelijk. Dat zijn de feiten. Wat hij met andere mannen uitspookt is natuurlijk tegen de wet. Maar ja, zulke mensen kunnen daar niets aan doen.' Tessa snoof. 'Of ze nu aardig tegen je zijn of niet.'

'Hij zou ons nooit kwaad doen.'

'Elisabeth mocht hem niet, weet je.'

'Hoe goed kende jij Elisabeth?' vroeg Minke. En voordat Tessa kon antwoorden, voegde ze eraan toe: 'Zij wilde zelf dat wij zouden trouwen.'

Tessa schudde zo van het lachen dat de papegaai met zijn rafelige vleugels klapwiekte. 'Wie zegt dat?'

'Sander.'

'En dat geloof jij?'

'Ik was heel innig met haar,' zei Minke. 'Natuurlijk geloof ik hem.'

Tessa deed nog wat druppels van het medicijn in haar afgekoelde thee en dronk haar kopje leeg. 'Een mens zou wel gek kunnen worden in dit land. Misschien heb je gelijk over Elisabeth. Ik weet het niet. Ik weet helemaal niets. Neem het me maar niet kwalijk.' Ze sloot haar ogen en wiegde heen en weer terwijl de lijnen van haar gezicht zich langzaam ontspanden. 'Het geeft niet. We gaan hier toch snel weg. Dat heeft Frederik me beloofd.'

'O?' Eindelijk hoorde Minke iets wat Sander zou interesseren.

'De Duitsers zullen ons goed betalen. Héél erg goed.' Tessa

opende haar ogen tot spleetjes. 'Dan kunnen we vertrekken.'

'Misschien vindt Sander ook wel een paar oliebronnen,' zei Minke. 'Er zijn er zoveel.'

Tessa keek haar fronsend aan, alsof ze gek was geworden. 'Al dat land is opgedeeld. Twee jaar geleden al.' Ze nieste, waardoor de papegaai weer zijn evenwicht verloor. 'En nu moet ik slapen.'

Aan het ontbijt maakte Tessa weer problemen over Pieps en Goyo. Ze vroeg elke minuut waar ze waren. Minke zei dat ze zou gaan kijken en trof hen in de schuur, waar ze een van de merries van de Dietzen verzorgden. Ze was blij met hun spontane lach en hun hartelijke begroeting. Goyo zei iets. 'Hij vraagt of je het naar je zin hebt bij mevrouw Dietz,' vertaalde Pieps.

'Ze is mijn gastvrouw,' zei Minke.

Pieps vertaalde het weer en Goyo schudde zijn hoofd. 'In Goyo's ogen zijn ze misdadig. Kijk hier eens.' Pieps streek met zijn hand over de flank van het paard. 'Zadelwonden. En een doffe vacht. Deze dieren zijn ondervoed. En moet je die vrouw zelf zien! Die krijgt heus geen hap te weinig.'

'Ze is wanhopig van verdriet om haar dochter,' zei Minke.

Pieps vertaalde het voor Goyo, die in het zand spuwde.

'Ik kan niet blijven,' zei Minke. 'Ze wilde alleen weten waar jullie waren.'

'Dat zal wel, ja!' zei Pieps.

Toen Minke terugkwam, liet Tessa de papegaai over de tafel lopen om wat te eten van het ontbijt. 'Nou?' vroeg Tessa.

'Ze zorgen voor de paarden,' zei Minke. 'Alles in orde.'

'Je lijkt wel...' Tessa nam haar aandachtig op. 'Ben je zwanger?'

Daar had Minke geen antwoord op. Wat een vraag!

'Ach, toe, je bent een getrouwde vrouw. Niet zo bedeesd. Ben je vaak misselijk? Moe?'

Ze was inderdaad moe, een merkwaardig soort vermoeidheid, die haar van tijd tot tijd overviel, zodat ze overal zomaar in slaap kon vallen. Dat was haar de vorige dag nog bijna overkomen terwijl ze op haar paard zat, op een rustig gedeelte van de tocht. 'Een beetje moe,' zei ze, verbijsterd door die overweldigende nieuwe mogelijkheid.

'Ach, arm kind. Een baby krijgen in dit land. Ik heb met je te doen.' Tessa smeerde jam op haar brood, nam een hap en vervolgde, terwijl ze kruimels om zich heen sproeide: 'Zorg dat ze alles koken. Alles! Als je op alle dagen loopt, kom ik wel naar Comodoro om je te helpen. Het is nu juni.' Ze telde op haar vingers. 'Dan moet je tegen het eind van het jaar bevallen, als het hier zomer is. Dat is in elk geval gunstig.'

'Is het al juni? Dat kan toch niet?' Tessa moest zich vergissen. Minke had weliswaar weinig besef van tijd, en er hingen geen kalenders in het hotel. Maar juni?

Tessa's ogen vielen dicht en Minke besefte dat ze nog wat medicijn had genomen terwijl zijzelf bij Pieps en Goyo was. 'Zal je man niet blij zijn?' vroeg Tessa.

*Zwanger.*

'Ik begrijp dat Pim het huis van Elisabeth heeft geërfd.' Tessa's stem klonk loom en dromerig.

Minke was volledig van streek bij de gedachte aan een baby, maar wilde niets laten merken. De vogel pikte iets van haar bordje en bewoog zijn hals om te slikken. 'Wij zullen ook niet lang in Comodoro blijven, net zomin als jullie. We gaan weer terug naar Amsterdam, denk ik.'

'Dat betwijfel ik,' fluisterde Tessa.

De vrouw was echt onmogelijk. 'We hebben plannen om naar Enkhuizen te reizen voor een bezoek.' Die plannen bestonden natuurlijk niet, maar Minke wilde zich beschermen tegen Tessa.

Tessa schudde haar hoofd.

'Wat is er, Tessa?'

'Iedereen aan boord had het erover. Jij wist het niet, omdat je aan dek was, met mijn Astrid.' Tessa opende haar zware oogleden. Ze droeg nog steeds haar beige nachthemd met een bijpassende wollen peignoir. Haar haar hing op haar rug in een lange, slordige rode vlecht. 'De conferentie in Den Haag?'

'Ik heb geen idee wat je bedoelt, dat weet je. Vertel het me nou maar.'

'Sander importeert opium, voor de productie van morfine. Dat is nieuw voor jou, ik zie het aan je gezicht. Je bent met iemand getrouwd zonder te weten wat hij deed.'

'Dat van die morfine wist ik wel. Natuurlijk. Cassian produceert het.'

'Zij allebei. Maar niet langer in Nederland.' Tessa knipte met haar vingers, een dof geluid. 'Zomaar opeens is het verboden om opium te importeren. Iedereen die daar iets mee te maken heeft is een crimineel, en zijn bezittingen worden verbeurd verklaard. Sander is niet langer welkom in Nederland.' Ze zuchtte. 'Persoonlijk ben ik ze wel dankbaar, dat begrijp je. Zonder mijn morfine zou ik nooit de pijn van Astrids dood kunnen verdragen.' Tessa liet zich in haar stoel terugzakken. 'Ik móét weer zwanger worden. Anders word ik gek. Voor jou is dat makkelijk genoeg, maar niet voor mij.' Ze duwde haar stoel bij de tafel weg en stond op. 'Ik moet even liggen.'

'Tessa, wacht!' Minke greep haar bij de mouw van haar peignoir.

'Meer heb ik niet te zeggen.' Tessa haalde onverschillig haar schouders op. 'Ik heb je alles verteld.' Ze nam haar papegaai mee en verdween.

Het duizelde Minke. Ze liep naar buiten, waar de hemel strakblauw was, zonder een wolkje. Ze sloeg haar armen om zich heen tegen de kou. De ondiepe, bevroren poelen glinsterden in de ochtendzon. De heuvels leken geschilderd in schakeringen van purper.

Dus de *Frisia* was niet Sanders schip. En ook het huis was niet van hem. Elisabeth had het aan Pim nagelaten, niet aan Sander. Sanders zaken hadden alles te maken met opium. Die dag in Amsterdam, toen Minke haar een klap had verkocht, had Griet gezegd dat er genoeg morfine was. Nu begreep Minke pas waarom. Maar het was toch een medicijn? Wat mankeerde daaraan?

*Iedereen aan boord had het erover.*

Ze liep een eind de vlakte op.

*Zwanger.*

Zou Tessa het bij het rechte eind hebben? Hoe kon ze dat zeker weten? Waar was mama, nu ze haar meer nodig had dan ooit? Ze zocht in haar geheugen naar alles wat ze over zwangerschap en geboorte wist. Als de vrouwen thuis in Enkhuizen kinderen kregen, kwamen die gewoon. Daar werd nooit over gepraat. Nooit! De vrouwen die in verwachting waren, bleven maandenlang in huis voordat hun baby werd geboren. Dat hoorde bij de zwangerschap. En ze werden heel dik. Maar wat gebeurde er precies? En het ergste van alles: hoe kwam die baby eruit? Werd het kind uit de moeder gesneden? Aan wie kon ze dat vragen? Niet aan Tessa. Minke wilde zich niet vernederen door de vrouw weer om uitleg te vragen. Maar hoe hing dat allemaal samen: de cyclus, de misselijkheid, de zwangerschap?

Ze liep nog een eind, met haar handen beschermend over haar buik gevouwen. Ze had het ijzig koud. Na een tijdje bleef ze staan. Ze kon het aan Cassian vragen. Natuurlijk! Hij zou het haar wel vertellen en haar helpen. Ja! Ze klapte in haar handen en liep terug.

*Een baby.*

Eindelijk bezorgde die gedachte haar een prettig gevoel van opwinding. Bijna dansend kwam ze de schuur binnen, op zoek naar Pieps en Goyo.

'Wat kijk jij blij,' zei Pieps.

'O, er is van alles met me aan de hand,' zei ze.

Ze hadden een vuurtje aangelegd, met een spit waaraan Goyo een stuk vlees roosterde waar de huid en het haar nog aan zaten. Minke wendde haar ogen af. Pieps bood haar zijn zitplaats aan, een omgekeerde houten emmer. De warmte van het vuur was weldadig aan haar handen en voeten.

'Ik denk dat we morgen weer vertrekken,' zei ze. 'Komt dat jullie uit?'

'We kunnen gaan wanneer je wilt,' zei Pieps.

'Morgen,' verklaarde Minke. 'Eén dag te vroeg, niet twee. Ik zal toch al een excuus moeten bedenken.' Ze wilde Sander zo snel mogelijk spreken. Nee, eerst moest ze met Cassian praten. Als ze terugkwamen, zou ze rechtstreeks naar zijn huis rijden om zoveel mogelijk aan de weet te komen.

'Goyo heeft met Juana gesproken, in de keuken.' Pieps wipte heen en weer op zijn hakken en warmde zijn handen boven het vuur. 'Die vrouw doet niets anders dan eten, slapen en haar vogel leren praten. Maar dat beest is doof.'

Minke glimlachte. Dat verklaarde waarom de papegaai zo stil was.

'Ben je in de werkkamer van die man geweest?' vroeg Pieps, met een duivels lachje.

'Daar mag niemand komen,' zei Minke.

'Hij bewaart gekrompen hoofden.'

'O, Pieps, toe! Je moet niet van die rare verhalen verzinnen.'

'Dat doen ze in de Amazone, hoorde ik van Goyo. Ze verwijderen het bot en naaien de mond en de ogen dicht.' Pieps stak zijn vuist op. 'Dan is zo'n hoofd niet groter meer dan zo. En die man heeft een hele verzameling.'

'Maar dat is gruwelijk. Waarom zou je zoiets willen zien?'

Daar dacht Pieps even over na. 'Omdat ik die kans misschien nooit meer krijg. Omdat ik geïnteresseerd ben in de gebruiken van de indianen, en omdat mevrouw Dietz ons zo schandalig heeft behandeld. Het zou leuk zijn om haar een hak te zetten.'

'Ze zou ons vermoorden als ze ons betrapte. Dat kan echt niet.'

'O,' zei Pieps.

'Wat bedoel je daarmee?'

'En dat zegt een meisje dat zelf in het vooronder ging kijken? Je bent helemaal in je eentje naar beneden gekomen, ondanks het gevaar, alleen om te zien hoe het daar was. En nu wil je mij tegenhouden als ik ook iets wil zien? Voor jou gelden blijkbaar andere regels dan voor mij.'

'Dat is wat anders,' zei ze. 'Ik wist niet eens dat het gevaarlijk was, of dat het niet mocht.'

Pieps vertaalde alles voor Goyo, en aan zijn toon te horen stelde hij het heel onredelijk voor. Goyo scheurde met zijn tanden een stuk vlees af en stak zijn kin vooruit als iemand die twee kanten van een discussie overwoog.

'Als jij in het vooronder zou zijn betrapt, Minke, zou dat veel erger zijn afgelopen. Een knappe jonge vrouw zoals jij. Of welke vrouw dan ook...'

Knap? Nou ja. Hij vond haar knap. Goyo keek haar strak aan; een uitdaging om te gaan kijken, veronderstelde ze. Hij zei nog iets. 'Hij is het met me eens,' zei Pieps. Minke zuchtte en gaf toe. Zij en Pieps zouden het ene gevaar tegen het andere ruilen. Maar als ze het deden, dan nu meteen, terwijl Tessa de roes van haar morfine uitsliep.

'Maar we nemen niets weg,' zei Minke.

Pieps sprong op en stak haar zijn hand toe.
'En Goyo?' vroeg ze.
'Hij gaat geen huizen binnen van mensen voor wie hij geen respect heeft.'

Ze stapten naar binnen via de deur die het verst bij Tessa's slaapkamer vandaan lag en slopen op hun tenen naar de werkkamer van Frederik Dietz. Het slot was wel zwaar, maar heel simpel. Pieps kreeg het gemakkelijk open met een kromme hoefijzernagel. De kamer was niet groter dan een donkere kast, met luiken voor de ramen. Het enige licht viel naar binnen door de deuropening. Pieps opende de deur nog verder.

'Straks ziet ze ons!' zei Minke.

'We hebben licht nodig.'

'Snel dan,' zei ze.

Het bureau stond in het donker. Pieps pakte een ijzeren prikker met briefjes en notities en liep ermee naar de deur om ze beter te kunnen zien. 'Schuldbekentenissen,' zei hij. 'Mensen schijnen Dietz heel wat geld schuldig te zijn.' Hij keek om zich heen. 'Daar!'

Minke kon ze nauwelijks onderscheiden: een rij kleine, bruine, misvormde voorwerpen op een plank. Pieps pakte er een, hield hem even vast en gaf hem toen aan haar. Voordat ze het wist, had Minke een vuistvol dik haar in haar handen. Ze liep ermee naar de deur om het ding te bekijken. De huid was donker en stug als leer. Lange draden bungelden aan de hoeken van de ogen en de mond, waar ze waren dichtgenaaid. Met een huivering moest Minke denken aan de lijkwade waarin het lichaam van Astrid was genaaid. Wat was er met hem gebeurd, met deze man – eerst gestorven en daarna op een plank bewaard voor het genoegen van die akelige Dietz?

Onwillekeurig dacht ze aan haar eigen baby, klein en teergevormd, met nog weke botten en geen haar. Ze moest zich beheersen om het hoofdje niet van zich af te werpen, terug naar Pieps. 'Dit brengt ongeluk.' Ze had zichzelf en haar kind hier nooit aan mogen blootstellen. 'Kom mee. Dit is een afschuwelijke plek.'

'Wacht.' Pieps had een kistje gevonden, dat hij opende met dezelfde kromme spijker die hij voor de deur had gebruikt. 'O, Jezus,' zei hij. 'Kijk nou eens.' Hij hield een stapeltje bankbiljetten omhoog van duizend gulden. 'Er staan nog meer van die kistjes. Een heleboel.'

'We moeten hier weg. Nu!' Hoe langer ze in deze griezelkamer bleef, des te schadelijker het zou zijn voor haar ongeboren kind, dat wist ze zeker.

Ze tuurde links en rechts de gang door. Niemand te zien. Pieps deed de deur achter hen op slot en haastig liepen ze door de voorkamer naar de binnenplaats terug. Hij liep te grijnzen en te dansen. 'We hebben gekrompen hoofden gezien, Minke! Ben je niet blij dat je het hebt gedaan?'

Ze voelde zich misselijk worden. 'Nee.'

'Wat is er?'

'Ik voel me ellendig.'

'Je ziet helemaal groen.'

'Ik ga flauwvallen.'

Pieps ving haar op voordat ze tegen de grond kon gaan. Ze kwam meteen weer bij en haalde diep en bevrijdend adem.

'Nou, nou, nou.' Tessa kwam uit het huis naar hen toe gewaggeld, rood van woede, zwaaiend met haar vinger. 'Ik haal je in huis en ik geef jou en je mannen te eten. Ik neem je in vertrouwen en wat krijg ik ervoor terug? Je sluipt de werkkamer van mijn man binnen, terwijl ik je dat uitdrukkelijk had verboden. Ik heb je gehoord en gezien. Samen met hém, nota bene!

En nu sta je hem te kussen!' Ze beefde van woede. 'Je bent niets anders dan een kleine Hollandse hoer.'

Minke maakte zich uit Pieps' armen los. 'Ik stond hem niet te kussen!'

'Ga weg. En trek die kleren van mijn Astrid uit. Je draagt je eigen spullen maar, of ze droog zijn of niet.'

Terug op haar kamer worstelde Minke met haar kleren. Haar hele lichaam brandde van schaamte omdat ze die werkkamer was binnen gedrongen en ervan was beschuldigd dat ze Pieps had gekust. Toen ze zich had aangekleed, klopte ze op de deur van haar gastvrouw. 'Tessa,' zei ze, en ze opende de deur op een kier. Tessa lag in bed en streelde de papegaai. 'Het spijt me verschrikkelijk,' zei Minke. 'Het was heel verkeerd van me om je gastvrijheid zo te misbruiken.' Ze staarde naar de grond. 'Maar ik stond Pieps niet te kussen. Zoiets zou ik nooit doen. Ik hield me alleen aan hem vast omdat ik me niet goed voelde.' Toch voelde ze de schaamte nog steeds diep in haar botten.

Zonder haar aan te kijken, gaf Tessa haar een verzegelde envelop. 'Geef die aan mijn man in Comodoro.'

Om de rivier over te steken maakten ze een omweg van een halfuur stroomopwaarts, waar het water niet hoger reikte dan de knieën van de paarden, zodat ze niet kletsnat zouden worden voor de lange rit naar huis. Minke zat voorover, met haar hoofd gebogen tegen de wind en haar handen onder haar oksels voor warmte. Pieps kwam naast haar rijden. 'Het was mijn schuld,' zei hij.

'We hebben ons allebei schandalig gedragen.'

De brief aan Frederik Dietz brandde in haar zak. Ongetwijfeld had Tessa hem geschreven wat er wat gebeurd, en Dietz zou het met genoegen aan Sander doorvertellen. Met stijve vingers pakte ze de brief, die slap was geworden in de vochtige zak van haar jas. De woorden waren door de envelop heen gelekt en zelfs de flap zat los. Ze zou precies kunnen lezen wat Tessa had geschreven en de brief kunnen weggooien.

Maar ze deed geen van beide. De waarheid was altijd het beste, zou mama zeggen. En als Sander haar niet geloofde? Dan zou ze de zee in lopen om zichzelf te verdrinken.

Ze hadden twee uur gereden toen er vanuit het westen donkere wolken naderden en de hemel snel betrok. Goyo's paard trilde met zijn zilveren flanken, in afwachting van de eerste bliksem die, toen hij kwam, het hele landschap voor hen uit verlichtte, zoals Elisabeth haar had beschreven. Regen stroomde neer. De ene flits na de andere knetterde door de lucht, en nergens was enige beschutting te ontdekken. Zonder een woord galoppeerde Goyo het noodweer in. Pieps cirkelde om haar heen. 'Geef je paard de vrije teugel! Ze zal hem volgen.' Minke vierde de teugels en het paard ging inderdaad achter Goyo aan. Ze klampte zich aan de zadelknop vast, met haar hoofd gebogen, terwijl ze de grond onder zich door zag schieten.

Na een tijdje doemden er lichten op in de verte, en de paarden versnelden hun pas. De regen sloeg hen in het gezicht totdat ze bij een klein, laag gebouw kwamen, opgetrokken uit leem en riet. Goyo gaf hun een teken om op hun paard te blijven, terwijl hij naar binnen ging. Even later verscheen hij weer, wees naar de deur en zei iets tegen Pieps.

'Hij zegt dat we rustig naar binnen kunnen gaan terwijl hij de paarden onderdak brengt,' vertaalde Pieps.

De deuropening was nog lager dan bij Tessa thuis, en Minke moest diep bukken. Ze kwam in een enkele kamer, met acht of negen mensen die zich bij een vuurtje zaten te warmen. Een meisje van Minkes eigen leeftijd nam haar ernstig en belangstellend op. Ze had een blanke huid, net als Minke, maar haar haar was zo zwart als dat van Goyo. Een oude vrouw met een verweerde huid rookte een afgekloven sigaar terwijl ze over een pan boven het vuur gebogen stond. Minke herkende de geur inmiddels: gekookt vlees. Een man met een reusachtige zwarte baard over de hele breedte van zijn borst vormde het middelpunt van de aandacht. Hij onderbrak zijn verhaal toen ze binnenkwamen, knikte en sprak toen verder, met een stem die zo luid was dat het bijna leek alsof hij schreeuwde.

Minke en Pieps gingen met hun rug tegen de muur zitten en luisterden. Volgens Pieps ging het verhaal over een vogelbekdier dat een vos te slim af was, en ze lachten allebei. Goyo, die de paarden had ondergebracht, stapte naar binnen en kwam bij hen zitten. Minke voelde zich heerlijk veilig tussen haar twee vrienden. Ze was nog altijd opgewonden door haar eigen situatie – dat ze zwanger was en dat haar baby, hoe pril ook, hier in deze estancia was, tussen al die vreemde mensen. Ze was nog nooit zo blij en tevreden geweest.

Ze sliepen waar ze lagen, en de volgende morgen maakte Goyo hen wakker voor een snel ontbijt van gekookt vlees en in melk gekookte rijst. Buiten was het een drukte van belang. Er werd een tiental paarden gezadeld, prachtig in hun zilveren tuig met grote, klokvormige zilveren stijgbeugels. De man met de baard, die El Moreno, 'de Zwarte', heette, ging voorop.

'Ze maken er een voorstelling van, voor jou,' zei Pieps met een knipoog.

Maar die voorstelling dreigde gevaarlijk te worden. De mannen reden veel te snel, terwijl ze elkaar toeschreeuwden. Eerst klonk het vrolijk genoeg, maar na een tijdje kreeg het een boze ondertoon. El Moreno ontdekte in de verte een guanaco, een soort lama, en ging erachteraan, zwaaiend met zijn *boleadoro*, drie in leer gebonden stenen aan een lang koord. Hij slingerde het wapen boven zijn hoofd en liet het los. Het zeilde door de lucht en wikkelde zich als een lasso om de poten van het dier, dat tegen de grond ging. Een van de andere gaucho's sprong van zijn paard en sneed met zijn halvemaanvormige mes de pezen van de guanaco door. Toen begon de ruzie pas echt.

'Wat is er aan de hand?' vroeg Minke aan Pieps. Zelfs haar paard legde zijn oren plat.

'El Moreno had het recht om de pezen van het dier door te snijden.' Het ging allemaal veel te snel, en in een taal die ze niet verstond. Er vormde zich een cirkel. El Moreno steeg af, wikkelde zijn vuile poncho om zijn linkerarm en hield hem omhoog als schild tegen de man die de guanaco had gesneden.

'Kom,' zei Pieps. 'Wij gaan weg.'

'Kunnen we niet blijven kijken?' vroeg Minke gefascineerd.

Pieps greep haar paard bij de teugels en trok haar haastig mee.

Minke keek achterom. 'En Goyo dan?'

'Hij was degene die zei dat we weg moesten wezen.'

'Maar we kennen de weg niet.'

'Dat is niet zo moeilijk in dit land.' Hij wees. 'Die kant op. Naar de zee.'

'Wordt er iemand gedood?'

'Ja.'

'Om die guanaco?'

'Om een belediging.'

Ze reden verder. Het weer was mooi en helder na de storm. Minke dacht aan de gaucho's en het feit dat op hetzelfde moment een van de mannen die ze had gezien de keel werd doorgesneden. 'Is dat waar ze bivakkeren als ze niet in Comodoro zijn?'

'Sommigen,' zei Pieps. 'Maar ze zijn met duizenden. Ze reizen rond met hun paarden en hun vee.'

'Die mensen woonden toch op die estancia?'

'Ze trekken weer verder, en anderen nemen hun plaats in. Bezit speelt nauwelijks een rol onder de gaucho's. Nou ja, bezit van land en huizen. Andere vormen van bezit zijn heel belangrijk, zoals je net zag.'

'Hoe weet je dat allemaal?'

'Van Goyo. Ik ben net zo nieuwsgierig als jij. Als een man eenmaal zijn kracht heeft bewezen door zijn vijand te doden, heb ik gehoord, laten ze hem met rust.'

In Comodoro aangekomen bood Pieps aan met haar mee te rijden naar Cassian, maar ze zei dat ze Dietz liever alleen wilde confronteren. Ze bond haar paard naast dat van Dietz. Cassian verscheen uit een van de bijgebouwen. Hij droeg zwartrubberen handschoenen tot aan zijn ellebogen en hij straalde toen hij haar zag. 'Je bent vroeg terug!'

Dietz dook achter hem op.

'Tessa heeft me een brief voor u meegegeven,' zei Minke.

Dietz trok een gezicht toen hij zag hoe nat en slap de envelop was, en zette zijn bril op.

Met bonzend hart keek ze hoe hij las. Ze moest sterk zijn.

'Juist.' Hij vouwde de brief op en stak hem in de zak van zijn vest.

'Kom toch binnen, Minke. Daar is het warm.' Cassian ging haar voor naar het morfinelab, waar de kokende opium voor een warme, vochtige atmosfeer zorgde.

'Tessa denkt dat ik zwanger ben.'

Het bleef haar verbazen hoe Cassians huid, van heel dichtbij, heel subtiel rimpelde als hij glimlachte, hoe zijn oogleden bijna doorschijnend leken en hoe hij altijd iets amusants ontdekte in wat ze zei. 'O, denkt ze dat?'

'December, zegt ze.'

'Zij is de dokter.' Hij luisterde naar haar hart en vroeg haar te gaan liggen, zodat hij haar buik kon voelen. 'Ja,' zei hij. 'Tessa heeft gelijk.'

'Hoe komt de baby er dan uit?' Ze had het niet zo plompverloren willen vragen, maar het zat haar dwars.

'Langs dezelfde weg als hij is binnengekomen. Dat heeft je moeder je toch wel verteld?'

'Dat kan niet!' Had Cassian enig idee hoe krap het daar was?

'Geloof me nou maar.'

'En doet het pijn?'

'Ik zal je er iets voor geven.'

Toen ze vertrok, hoopte ze dat Dietz verdwenen was, maar hij stond klaar om haar naar het Explotación te brengen. 'Vond je die papegaai van mijn vrouw niet leuk?' vroeg hij onderweg.

'Hij is doof.'

'Dat zeggen ze. Dat zeggen ze.' Zoals gewoonlijk onderstreepte hij alles wat hij zei met een lach. Ze liepen een tijdje zwijgend verder. 'Maar hoe kan iemand dat zeker weten?' Dietz lachte luid, een man die overliep van vrolijkheid. 'Die papegaai spreekt niet, dat is waar, maar dat betekent alleen dat hij stom is. Volgens mij verstaat hij alles wat er wordt gezegd en houdt hij zich gewoon van de domme. Een slimme papegaai, vind je niet?'

Minke liep door. Het pad werd smaller en ze rende vooruit om enige afstand te scheppen tussen hem en haar.

'Een alwetende papegaai. Hij hoort en ziet alles, en fluistert zijn geheimen dan mij en Tessa in het oor,' zei Dietz.

Waarom hield die man niet zijn mond? En als hij iets wilde zeggen over de brief, waarom wachtte hij dan zo lang?

'De papegaai moet hebben gezien dat jij mijn werkkamer binnenging,' zei Dietz.

Minke verafschuwde hem. Ze bleef abrupt staan en draaide zich naar hem om. 'Waarom verzamelt iemand dat soort dingen?'

'Omdat ze ooit een goede prijs zullen opbrengen,' zei hij. 'Ze begint langzaam gek te worden. Denk je ook niet?'

'Iedereen zou gek worden, daar in die uithoek. Ze is veel te vaak alleen. Wat dacht u dan?'

'Ze moet zichzelf zien te redden; dat kan ik niet voor haar doen,' snauwde hij.

Minke liep weer door. 'Ze zou niet zo ver van andere mensen moeten wonen. Ze hoort hier.'

'Moet je zien wat er van jou geworden is.'

'Wat bedoelt u daarmee?'

Ze waren even groot en ze kon hem recht in zijn reptielenogen kijken. Hij grijnsde tegen haar. 'Je door die blonde jongen laten neuken.' Zijn stem was een hees gefluister.

Minke hief haar hand op om hem te slaan, maar hij greep haar pols. 'Mijn vrouw is net als haar papegaai. Niets ontgaat haar.'

Minke rukte zich los. 'Ze liegt.'

'Heel vervelend als Sander het te horen kreeg.'

'Ik trek me niets aan van praatjes, meneer Dietz.'

'Hebben jij en die jongen ook nog iets van me gestolen?'

Ach, hij kon doodvallen, met zijn oliebronnen en zijn slechte adem. Minke rende naar de stad, naar het hotel, totdat ze opeens bleef staan. Hoe kon ze dat nou vergeten? Sander had in haar afwezigheid hun verhuizing naar het nieuwe huis geregeld. Ze liep terug naar de Almacén en sloeg linksaf op Pellegrini. Het huis stond afgezonderd. Een vaag licht viel tussen de kieren door naar buiten. Ze rende naar de achterkant. 'Sander!' riep ze. Haar eigen huis!

Hij omhelsde haar en deed toen een stap terug. Haar jas was stoffig en vuil, haar haar zat in de war. 'Wat is er met jou gebeurd?'

'Ik wil alles zien!' Ze trok zich los en rende van het ene kamertje naar het andere, raakte het bed aan, de kleine tafel, en nog meer dingen die hij uit het huis in Amsterdam voor hen had meegenomen. Het was een paleis! En zij de vrouw des huizes. Ze maakte een pirouette, met haar armen gespreid. 'O, Sander!'

Even later zaten ze naast elkaar bij de gaslamp in de voorkamer, terwijl Minke opgewonden verslag deed van haar bezoek aan Tessa Dietz. Ze vertelde over haar paard, dat een rivier was overgezwommen, over de papegaai, de gruwelijke gekrompen hoofden, met touwtjes dichtgenaaid, de schuldbekentenissen en de stapels geld. Ze spreidde haar handen. 'Wel zóveel!' En ten slotte Dietz' plan om alles aan de Duitsers te verkopen. 'Tessa was woedend toen ze ons in zijn werkkamer ontdekte!'

'Ons?'

'Een dienstmeisje had Goyo over die gekrompen hoofden verteld, en Pieps hoorde het van Goyo,' zei ze, zonder erbij na te denken. 'Maar Goyo wilde geen voet in dat huis zetten.'

'Dus je bent alleen met die jongen gegaan?'

'Ja.'

'Juist.'

Ze liet zich tegen de rugleuning van haar stoel vallen en schopte tegen de tafelpoot. 'Tessa zei dat de *Frisia* helemaal niet van jou is!' zei ze. 'En dat je uit Nederland moest vluchten vanwege je opiumhandel.'

Sander keek haar onderzoekend aan. 'De *Elisabeth*,' zei hij. 'De *Elisabeth* is van mij, niet de *Frisia*. Natuurlijk niet. Ik wilde de *Elisabeth* beschermen.'

'Waartegen?'

'Tegen de regering.'

'Hoe kun je nou een schip tegen de regering beschermen?' Minke begreep er niets van.

'Door er zo ver mogelijk mee weg te varen, zodat niemand het in beslag kan nemen.'

Ze zuchtte. 'Hoe dan ook, ik ben zwanger.'

Langzaam hief hij zijn hoofd op en keek haar aan.

'Nou?'

Hij haalde diep adem en zuchtte.

'Ben je blij?'

Hij knikte. 'Natuurlijk.'

Hoe was het mogelijk om zo gelukkig en tegelijk zo bang te zijn? Ze was opgetogen over haar zwangerschap, maar doodsbang dat er ieder moment een einde kon komen aan haar geluk. Ze moest hem vertellen over Tessa's beschuldiging, open en eerlijk. Maar stel dat Sander haar niet zou geloven? Het was heel dom van haar dat ze die brief niet had weggegooid toen ze de kans had.

# 9

De ss *Elisabeth* kwam op 21 juni om tien uur 's ochtends in de haven van Comodoro aan. De zon was nog niet op. De hemel, de zee en het land lagen in duisternis en het schip was verlicht als een klein dorpje. Op de kade bewogen zich de schimmen van wachtende mensen. Kinderen renden en sprongen heen en weer en maakten gebruik van de beschutting van het donker om elkaar met kiezelsteentjes te bekogelen.

Het schip ging op enige afstand voor anker en algauw verschenen de eerste pendels, elk met vier roeiers. Minke zou ze niet eens hebben gezien als ze geen lamp op de boeg hadden gehad. Het was koud, het sneeuwde en de mannen aan de riemen kreunden nog luider dan het gejammer van de wind. Minke trok haar jas wat dichter om zich heen en dook weg in haar kraag. Het was hartje winter en het zou nog een uur duren voordat de zon opkwam. Zelfs dan zouden ze genoegen moeten nemen met een uurtje van melkachtig grijs licht, niet eens sterk genoeg om schaduwen te werpen.

De eerste boten brachten enkele tientallen passagiers, die Minke weer confronteerden met het raadsel van Comodoro. De stad had uit haar voegen moeten barsten. Elke maand kwamen er nieuwe mensen aan, maar die toevloed leek weer te verdampen. De nieuwkomers verdwenen met paard en wagen naar het binnenland, waar ze in barakken woonden en op de olievelden werkten. Slechts een handvol bleef in de stad zelf. De bevolking van het gebied moest zich al hebben verdubbeld, maar Comodoro was sinds Minkes aankomst nog nauwelijks veranderd.

Van waar ze stond, op de kade, weggedoken in haar jas, zag ze hoe Sander en Dietz het strand hadden verdeeld. Links was Sander aan het werk, energiek als altijd. Hij hield toezicht op het lossen van de vochtige balen ruwe opium, die op gereedstaande wagens werden geladen om via het pad langs de Cerro naar het laboratorium van Cassian te worden vervoerd. Zelfs van die afstand rook ze de bloemengeur van de opium. De morfineproductie besloeg nu vele uren per dag. Cassian had zijn personeel uitgebreid met een stel vrolijke, hardwerkende jonge kerels uit de stad, die aten en sliepen bij *La morfina obras*, de morfinefabriek. Ze werden goed betaald, beter dan de arbeiders op de olievelden van Frederik Dietz, die vooral een wanhopig slag mensen aantrok. Er braken soms messengevechten uit, en iedereen in Comodoro had de explosies gehoord als een van de bronnen vlam vatte. Er vielen zelfs doden bij, hoewel daar in de stad geen bewijzen van waren te vinden.

Dietz bezette de andere kant van het strand, beende heen en weer met zijn zware lijf op zijn kippenpoten, organiseerde de mannen die het werk voor hem deden en verdeelde hen over de wagens die naar het binnenland verdwenen.

De laatste boten vervoerden koopwaar voor Sanders winkel aan de voorkant van het huis, inmiddels voorzien van een wit bord met de naam EMPORIO DEVRIES. Als je het Minke vroeg, was het eerder een museum dan een winkel. De meeste goederen zaten nog in kisten. Vrouwen uit het stadje keken naar binnen, kwamen voorzichtig de winkel in, met een verlegen blik naar Minke, praatten met elkaar in rap Spaans, pakten verbaasd allerlei dingen op en vertrokken dan weer zonder iets te hebben gekocht. De mooie stoffen en meubels waren te duur voor hen, te buitenissig. Alsof je een kroonluchter zou kopen voor een stal.

Maar de *obras* deed goede zaken, en Minke keek vol vertrouwen hoe Sander de zeilen optilde en vrolijk met mensen praatte. Alles begon op zijn plek te vallen. Een week geleden had ze de eerste tekenen van leven gevoeld in haar buik. Hun huis was nu klaar, een echt thuis, met gezellige kamers en een Europese inrichting.

Toen de laatste wagen was ingeladen met spullen voor Emporio DeVries, kwam de eerste kar alweer terug met rammelende kratten vol bruine flesjes kant-en-klare morfine, voor transport naar afnemers in de havensteden van het noorden, zoals Bahia Bustamente, Puerto Madryn en Buenos Aires. Na de Antillen zou de SS *Elisabeth* terugkeren naar het zuiden en Comodoro nog eens aandoen op haar reis rond Kaap Hoorn en terug naar Indië om grondstoffen op te halen.

Om haar heen hoorden ze mannen roepen in het Spaans. Minke had zich in Cassians leerboek verdiept en wist nu wat ze zeiden. Ze vertaalde alles wat ze zag graag in het Spaans. '*El amanacer*,' fluisterde ze bij zichzelf, en in het Engels: '*The rising sun*.' De opkomende zon. Ze oefende vaak met Cassian. '*Estoy feliz*.' Ze hield van het ritme van haar nieuwe talen, vooral omdat ze die scherpe Nederlandse klanken misten – als van een man die elk moment op de grond kon spuwen. '*Tu madre es una puta*,' riep een van de mannen, en zelfs dat klonk mooi, ondanks de betekenis: Je moeder is een hoer. Ze had ontdekt dat zulke scheldpartijen in een andere taal lang niet zo hard overkwamen.

De zon was al onder tegen de tijd dat het werk erop zat, hoewel het pas vier uur in de middag was. Sander scheen met een lamp omhoog naar waar zij stond. Hij was de laatste tijd heerlijk zelfverzekerd. Zijn rug was rechter en zijn lach klonk meer ontspannen. 'Kom mee,' zei hij, en hij pakte haar hand. 'We gaan naar het hotel, allemaal. Ik trakteer.' Hij zocht in de zak van zijn jas. 'Maar eerst heb ik iets voor je.'

Ze voelde dat hij een halssnoer om haar nek legde. Haar vingers betastten de grote schakels, met een hanger in het midden, waarin een steen zat verwerkt. 'Laat zien!'

'In de spiegel van het hotel,' zei hij, en hij gaf haar een speelse tik op haar billen.

Ze maakte een pirouette, liep achteruit en keek hem lachend aan. Ze was zo gelukkig. 'Wie zijn er nog meer, vanavond?'

'Cassian, natuurlijk. Dietz, en onze Bertinat.'

'De belangrijke mannen van Comodoro,' zei ze.

'Precies.'

'Bertinat is heel aardig, maar volgens mij jaag ik hem de stuipen op het lijf. Hij is zo verlegen.'

'Een man die zijn eigen schaduw vreest is altijd bang voor mooie vrouwen. Weet je hoe Bertinat jou noemt?'

Ze schudde haar hoofd.

'*La princesa de Comodoro.*'

Ooit, in de Almacén, had Bertinat haar uitgenodigd om de ladder op te klimmen die aan de kasten was bevestigd en op wieltjes door de hele winkel kon rollen. Hij had haar rondgereden terwijl zij zich vastklampte, met wapperende rokken. 'Ben je jaloers?' vroeg ze.

'Blind van jaloezie,' zei hij, en ze moesten allebei lachen.

De bar van het Explotación was die avond afgeladen, rokerig en lawaaiig. Voordat ze naar binnen ging, trok Minke haar jas uit en rende naar de spiegel om te zien wat Sander om haar hals had gelegd. De hanger was een camee, het ivoren profiel van een vrouw, maar de grootste verrassing was haar eigen spiegelbeeld, dat ze in geen maanden meer had gezien. Haar gezicht was voller dan ze zich herinnerde, ongetwijfeld door de zwangerschap, en rood van de kou. Ze glimlachte, draaide zich naar links en rechts en stapte met een hernieuwd zelfvertrouwen de bar binnen.

Een grote tafel, gedekt met een perfect gestreken wit kleed, was voor hen gereserveerd in het midden van de zaal. Hij leek wat hoger te staan dan de andere, maar dat was een illusie, opgeroepen door haar stralende humeur. De stoel tussen Dietz en de beminnelijke Bertinat was voor haar vrijgehouden. De mannen kwamen half overeind toen ze ging zitten. Ze had haar lesje op de *Frisia* goed geleerd, draaide zich naar Bertinat links van haar en knipperde hem toe met prinsessenogen. Haar woorden waren voor de hele tafel te horen toen ze heel even haar hand op de zijne liet rusten. Ze verkeerde in een soort roes door de aankomst van Sanders schip, net als iedereen. 'Een genoegen om naast u te zitten. *Un placer sentarme a tu lado.*'

Hij was zo'n aardige man, altijd bereid haar te helpen met haar Spaans als ze iets kwam kopen in zijn winkel. Nu bloosde hij en zei dat het genoegen geheel aan zíjn kant was.

'Een toost!' Sander hief zijn glas. 'Op Comodoro Rivadavia!'

Dietz schonk alle glazen nog eens vol. Minke nam een slokje cognac en zei tegen Bertinat: 'Wat is er vandaag met de *Elisabeth* aangekomen dat ik morgen in uw winkel kan vinden?'

Bertinat rechtte zijn rug. Cassian vertaalde het, maar Bertinat wist precies wat ze had gevraagd. 'Het zal me een eer zijn om het je te laten zien, *mañana*.'

'Voor *los niños*, nietwaar?' Dietz leunde naar achteren op zijn stoel en blies een lange wolk sigarenrook uit. 'Is het niet zo, Sander?' Hij klopte zich met twee handen op zijn buik en liet zijn schorre lach schallen. 'Heel goed! Heel goed!'

Nu was het Minkes beurt om te blozen. Naast haar slaakte Bertinat een zucht. '*Azúcar*,' zei hij. '*Leche enlatada*.'

'Suiker.' Minke klapte in haar handen. Ze was dol op zoetigheid. 'En een soort melk. Wat is *enlatada*?'

'In blik,' zei Cassian.

Ze gaf Bertinat een klopje op zijn hand. '*Puedo comprar*,' zei ze. 'Dan kom ik bij u kopen!'

'En wat is er vandaag voor úw winkel gearriveerd, meneer Dietz?' vroeg Bertinat, met Cassian als tolk.

Dietz strengelde zijn vingers over zijn buik. 'Welke winkel bedoelt u, señor?'

Bertinat zei een paar snelle woorden, en Cassian vertaalde: 'Hij zegt dat je een spelletje met hem speelt, Dietz. Je weet wat hij bedoelt.'

Dietz gaf Meduño een teken om nog eens bij te schenken.

'Wat hoor ik daar over een winkel, Dietz?' Sander veegde zijn lippen af met een wit servet. 'Serieus?'

Dietz haalde zijn schouder op, als iemand die onterecht werd beschuldigd. 'Voor de mannen. Dat is alles. Dingen die ze nodig hebben.'

'Dus je maakt geen winst?'

Dietz wapperde met zijn dikke vingers. 'Ik ben een zakenman, net als jij, Sander. Natuurlijk maak ik winst. Ik ben niet achterlijk.'

'Mag ik ook bij u komen winkelen?' vroeg Minke met een knipoog naar Sander. Ze had wel plezier in dit kat-en-muisspelletje. Ze waren allemaal vrienden, maar ook concurrenten, had Sander haar uitgelegd.

'Kind, er is daar niets voor jou te vinden, tenzij je je wilt wassen met grove zeep of dat knappe gezichtje van je wilt scheren met een mes. Dat soort dingen,' zei Dietz.

'Ik begrijp dat uw mannen geen gelegenheid hebben om hun zeep bij Bertinat te kopen,' zei Minke. 'Ze mogen niet naar de stad gaan en moeten hun spullen dus bij u kopen, tegen behoorlijk hoge prijzen.'

'Van wie heb je dat gehoord?' vroeg Dietz.

Van Pieps, natuurlijk. 'Er gaan praatjes,' zei ze.

'Pas op met haar, Sander. Ze gelooft de grootste onzin.'

'Dus het is niet waar? Uw mannen kunnen kopen bij wie ze willen?' vroeg ze.

'Kind, je man en de brave dokter weten alles van monopolies. Vraag het hun maar,' zei Dietz geprikkeld.

'Ach, maak je niet druk, Frederik,' zei Sander. 'Het is maar een geintje.'

Dietz nam een hap van de vleesschotel. 'We zijn hier om de aankomst van de *Elisabeth* te vieren,' zei hij, en hij hief zijn glas. 'Op de *Elisabeth*.'

'Daar sluit ik me bij aan,' zei Cassian.

Het gesprek ging verder over het reisschema van de *Elisabeth*. Dietz probeerde informatie los te krijgen over welke afnemers wat voor producten kochten langs de kust, en welke andere kooplui erbij betrokken waren. Duizenden van die kleine bruine flesjes medicijn vonden hun weg naar mensen in grote en kleine havensteden in heel Zuid-Amerika. Minke luisterde maar met een half oor, omdat haar aandacht werd getrokken door iets blauws bij de deur. Het duurde een paar seconden voordat ze Tessa's papegaai herkende. De vogel keek om zich heen en vloog toen naar hun tafeltje. Er viel even een stilte in de bar toen de mannen zich omdraaiden naar Tessa, die als een weelderig visioen tussen de tafeltjes door laveerde. Haar haar was in het midden gescheiden en op haar kruin samengebonden in een knot van oranje krullen. Ze droeg een jurk van oranje en geel brokaat, met gouddraad.

Haastig werd er een stoel bijgeschoven tussen Minke en Bertinat, en een extra bord op tafel gezet. Tessa wrong zich tussen hen in en fluisterde: 'Ik ook! Niet te geloven, toch? Een wonder.' Ze verspreidde een heerlijk luchtje; een of ander bloemenparfum.

'Jij ook wát?' Minke zat nog bij te komen van de schrik. Ze had Tessa niet meer gezien sinds dat pijnlijke moment op de estancia, en verbaasde zich nu over de hartelijkheid van de vrouw.

'Zwanger, domme gans! Ik weet het bijna zeker.'

Dietz stootte Minke aan en hield zijn hoofd schuin toen ze zich omdraaide. 'Zie je? Je bent niet de enige.'

Ze keerde zich weer naar Tessa. Het leek wel een tenniswedstrijd. 'Ben je hier om dokter Tredegar te spreken?'

'Waarom zou ik hem moeten spreken?' Tessa snoof. De papegaai spreidde zijn vleugels, hipte van de ene poot op de andere en opende zijn snavel alsof hij iets wilde zeggen.

'Om je te helpen met de baby.'

'Die zogenaamde dokter heeft mijn Astrid laten sterven.' Vanaf de andere kant van de tafel keek Cassian haar uitdrukkingsloos aan. Hij moest het hebben gehoord. 'Frederik heeft een echte dokter geregeld.' Tessa zweeg en keek de kring rond. 'Waarom kijkt iedereen zo?'

'We zijn heel blij voor je,' zei Cassian. 'Dit is geweldig nieuws.'

Wat was hij toch een gentleman.

'Sander!' Tessa legde een met sieraden bezette hand op die van Sander. 'Ik moet zeggen dat het een genoegen is om de *Elisabeth* in de haven te zien.' Ze richtte zich nu tot de hele tafel. 'Dat schip is genoemd naar onze lieve, gestorven Elisabeth toen ze nog een kind was, moeten jullie weten.' En aan Bertinat legde ze uit: 'Sanders overleden echtgenote, een geweldige vrouw. Minke heeft haar verzorgd toen ze ziek was, nietwaar, Minke?'

Was het schip ooit van Elisabeth geweest? Minke had aangenomen dat Sander het schip had gekocht en naar haar genoemd.

Tessa stiet Minke aan. 'Het moet een slimme kerel zijn die het schip van zijn vrouw onder de neus van de regering het land uit smokkelt.' De vogel klapwiekte en landde op haar schouder.

'Wanneer komt je baby?' vroeg Minke om van onderwerp te veranderen.

'We moeten nog een maand wachten om het zeker te weten. Maar ik twijfel geen moment. Ik weet nog precies hoe het voelde bij mijn Astrid.' Ze bette haar ooghoeken. 'Astrid zou zo blij zijn geweest met een klein broertje of zusje.'

Dietz viel haar in de rede en vroeg Meduño nog een stoel te brengen. 'Voor de jonge vilder.'

Minke tuurde door de rook en zag Pieps langs de tafeltjes zigzaggen.

'Kom!' riep Dietz ongeduldig, terwijl hij plaats maakte voor de stoel, tussen hemzelf en Sander in. 'Een vriend van Minke is ook onze vriend, nietwaar, Sander? Wat zal het zijn, jongeman? Je zegt het maar, alles is mogelijk. Meneer DeVries betaalt. Zo is het toch, Sander?' En hij lachte weer luid en grof.

'Ik kwam alleen gedag zeggen,' zei Pieps. 'Ik kan niet blijven.'

'Natuurlijk blijf je!' zei Dietz. 'Tessa, je herinnert je deze jongen toch wel? Hij kwam met Minke naar ons huis.'

Tessa keurde Pieps nauwelijks een blik waardig.

'Hij wil niet bij ons komen zitten,' zei Minke. 'Dat ziet u toch? Hij zit liever bij zijn eigen vrienden.'

'Maar jij bent zijn vriendin. Een heel góéde vriendin zelfs, als ik me niet vergis.' Hij lachte suggestief.

'Rustig aan, Dietz,' zei Sander.

'Ik plaag maar wat,' zei Dietz.

'Sander,' zei Minke. 'Laat maar.'

'Ja,' zei Tessa. 'Laat maar. Ik weet zeker dat het allemaal heel onschuldig was.' Ze trok haar neus op naar Sander.

'Wat was er heel onschuldig?' Sander kwam overeind.

'Je bent met een heel jonge vrouw getrouwd,' zei Tessa.

'Mevrouw Dietz vergist zich in iets wat er op de estancia gebeurde,' zei Pieps tegen Sander. 'Minke voelde zich niet goed, en ik wilde haar helpen.'

Tessa wapperde met haar hand. 'Ach, het is alweer zo'n tijd geleden. Natuurlijk probeerde je te helpen. Het doet er niet toe.'

'Sander.' Cassian trok hem even aan zijn mouw om hem te bewegen weer te gaan zitten.

'Hoe staat het met het vilderswerk?' vroeg Dietz.

Pieps spreidde zijn handen alsof hij zich overgaf. 'Mijn vrienden.' Hij wees naar de bar. 'Ik moet weer eens terug.' En hij verdween met een kleine buiging.

'Knappe jongen, nietwaar, Cassian?' zei Dietz met weer zo'n luide lach.

Sander haalde wat biljetten uit zijn portefeuille en legde ze op tafel. 'Mijn vrouw voelt zich wat duizelig, zei ze, en ze wil naar huis.'

Minke sloeg haar sjaal om zich heen en nam haastig afscheid. Sander pakte haar bij haar pols en ze liepen tussen de tafeltjes door, via de foyer naar buiten. Ze kon hem nauwelijks bijhouden. 'Waar ging dat over?' brieste hij, terwijl hij haar bij de arm greep en haar dwong hem aan te kijken. 'Wat is daar precies gebeurd?'

Ze trok haar hand los, sprong naar achteren en wreef haar pols waar hij haar had vastgegrepen. 'Dat heb ik je toch verteld? Ik heb daar voor jou gespioneerd.'

'Wat bedoelde Tessa met "allemaal heel onschuldig"?'

'Ik viel flauw en Pieps ving me op. Tessa verzon daar van alles bij. Dat is het.'

Hij stapte op haar toe. Het licht vanuit het hotel accentueerde de lijnen van zijn gezicht. 'Die jongen is niet te vertrouwen, dat wist ik meteen al. Blijf bij hem vandaan.'

'Hij is mijn vriend.'

'Ik loop al veel langer op deze wereld rond dan jij, Minke. Geloof me. Op een dag zul je er spijt van krijgen. Blijf uit zijn buurt, zeg ik je.'

De hele weg naar huis liep hij een paar passen voor haar uit. Bij de deur wachtte hij tot ze naar binnen stapte. 'Ik moet weer terug. Ik ben de gastheer.'

'Alsjeblieft, Sander. Ik kan er niet tegen als je boos op me bent.'

'Gedraag je dan een beetje.'

# 10

DE BEVALLING BEGON vroeg in de ochtend toen haar vliezen braken en er een stekende pijn door haar buik schoot. Jozef Alejandro Klazes DeVries, afgekort Zef, werd geboren op 14 december 1912. Sander stuurde iemand om Cassian te halen, die onmiddellijk arriveerde met Marta, een oude vrouw die hem moest helpen. Cassian gaf Minke morfine, waardoor ze – hoewel de pijn aanhield – het gevoel had dat ze naar het plafond van de kamer zweefde en neerkeek op zichzelf en de mensen die kwamen en gingen en als door een nevel spraken. Toen ze uit die mist ontwaakte, zat Sander aan haar bed en hield haar Zef voor, in wit flanel gewikkeld.

Hij was een wonder: groot en gezond, met mooi wit haar, een klein engelenmondje en roze wangetjes. Ze voelde een geweldige liefde, dieper dat ze voor mogelijk had gehouden. Ze sloeg het dekentje open om zijn kleine vingers aan te raken, en zijn teentjes, die aan kleine roze druiven deden denken. Toen trok ze het dekentje weer om hem heen en staarde naar zijn slapende gezichtje.

In de weken die volgden was het altijd druk in haar slaapkamer. De vrouwen van het stadje kwamen naar de baby kijken. Ze stonden in een rij voor de deur met elkaar te kletsen. En ze hadden cadeautjes bij zich: een witte konijnenpoot, een ratel gemaakt van een kleine kalebas. Minke woonde nu al negen maanden in Comodoro en kende inmiddels voldoende Spaans om goedemorgen te zeggen, iets over het weer op te merken en te melden dat de baby negen pond woog. Iedereen moest lachen om zo'n grote baby voor zo'n tenger meisje, en Minke lachte met hen mee en als ze een grimas van pijn maakten. Ze vertelde dat ze hem meteen aan de borst had gelegd en dat hij een rustig kind was, dat 's nachts maar twee keer wakker werd voor een voeding. Hij huilde weinig. De vrouwen bogen zich koerend over hem heen, maakten kleine geluidjes om een lachje los te krijgen en raakten zijn zijdezachte witte haartjes aan. Twee van de vrouwen, Rosa Corcoy en Maria Mansilla, hadden baby's van maar een paar weken ouder dan Zef en kwamen dikwijls langs als oude vriendinnen, alsof Minke er nu echt bij hoorde na de geboorte van haar kind.

Op een warme middag zag ze dat Pieps bij haar deur stond te wachten. Zijn huid was rossig bruin, zijn achterovergekamde haar gebleekt als witte as, en hij had zich glad geschoren. Toen het zijn beurt was, stak hij voorzichtig een hand uit naar Zefs kleine vingertjes, maar Sander sloeg zijn arm weg. 'Raak hem niet aan! Je hebt schapen gevild. Je draagt ziekten bij je.' Minke keek Pieps verontschuldigend aan.

'Zeehonden! Geen schapen. En ik ben zelf geen vilder meer, meneer. Ik huur nu vilders in.' Pieps maakte een kleine buiging en opende het bundeltje dat hij bij zich had. De vrouwen kwamen dichterbij. Het was een sneeuwwitte zeehondenvacht, met daarin een glimmend zilveren maté-kopje en een *bombilla*. 'Het kopje is van Goyo, de pels is mijn cadeau.'

'Zijn ze terug?' vroeg Sander. 'Zijn de gaucho's teruggekomen?'

'Nee,' zei Pieps.

'Hoe weet Goyo dan van de baby?'

'Niet zoveel vragen, Sander!' zei Minke. 'Pieps is alleen gekomen om Zef te begroeten. Doe niet zo moeilijk.'

'Goyo heeft het kopje de vorige keer bij me achtergelaten met instructies om het aan de baby te geven. Hij had het zelf wel in juli willen aanbieden, maar het brengt ongeluk om een ongeboren kind presentjes te geven.'

'Onze baby zou toch wel zijn geboren, of hij nu een matékopje had gekregen of niet.' Sander inspecteerde nadrukkelijk de onderkant van de pels, alsof er nog resten van het dier aan zouden kleven. Minke nam het cadeau van hem over en legde Zef even nadrukkelijk op het zachte vachtje.

Rosa giechelde, wees naar Zef, Minke en Pieps en toen naar haar eigen haar. '*Todos las misma*,' zei ze tegen Maria. Minke verstond het: 'Precies hetzelfde.' Schichtig keek ze naar Sander om te zien of hij kwaad zou worden om die vergelijking. Gelukkig luisterde hij nooit naar de vrouwen van het stadje en had hij geen moeite gedaan om Spaans te leren. In plaats daarvan keek hij naar de deur, waar weer enige drukte was ontstaan.

Tessa. Ze vulde de hele deuropening in een blauwroze jurk en wrong zich tussen de andere vrouwen door met tranen in haar ogen. 'O, o, o!' Ze sloeg haar handen voor haar borst alsof ze haar bonzende hart tot bedaren wilde brengen. 'Laat me,' zei ze, terwijl ze Zef in haar armen nam en zich om haar as draaide in een caleidoscoop van pasteltinten. 'Ik ben meteen gekomen zodra ik het hoorde.' Toen gaf ze Zef weer terug. 'En?'

'En wat?' Minke wist nooit wat Tessa bedoelde of waar een gesprek met haar naartoe ging.

Tessa klemde haar handen over haar buik.

'O!' zei Minke. Tessa was inderdaad zwanger. 'Gefeliciteerd. En mag ik vragen wanneer?'

'In de zomer, denk ik.'

'Alles goed met je man?' vroeg Sander.

'Jullie moeten de groeten hebben.'

Om het nog drukker te maken kwam nu ook Cassian binnen, samen met Marta, die meteen de baby oppakte.

'Ik kom je helpen, Minke,' zei Tessa. 'Of was je dat vergeten?' En ze kletste maar door. Er was helemaal geen vrouw uit het stadje nodig, want Tessa wist alles wat nodig was en kwam bovendien uit Europa. Had ze Minke niet al maanden geleden haar hulp aangeboden? Minke had haar onmiddellijk moeten waarschuwen. Minke wierp een snelle blik naar Pieps en schudde haar hoofd. Pieps rolde met zijn ogen als teken dat hij met haar meeleefde, iets wat Sander niet ontging. De verschillende vijandigheden in de kamer deden bijna vonken overspringen.

'Het is een zware baby,' zei Cassian tegen Tessa, 'en jij moet je niet inspannen door Minke nu te helpen, in jouw toestand.'

'Jij bent mijn dokter niet,' zei Tessa.

'Cassian heeft gelijk, Tessa.' Minke had het aanbod geen moment serieus genomen. Het was allemaal toneelspel. 'Ik kan dat niet aannemen.'

'Je bent een rare,' zei Tessa tegen Minke, en ze vertrok.

In één ding had Tessa wel gelijk gehad, maanden geleden. Je moest alles koken. Ook Cassian stond daarop. Niet alleen de luiers, maar ook de kleren, het eetgerei en natuurlijk – als Zef ouder werd – al het water dat hij dronk. Hij sliep in een van de kleine kamers met Marta, omdat Sander de baby niet op hun eigen kamer wilde hebben. Zijn vrouw wilde hij voor zich alleen, zei hij. Marta moest bij Zef waken en voor hem zorgen, maar Minke merkte dat ze bij het kleinste geluidje van haar zoon al wakker werd, naar zijn kamer rende en tegen Marta zei dat ze verder kon slapen.

In februari was het hartje zomer; de wind ging liggen en eindelijk was er wat groen te zien, niet veel, maar de bruine steppe kreeg een olijfkleur en het dorre kruid dat de hele winter door de stad had gewaaid was verdwenen. Het water langs de kust kabbelde rustig en ondiep, het zand van het strand voelde aan als talkpoeder en was roestbruin van kleur.

Elke middag deed Minke haar zoontje in bad achter het huis, in water dat was gekookt voor de hygiëne en dan afgekoeld tot de juiste temperatuur. O, hij was inmiddels zo'n dikke kleine baby, stevig en glibberig in haar handen. Hij trappelde met zijn blote voetjes en joelde blij. Zef lachte om alles. De dag dat hij zich voor het eerst omdraaide, van zijn buik op zijn rug, lag hij te pruttelen van plezier.

Na het bad spoelde ze hem af en wikkelde hem in een van de handdoeken die Marta iedere dag waste. Dan liep ze een tijdje zingend met hem rond, terwijl hij antwoordde met zijn eigen geluidjes. Ze legde hem in zijn bedje in de kamer die hij met Marta deelde en las hem voor, totdat hij eindelijk in slaap viel.

Op een bijzonder warme nacht werd hij wakker voor een voeding, zoals gebruikelijk. In plaats van in haar schommelstoel te gaan zitten, zoals ze meestal deed, droeg Minke hem naar buiten en liep blootsvoets over het paadje langs de lage kademuur naar het strand, waar ze tot aan haar enkels in de kabbelende branding bleef staan. De maan was helder genoeg om de zee en de hemel te kunnen zien, in een blauwachtig schijnsel. Minke wiegde haar baby in haar armen, zoogde hem eerst rechts, en toen links. Hij dronk gulzig en hij groeide goed, volgens Cassian, hoewel dat van Minke niet gezegd kon worden. Haar kleren zwabberden om haar heen. Ze moest elke dag een halve liter dikke room drinken, maar hoe ze ook haar best deed, ze kreeg nauwelijks genoeg naar binnen om Zefs behoeften bij te houden, laat staan de eisen van haar eigen lichaam.

Psychisch was ze sterk veranderd. Niet lang geleden had ze hier op deze plaats gestaan met Sander, terwijl ze in haar hart nog verlangde naar thuis, met al die vertrouwde zaken – de boten, de boeien, de geluiden en de drukke, smalle straatjes. Nu was ze blij met de ruige oneindigheid van de zee. Elke vierkante centimeter van Nederland was in de loop van vele eeuwen aangeharkt, bewerkt, bebouwd en opnieuw bebouwd. Geen plekje bleef onaangeroerd. Totdat ze in Comodoro kwam, had ze er nooit bij stilgestaan dat er nog andere dingen bestonden in de wereld. Maar hier! Dit land was nog zo ongerept. Ze voelde haar bloed sneller stromen bij de gedachte aan die uitgestrekte wildernis.

Ze klemde Zef tegen zich aan. Hij zou dat allemaal ooit zien. Als hij oud genoeg was, zou ze hem leren paardrijden en konden ze dagenlang samen op ontdekking gaan. Wat was de juiste leeftijd – negen, tien? Eerst zouden ze een paar kilometer langs de kust naar het zuiden rijden, tot aan Punta Piedra, om een bos te verkennen waarover ze had gehoord dat de bomen er werkelijk waren versteend. Als hij ouder werd, konden ze verder gaan en de Andes zien.

'Je bent een kind van Argentinië,' zei ze, en ze draaide met hem in de rondte. Toen aarzelde ze. Geboren in Argentinië, dat wel, dus was hij een Argentijn. Maar ook een Nederlander. Daar moest ze ook met hem naartoe. In haar eentje, natuurlijk, want Sander kon niet terug. En zoals zij zich had verbaasd over de ruige natuur van Argentinië, zo zou hij onder de indruk zijn van dat goed georganiseerde Nederland. Hij was een kind van twee geweldige landen.

'We zijn met jouw voorouders verbonden door deze oceaan,' zei ze tegen hem. 'Jouw andere thuis ligt aan de overkant van dit water. Daar is het nu hartje winter, met sneeuw en ijs langs de kust en mensen die over bevroren straatstenen glibberen. Maar in de zomer is Nederland zo groen dat het pijn doet aan je ogen.

Je vader komt uit Amsterdam, en op een dag zul je ook je broer en zuster ontmoeten, Pim en Griet. Je zult Pim vast wel mogen.'

Ze dacht even na. 'Wij komen uit Enkhuizen.' Beelden kwamen bij haar op: kleine huizen, smalle straatjes. Ze was zelf verbaasd over wat ze hem vertelde. 'Wij zijn de arme tak van de Van Aisma's. De andere Van Aisma's wonen in het noorden, in Friesland. Ze hebben grote boerderijen en veel hectaren grond.' Ze dacht even aan haar vader. 'Dat zit je opa nogal dwars.' Minke lachte. Papa zei altijd dat ze van koninklijken bloede waren, hoewel hij niemand anders bedoelde dan Johan Klazes van Aisma, die een eeuw geleden burgemeester van het kleine Beetgum was geweest. 'En je hebt nog een tante, Fenna. Ooit krijg je hen allemaal te zien. Fenna zal leugens vertellen over de familie. Dat heeft ze van papa. Zij zijn niet tevreden met wie ze zijn.' Ze wikkelde hem stevig in zijn dekentje. 'Maar wij hebben iets beters, Zef. Wij zijn avonturiers.'

Weer thuis legde ze Zef in bed. Marta werd wakker en kromde zich om de baby heen, zodat hij niet uit bed kon vallen. Minke sloop haar eigen slaapkamer binnen, trok de deur achter zich dicht en kroop weer in bed naast Sander, die op haar had gewacht om te kunnen vrijen. Haar nachten, die ooit uitsluitend aan Sander hadden toebehoord, moesten nu worden gedeeld met Zef, en Minke raakte steeds meer uitgeput. Sander vond dat ze de nachtelijke voedingen aan Marta moest overlaten, maar Minke maakte zich zorgen over het water. Marta was een brave ziel die alles kookte, maar bij het water vond ze dat niet echt nodig, omdat het voor de andere baby's in het stadje ook niet werd gekookt. Als Minke de nachtelijke voedingen aan Marta overliet, hoefde ze maar één keer te vergeten om het water te koken en dan zou Zef doodziek kunnen worden.

❧

In regenachtige of winderige nachten kon ze Zef niet meenemen naar het strand en bleef ze onder het afdak van het huis zitten, terwijl het bliksemde boven zee. Maar als het goed weer was, liep ze het pad af naar het water, met haar kind in haar armen. Zef rekende er al op. Hij klemde zich met zijn armpjes om haar nek en keek naar de zee. In warme nachten ging ze zelfs zwemmen. Zodra ze Zef had gevoed, legde ze hem op een dekentje op het zand, trok haar nachthemd uit en stapte het water in. 's Nachts had ze daar nog nooit iemand gezien. Overdag kon ze niet gaan zwemmen, want dat deden de vrouwen van Comodoro nu eenmaal niet. Dan zou ze zich raar hebben gevoeld. In het donker had ze de kans, en ze zwom nooit erg ver.

Op een nacht, toen het opvallend helder was, lag ze nog een hele tijd naast Zef op zijn deken, terwijl hij sliep, met zijn buikje vol. Minke lag op haar rug, keek omhoog naar de sterren en probeerde ze te duiden. Als kind had ze de namen van de sterren geleerd, maar hier zag de nachthemel er heel anders uit.

Opeens werd haar aandacht getrokken door een geluid van heel ver weg. Ze pakte Zef en stond op. Het was een ruiter. Het silhouet werd langzaam groter toen het paard en zijn berijder dichterbij kwamen. Wie kon dat zijn, op dit uur? Iemand met een belangrijke boodschap, misschien? Minke moest voor hem net zo goed te zien zijn als hij voor haar, in dit halve licht. Ze was een beetje angstig, maar niet beducht voor haar veiligheid. Het was iets anders.

Het paard hield halt, zo'n vierhonderd meter bij haar vandaan, en maakte een rondje over het strand voordat de ruiter afsloeg en de helling naar het stadje beklom. Minke vond het een spannend gezicht, dat paard in het maanlicht, weer zo'n verrassing in een land vol verrassingen. Ze lachte erom met Zef. 'Hij schrok van me!' Minke liet hem paardje rijden op weg naar huis. Bij de deur bleef ze staan, luisterend of ze de ruiter nog hoorde, maar alles was rustig. Vanavond bleef het zelfs stil rond het Explotación.

Op een bloedhete dag deed het nieuws razendsnel de ronde dat de *Elisabeth* weer in de haven lag na haar reis naar het noorden. Sander nam de auto, met de kap omlaag, om naar het schip te rijden. Hij wilde gezien worden, en de familie was een sensatie in hun gele auto: Minke in prachtig rood, de kleine Zef op haar schoot in het heldergroene truitje dat Marta voor hem had gebreid en hun blonde haren wapperend in de wind. Sander parkeerde bij de kademuur, waar al een hoop mensen waren samengedromd om de pendels te zien aankomen. Hij hielp Minke uit de auto en liep toen naar het strand, waar Cassian wachtte met zijn pallet met kratten vol bruine flesjes kant-en-klare morfine. Ook deze kisten zouden aan boord van de *Elisabeth* worden geladen om te worden verscheept naar de havens van West-Indië.

Op het strand trof Sander de bemanning van de *Elisabeth* met zijn lijsten en notities. Hij liep van de een naar de ander, schudde handen en omhelsde mensen. Een eindje verderop paradeerde Frederik Dietz trots heen en weer en probeerde de aandacht te trekken. Hij had een kleine tafel en twee stoelen neergezet en gaf de mannen uit de pendelboten een teken om op te schieten. De arme sloebers met al hun bagage renden half struikelend over het zand, waar ze een rij vormden voor zijn tafeltje. Minke herkende de man achter de tafel als dokter Pirie, een Boer die uit het noorden was gekomen om Dietz' arbeiders te behandelen. Minke had van Tessa de naam van de nieuwe dokter gehoord. Dietz verbood zijn mannen om naar dokter Tredegar te gaan, omdat hij morfine voorschreef, waardoor ze lui werden. Dokter Pirie, zo ging het verhaal, geloofde dat hard werken de enige manier was om ziekten te bestrijden.

Helemaal aan het eind daalden vier verdwaalde passagiers de loopplank af: drie mannen en een vrouw. De vrouw was duidelijk Europees, zag Minke aan haar groene jas. Geen enkele vrouw in Zuid-Amerika zou zoiets ooit kopen of zo agressief rondlopen. Ze bleven staan en controleerden hun bagage, maar de mannen bleven bij de vrouw uit de buurt. Blijkbaar hoorden ze niet bij elkaar, concludeerde Minke.

Dietz leidde haar aandacht weer af. Hij had veertig of vijftig man verzameld, die in de rij voor dokter Pirie stonden te wachten. Een voor een namen ze plaats tegenover de dokter, zodat hij hun papieren kon bekijken. Daarna onderzocht hij hun handen, hun ogen en hun tong, voordat hij hen naar een volgende rij verwees. Ten slotte zouden ze allemaal naar de barakken bij de oliebronnen vertrekken. Dietz was nog een paar keer op olie gestuit, en sommige bronnen lagen in Comodoro zelf.

De vrouw die van de boot was gekomen zei iets tegen Dietz. Ze had zich dik ingepakt, met een hoed en een sjaal om haar gezicht gewikkeld tegen de wind. Dietz wees langs het strand en de vrouw ging vastberaden op weg.

Ze was op zoek naar Sander! Sander, nota bene. Sterker nog, ze rende op hem toe, spreidde haar armen en omhelsde hem uitvoerig. Wie kon dat zijn, in vredesnaam? Griet? Sander en de vrouw spraken nog even, en ze maakte hem aan het lachen. Toen draaide Sander zich om naar Minke en wees waar zij zat, op het kademuurtje, met de andere moeders. De vrouw bracht haar hand omhoog om haar ogen te beschutten tegen de zon. Ze zwaaide enthousiast. Minke zwaaide terug, maar had nog altijd geen idee. De vrouw rende over het strand naar haar toe, terwijl ze haar rokken hoog optilde. Aan de voet van het kademuurtje bleef ze staan, buiten adem.

'Minke!' riep ze tegen haar. 'Ik ben het. Fenna!'

# 11

FENNA RENDE HET pad op en omvatte Minke en Zef in een verpletterende omhelzing, voordat ze een stap terug deed om hen eens goed te bekijken. 'Ik ben hier echt!' hijgde ze buiten adem, met een rood aangelopen gezicht. 'Ik kan het niet geloven. Ik ben twee weken kotsmisselijk geweest, maar hier ben ik dan. Eindelijk.' Ze ontdekte de auto. 'Zelfs Sanders auto, Minke. Ik herinner me die auto nog!' Ze wierp zich op de motorkap, spreidde haar armen en drukte haar wang tegen het warme gele metaal. Nu pas scheen ze Zef echt te zien, hoewel ze hem met haar omhelzing bijna had gesmoord.

'Zef,' was alles wat Minke kon uitbrengen.

Fenna plukte het kind uit Minkes armen en hield het omhoog. Zef nam haar al even aandachtig op, deze nieuwe persoon, lachte toen en wapperde blij met zijn kleine handjes.

'Hij vindt me leuk,' zei Fenna, en ze gaf hem aan Minke terug.

Minke bleef haar maar aanstaren. Ze kon eenvoudig niet verwerken dat haar zus hier zomaar was opgedoken. Fenna's jas zat scheef en dus concentreerde ze zich op dat detail, het bewijs dat het inderdaad Fenna was, omdat een van haar schouders altijd wat hoger had gezeten dan de andere. Jassen vertoonden daarom een plooi bij de lage kant van haar hals en kropen op aan de andere zijde, wat een permanent slordige indruk wekte.

'Wat is er?' vroeg Fenna met een grote grijns. 'Tong verloren?'

'Het is zo raar om je hier te zien,' zei Minke.

'Nou, ik ben er toch echt,' zei Fenna streng, en ze zette haar handen op haar heupen.

'Ik had geen idee.'

'Dat is niet mijn schuld, Minke.'

'Ik heb het niet over schuld, Fenna. Je vroeg me wat er aan de hand was, en dat probeer ik je uit te leggen. Mag ik niet gewoon verbaasd zijn?' Ze waren alweer aan het bekvechten, zoals vanouds.

Even later stapten ze in de auto en reden de heuvel op naar het huis, een tochtje van nog geen kilometer. Minke zag de hele stad door de ogen van haar zus. Zelf was ze inmiddels gewend aan de open greppels met olie; zelfs de lucht viel haar niet meer op. Maar voor Fenna was het nieuw. 'Het stinkt hier nog erger dan thuis.' Ook de roestige ijzeren wanden van het huis en de betonplaten op het dak ontgingen haar niet. 'Waarom ligt al die rommel op het dak?'

'Om het op zijn plaats te houden,' zei Minke.

'Waarom maak je het dak niet gewoon aan het huis vast?' Fenna stormde naar binnen zonder op een antwoord te wachten. 'Waar moet ik slapen?' vroeg ze, terwijl ze een blik door de kleine ruimte wierp. 'Mama zei dat jullie in een groot huis zouden wonen, met genoeg plek voor mij. Maar dit is nogal krap, allemaal. Heel anders dan ik het me had voorgesteld. Ik dacht dat we rijk zouden zijn. Dit is niet te geloven. Gewoon een aarden vloer, als bij de boeren!'

'Rund.' Het was de ergste belediging, maar Fenna verdiende het, met haar minachtende praatjes.

'Jij kunt Marta's plaats innemen,' zei Sander.

'Sander!' zei Minke. 'Ik heb Marta nodig.' Dit kon hij haar niet aandoen. Minke vertrouwde helemaal op Marta, met haar zachte stem, haar vriendelijke karakter en haar grote kennis. 'Je kunt Marta niet wegsturen omdat Fenna toevallig komt opdagen. Dat is schandalig!' siste ze.

'Toevallig?' zei Fenna. 'Niet echt. Je man heeft me zelf laten komen.'

Minke dacht dat ze het verkeerd verstaan had. 'Zonder met mij te overleggen?'

'Je hebt hulp nodig met de baby. Zij kan Marta vervangen. En ze spreekt Hollands. Je klaagt altijd dat hier niemand Hollands spreekt. Ik hoef helemaal niet met jou te overleggen,' verklaarde hij. 'De zaak is geregeld.'

'Zij gaat niet voor Zef zorgen, Sander. Ik wil het niet hebben.'

'Ze doet gewoon wat ik zeg.'

'Ik kan koken,' zei Fenna. 'Ik hoef niet voor de baby te zorgen. Wijs me de keuken maar.'

Minke wees naar de tafel met de verzameling gasbranders.

'Is dat jullie keuken?' Fenna liep erheen om de zaak te inspecteren.

Sander sloeg zijn armen om Minke heen. 'Wees nou niet boos op je Sander,' zei hij. 'Het komt allemaal wel goed, dat beloof ik je. Maar nu moeten we ons verzoenen en Fenna verwelkomen in ons huis.'

Ze gingen in de kleine voorkamer zitten en dronken cognac uit kleine glaasjes om Fenna's komst te vieren. Fenna zocht in haar tas en haalde er iets uit dat in wit vloeipapier zat verpakt, dichtgebonden met een rood lint. 'Dit heeft mama je gestuurd.'

Minke voelde dat het mama's kleine zilveren sieradenkistje

moest zijn. Mama had het van haar eigen moeder gekregen, en als kind had Minke graag haar vinger over de reliëfs op de zes kanten laten glijden terwijl mama haar de betekenissen uitlegde: liefde, harmonie, vertrouwen, waarheid, trouw en tederheid. Ze voelde zich overweldigd door herinneringen aan thuis.

'Alles gaat helemaal verkeerd,' zei Fenna. 'Papa is zijn baan kwijt en we verhuren nu kamers. Ik slaap weer bij mama en papa in de bedstee. Ze snurken en ze stinken. Erger nog dan hier.' Ze had haar jas uitgetrokken en droeg dezelfde geruite jurk als op de dag dat Sander bij hen thuis was gekomen, veel te diep uitgesneden voor zo'n forse meid.

'Wat is er voor nieuws over de oorlog?' vroeg Sander.

Fenna haalde haar schouders op. 'De Duitsers hebben een Nederlands schip in beslag genomen en de Duitse vlag gehesen. Stomvervelend, allemaal, als je het mij vraagt.' Ze leek op mama, vooral in de manier waarop ze naar voren en achteren wipte op haar stoel als ze iets duidelijk wilde maken. 'Mama zei dat je eenzaam en verdrietig zou zijn.'

'Ik ben helemaal niet eenzaam en verdrietig,' zei Minke. 'Ik ben juist erg gelukkig.'

'Dus je vindt het wel lekker.' Fenna knipoogde tegen Sander.

'Lekker? Wat?' Ze liet zich door haar zus niet op de kast jagen. Per slot van rekening was *zíj* de getrouwde vrouw van hen tweeën – en de vrouw des huizes.

'Sander, is ze nog altijd zo'n ijsprinses, of heb je haar ontdooid?'

'Let op je woorden in dit huis, Fenna,' waarschuwde Minke.

'Ik vraag gewoon wat!' zei Fenna verontwaardigd. 'En aan Sander, niet aan jou.'

Sander keek toegeeflijk van de een naar de ander, alsof ze zijn twee kibbelende kinderen waren.

'Je zus is er eentje om rekening mee te houden,' zei hij later die avond, toen ze zich gereedmaakten om naar bed te gaan.

'Hoe bedoel je?' Minke wist precies hoe hij het bedoelde, maar ze wilde het hem horen zeggen – wat iedereen thuis ook altijd zei. Hoe onvoorstelbaar het was dat ze zussen waren. Zo verschillend. Als water en vuur. Ze kon hem van alles over Fenna vertellen, hoe moeilijk het was geweest om zo op te groeien, extra braaf en extra lief, om papa en mama geen problemen te bezorgen, vanwege Fenna. En nu was Fenna hier. Nu was ze *hún* probleem.

'Ze is niet op haar mondje gevallen.'

'Dat is nog vriendelijk uitgedrukt,' snauwde Minke. 'Schelden en pesten, dat kan ze.'

Sander zat op de rand van het bed in zijn ondergoed, bezig zijn sokken uit te trekken. Maar hij hield stil en keek haar aan. 'Hebben we nu ruzie?'

'Nee. Ja.'

'Waarom? Wat heb ik gezegd?'

'Het gaat erom wat je hebt gedáán, Sander. Je hebt Fenna uitgenodigd zonder een woord tegen mij te zeggen. Ik ben totaal verbijsterd.'

'Je hebt toch hulp nodig? Ik dacht dat je blij zou zijn. Ik begrijp je soms niet, Minke.'

'Mama wil niets meer met haar te maken hebben.'

'Hoe weet je dat?'

'Omdat ik mijn moeder ken.'

Sander liet zich lachend op het bed vallen. 'Kom hier,' zei hij.

Ze kwam naast hem liggen.

'Laat haar morgen de stad zien. Stel haar voor aan die jongen, Pieps. Misschien heeft hij werk voor haar. En als hij een vrouw zoekt, wat ongetwijfeld zo is,' zei Sander lachend, 'zijn we binnen de kortste keren van haar verlost.'

Minke verstijfde bij die gedachte. Daar voelde ze helemaal niets voor. Pieps was háár vriend.

Sander moest haar reactie hebben bespeurd. 'Wat is er?'

'Dat lijkt me nogal logisch. Hij is een denker, Fenna een doener.'

'Veel mannen houden van een actieve vrouw.' Hij legde een hand op haar borst, maar ze draaide weg. 'Wat nu weer?' vroeg hij.

'Ik kan niet vrijen. Ik ben weer zwanger.'

'Opnieuw?' Hij liet zich op zijn rug vallen. 'Is één kind niet genoeg voor je?'

Ze had er zo naar uitgezien het hem te vertellen. Nu voelde ze zich ongelukkig. 'Nou, ik heb het niet in mijn eentje gedaan.' Hij zei niets. 'We zijn er allebei verantwoordelijk voor,' voegde ze er bedremmeld aan toe.

'Elisabeth regelde dat soort dingen.' Hij wreef met zijn handen over zijn gezicht.

'Als je geen kinderen wilde, Sander, waarom ben je dan met me getrouwd?'

'Geef me even de tijd om het te verwerken,' zei hij.

'Ik dacht dat je blij zou zijn.'

'Maar goed dat je zus is gekomen, nu.'

De volgende morgen was Minke misselijk, dus was het Sander die Fenna meenam om Pieps te ontmoeten. Later meldde hij dat Fenna totaal niet onder de indruk was. Na al die vissers in Enkhuizen, zei ze, had ze genoeg van mannen die naar dierendarmen stonken. Het goede nieuws was dat ze ook naar het hotel waren gegaan, waar Meduño één blik op Fenna in haar laag uitgesneden geruite jurk had geworpen en haar meteen had aangenomen. Binnen een ochtend was alles dus opgelost. Beter nog, want Marta kon blijven helpen met Zef, maar sliep nu wel in haar eigen huis. Fenna zou 's middags en 's avonds in het Explotación werken. En Sander had zijn handen vrij voor het werk in de *obras*, waar hij de administratie, de financiën en het voorraadbeheer regelde, terwijl Cassian toezicht hield op de productie.

De week daarop wandelde Minke met Fenna naar de *obras*. Ze duwden Zef in zijn gammele kinderwagen over het hobbelige pad. Minke wilde haar zus laten zien hoe groot en belangrijk de fabriek was. Het laboratorium, weggestopt achter de Cerro, had zich inmiddels uitgebreid tot Cassians huis en een paar grotere bijgebouwen, waaronder een grote ijzeren schuur met schoorstenen voor de permanente afvoer van de sterke opiumdampen. In een ander gebouw werd het medicijn gebotteld en in het midden lag een grote binnenplaats waar de pasta werd gedroogd op metalen platen in de zon, beschut tegen de wind.

Twee jonge mannen hielden de wacht bij de ingang. De kolf van hun pistool stak boven hun broeksband uit. Ze maakten allebei een lichte buiging voor Minke, een gebaar dat zeker indruk moest maken op Fenna. Minke bleef staan en stelde haar zus aan hen voor.

'*Hola, señorita*,' zeiden de jongens.

'*Hola* terug,' zei Fenna, en ze wiebelde met haar boezem naar hen.

'O, Fenna!' lachte Minke toen ze waren doorgelopen. 'Je bent onverbeterlijk.'

Aan het eind van de binnenplaats stonden acht of negen mensen met verschillende ziekten te wachten op Cassian en hun medicijn. Weer begroette Minke iedereen. 'Dat zijn onze klanten,' zei ze. 'Zij betalen de rekening.'

'*Hola!*' riep Fenna luid, maar onverstaanbaar door haar accent. '*Hola, hola!* Nou, hoe klonk dat?'

Vanaf de binnenplaats stapten ze het kamertje binnen dat Sander als kantoor gebruikte. Het was eigenlijk een hoekje van een grotere ruimte, afgescheiden door een opgehangen deken en nauwelijks groot genoeg voor zijn bureau en zijn stoel. Het bureau lag bezaaid met papieren, in een grote wanorde; heel ongebruikelijk voor Sander, die meestal erg netjes was.

'De lieftallige zusjes Van Aisma!' riep hij, terwijl hij opstond. Hij droeg een donker vest over een fris wit hemd en zag er heel knap uit met zijn amberblonde haar, dat hij nu vrij lang droeg. Hij haalde stoelen voor hen, nam Zef op schoot en draaide met hem rond om de baby aan het lachen te maken.

Fenna onthaalde Sander op roddels uit Enkhuizen, dezelfde verhalen die ze al aan Minke had verteld, over de dominee – de ouwe snoeper die ook op hun bruiloft was geweest. Hij was dood aangetroffen, bevroren in een ijsschots aan de oever van de Zuiderzee. 'En je herinnert je vrouw Ostrander toch wel?' vroeg ze aan Sander.

'De buurvrouw.' Minke had genoeg van Fenna's verhalen en het ergerde haar dat Sander ze zo amusant vond. 'Haar man is in een gracht gevallen.'

'Laat mij het maar vertellen,' zei Fenna.

'Verdronken?' vroeg Sander.

'Nee, dronken,' zei Fenna opgetogen. 'Dat was zijn redding, zeiden ze. Hij was zo ontspannen dat hij aan de oppervlakte bleef drijven.' Ze dacht even na. 'Er is ook een Amerikaan gezien, een lange man in een bruin pak, die door de stad liep. Volgens de mensen had hij iets met de oorlog te maken. Een spion.'

'Onzin. De Amerikanen bemoeien zich niet met de oorlog,' zei Minke vermoeid.

'De Amerikanen bemoeien zich overal mee,' zei Sander.

'Zie je wel?' zei Fenna. 'Dat zei ik je toch?'

Op dat moment arriveerden er twee gaucho's met hun rode

*bombachas* en grappige platte hoeden. Ze stelden zich in de rij op voor hun morfine. 'Kijk! Dat zijn gaucho's.' Minke wees naar hen. 'Zie je hoe ze zich kleden? Dat dragen ze allemaal. En kijk hoe ze lopen. Ze hebben allemaal kromme benen doordat ze altijd te paard zitten.'

'Ze stelen kleine meisjes,' zei Sander. Fenna spitste haar oren.

'Dat is maar een gerucht,' zei Minke. 'De mensen vertellen de vreselijkste dingen over hen, maar het is nooit bewezen.'

'Wat zeggen ze verder nog?' vroeg Fenna aan Sander.

'Dat ze alleen op hengsten rijden, nooit op merries.'

'Ze jagen te paard,' zei Minke. 'Ze eten te paard en waarschijnlijk slapen ze ook te paard. Ze doen alles te paard.'

'Alles?' Fenna knipoogde naar Sander.

'Doe niet zo grof.' Minke was woedend dat Fenna overal iets dubbelzinnigs van maakte.

'Ik zal je zeggen wie er grof is. Jouw vriend Dietz propt geld in de voorkant van mijn jurk als hij de kans krijgt. Dat heb je al vaak genoeg gezien, zeker? Nou, ik hou het geld, maar hij krijgt er niets voor terug.' Fenna sprak tegen Sander alsof zij de enigen waren in de kamer.

'Weet je wat hij verzamelt?' vroeg Minke. 'Op zijn estancia in het binnenland?'

'Hoe moet ik dat weten?' gaf Fenna terug.

'Gekrompen hoofden,' zei Minke. 'Tientallen.'

'Puntje voor jou, Minke. Nu is het mijn beurt weer. Weet je aan wie de mensen hier het meest de pest hebben? Dat zal ik je vertellen: die vriend van jullie.' Ze knikte naar het laboratorium. 'Die Tredegar.'

'Wat weet jij daarvan?' vroeg Sander.

'Nou, met al die jongens!' zei Fenna.

'Zijn personeel?' vroeg Minke. 'Wat is daarmee?'

Fenna rolde met haar ogen.

'Ze wérken hier,' zei Minke. 'Hij zorgt goed voor ze.'

'O, vast wel,' zei Fenna. 'En jij steekt je kop in het zand, zoals gewoonlijk.'

'Wat zeggen ze dan, Fenna?' drong Sander aan. 'Over dokter Tredegar?'

'De mannen aan de bar praten over hem. Ze pesten de vaders van de zoons die daar wonen en werken.' Fenna wees uit het raam. 'En die vaders schamen zich dood.'

'En wat zeg jij?' Minke stootte haar zus harder aan dan haar bedoeling was. 'Wat zeg jij, als mensen zulke dingen beweren?'

'Ik verdien mijn fooien door mijn mond te houden over dat soort zaken.'

'En verder, Fenna? Moeten we verder nog iets weten?' vroeg Sander.

'Ze zeggen dat hij een staart heeft onder die mooie kleren van hem, en gespleten hoeven. Mensen hebben het gezien. En hoorntjes, als je goed kijkt onder dat dikke haar. Passen jullie maar op. Want wie met pek omgaat, wordt ermee besmet.'

# 12

Alsof Fenna's woorden de poorten van de hel hadden geopend, werd Cassian een week later overvallen door een groep mannen op het pad achter de Cerro. Zijn kleren werden van zijn lijf gerukt en ze lieten hem voor dood achter, naakt op het grindpad. Fortunato, een van de bewakers van de *obras*, vond hem daar een paar uur later. Het eerste waar de jongen aan kon denken was dat hij Sander moest waarschuwen. Het was vier uur in de ochtend, al bijna licht, toen Minke en Sander – die Zef bij Fenna hadden achtergelaten – zo snel als ze konden over het rotsachtige pad naar de plek van de overval reden. Fortunato had een deken over Cassian heen gelegd en tilde die nu op om zijn naakte dijbeen te laten zien, dat veel korter leek dan normaal.

Cassian kreunde dat zijn dijbeen was gebroken. De helften van het bot waren langs elkaar heen gegleden door de kracht van zijn spieren. 'Trek het bot los,' hijgde hij. 'Nu!' Ondanks de pijn gaf hij hun zijn instructies. Fortunato trok aan Cassians voet, terwijl Sander zijn bovenlichaam onder de oksels vastgreep om de uiteinden van het bot uit elkaar te houden en te voorkomen dat de scherpe randen de ader zouden opensnijden.

'Ga hulp halen!' riep Sander over zijn schouder naar Minke.

Zonder zich te bedenken slingerde ze de motor aan, sprong in de auto, schakelde als door een wonder meteen naar de eerste versnelling en stormde over de vlakte naar de barak van het olieveld, een lang gebouw van maar één verdieping, zonder ramen. Daar bonsde ze met haar vuist op de deur. Binnen hoorde ze mannen roepen en vloeken. 'Dokter Pirie!' riep ze. 'Het is dringend!'

De deur ging open en daar stond Dietz, met zijn ogen nog halfdicht.

'Cassian is gewond.'

'Gewond? Hoe?'

'Waar is dokter Pirie?' riep ze wanhopig.

'Beheers je nou toch,' zei Dietz. 'In hemelsnaam.'

'Ze kunnen hem niet eeuwig zo vasthouden.'

'Ik begrijp er niets van. Vasthouden? Wie?'

'Dokter Pirie!' schreeuwde ze, in de hoop dat de dokter binnen gehoorsafstand was.

Dietz greep haar bij haar schouders. 'Luister naar me, meisje. Hou op met schreeuwen. Nu! Je maakt mijn mannen wakker. Pirie is hier niet. Wat is er gebeurd?'

'Dokter Pirie!' schreeuwde ze weer.

Dietz draaide zich om, verdween in de donkere barak en liet de deur achter zich dichtvallen.

Ze kon maar één ander bedenken. In paniek reed ze over de vlakte naar het noorden, op weg naar de bakstenen hutten van de vilders. Vijf of zes mannen stonden achter de tafels van de stinkende werkplaats. Pieps wierp één blik op haar, liep mee naar de auto en klampte zich vast toen ze rond de Cerro stormden. Door alle stofwolken die de auto achter zich opwierp moesten de mensen nu wel weten dat er iets aan de hand was. Boven het geloei van de motor uit vertelde ze Pieps wat er was gebeurd.

Sander en Fortunato zaten nog altijd in dezelfde houding waarin ze hen had achtergelaten, doodmoe van de kracht die ze op Cassians been moesten uitoefenen. Pieps nam het over van Sander, en Cassian vertelde wat ze moesten doen. Een stok zoeken, langer dan zijn been. Dan, zonder het been los te laten, het ene eind van de stok in de schoen aan de voet van het gebroken been zetten, met de andere schoen tegen zijn kruis, om de stok zo vast te klemmen. Daarna kon de spalk worden vastgebonden met stroken van hun kapotgescheurde hemden. Zo moest hij naar huis worden gedragen.

Toen ze hem eindelijk in bed hadden, sponsde Minke het geronnen bloed weg. Zijn huid was paars verkleurd en hij had striemen over zijn hele zij.

'Wie heeft dit gedaan?' vroeg ze.

Cassian lag te beven, alsof de angst en de schok nu pas vat op hem kregen. '*Schwul.*' Zijn stem brak van emotie. Dat zeiden ze: *Schwul.*'

'*Schwul?*' vroeg Fortunato.

'*Maricón*,' fluisterde Cassian tegen de jongen. En tegen Minke: 'Flikker.'

Fortunato sloeg een kruisje. Minke deinsde terug bij het horen van dat woord. In Nederland kon je als flikker met stenen worden bekogeld. Ze voelde haar knieën knikken. Cassian een flikker? Goed, ze had hem een man zien zoenen, die avond, en ze had hem gezien op de *Frisia*, met die slaperige jongens, en zelfs hier in de *obras*. Maar ze zou hem nooit een flikker hebben genoemd. Dat was iets heel anders – gevaarlijk, verdorven, bedreigend. Een soort boeman. Dat was Cassian allemaal niet. Hij was anders dan anderen, maar vriendelijk en aardig. Hij zou geen vlieg kwaad doen.

Ze hoorde paardenhoeven en stapte naar buiten om te zien wie eraan kwam. Het was Dietz, die de binnenplaats op galoppeerde, met Fenna achter zich in het zadel. Hij reed een paar rondjes. 'Waar was je nou? God, mens, toen ik weer buiten kwam, was je verdwenen. Wat mankeert je? Ik ben naar je huis gereden, en daar trof ik Fenna.'

'Waar is Zef?' schreeuwde Minke tegen Fenna. 'Wie past er op hem?' Was de hele wereld gek geworden?

'Hij is diep in slaap. Alles in orde.' Fenna drukte zich tegen Dietz aan, blijkbaar toch niet zo afkerig van zijn avances.

'Ga terug naar huis en blijf daar!' beval Minke.

'Ik ben je slaafje niet.' Fenna liet zich van het paard glijden. 'Jij bent zijn moeder. Ga zelf maar.'

'Sander, zeg dat ze teruggaat. Nu meteen! Zef is daar alleen. Mijn baby is helemaal alleen!'

Dietz reed nog steeds rondjes op zijn paard. 'Wie heeft het gedaan? Heeft Cassian dat gezien?'

'Breng Fenna onmiddellijk weer naar huis!' schreeuwde Minke tegen hem.

Dietz negeerde haar. 'Dus hij weet niet wie het waren?'

'Misschien heeft Meduño iets opgevangen,' zei Sander. 'Ik ga wel naar het hotel om navraag te doen.'

'Als je maar niet blijft om faro te spelen.' Minke keek hem woedend aan. Sinds de geboorte van Zef zat Sander steeds vaker in de bar van het hotel om geld over de balk te smijten.

'Meduño heeft de pest aan flikkers,' zei Fenna.

'Ik breng Fenna wel terug,' zei Dietz. 'Kom, Fenna, dan help ik je omhoog.' Hij stak een hand uit, maar Fenna stapte in de auto.

'Ik rij met mijn zwager mee,' zei ze.

Toen de auto was vertrokken, verdwenen Minke en Pieps weer naar binnen, terwijl Dietz op zoek ging naar iemand om voor zijn paard te zorgen. Ze trokken twee stoelen bij Cassians bed. Cassian had een flinke dosis morfine genomen en ademde nu regelmatig.

'Ga hier weg,' fluisterde Pieps zo dringend tegen Minke dat ze ervan schrok.

'Nee, ik moet bij hem blijven.'

'Ik bedoel uit Comodoro. Jij en je man, je baby en je zus.' Hij wees naar Cassian. 'Jullie allemaal.'

'Ben je gek? Dit is ons thuis, ons bedrijf.'

'Eerst hij, daarna Sander.'

Ze keek hem onderzoekend aan. Zijn gezicht stond ernstig. 'Maar Sander is toch niet...'

'Dat maakt niet uit. Ze scheren jullie allemaal over een kam. Jullie zijn samen met Cassian hier aangekomen. Jullie hebben samen een zaak.'

'Wie bedoel je met "ze"? Wie hebben dit gedaan?'

'Ik heb geruchten gehoord op mijn werk.'

'Wie?' Het was beangstigend om te horen dat mensen over hen praatten.

'Er zijn hier veel katholieken. In hun ogen...' Pieps wierp een blik op Cassian. 'In hun ogen zondigt hij tegen de wetten van de natuur, het ergste wat een mens kan doen. En in hun ogen staan Sander en jij dat toe. Sommigen van hun zoons werken hier. Dat brengt schande over hun familie.'

'Maar Cassian is goed voor hen. Hij behandelt hen goed en ze krijgen een eerlijk loon.'

'Minke, word wakker. Ze haten hem, en jullie dus ook. Hij is jullie vriend en hij stort hun zoons in het verderf.' Die woorden klonken nog eens zo dreigend omdat ze afkomstig waren van Pieps, die altijd zo zorgeloos was, zo tevreden met de wereld. Minke was gedwongen zichzelf en haar gezin in een heel nieuw licht te zien – als verdorven, zelfs boosaardig. En bescherming was iets wat binnen een oogwenk kon verdwijnen.

Ze kwam overeind, zo geschrokken van Pieps' woorden dat ze begon te ijsberen en diep moest ademhalen om weer tot zichzelf te komen. 'Ik heb altijd geleerd dat het belangrijk is om stand te houden als je onschuldig bent, in plaats van te vluchten.'

'Heel mooi, maar ook naïef. We zitten hier niet in Europa, Minke.'

'Dat zou geen verschil moeten maken.'

'Maar dat doet het wel.' Hij stond op, kwam naar haar toe en greep haar handen stevig vast om zijn waarschuwing te benadrukken. 'Wij zijn helemaal naar Argentinië gekomen. We doen alsof de wetten van het land waar we vandaan komen ons kunnen beschermen, maar die wetten bestaan hier niet. Er *zijn* nog helemaal geen wetten, geen gezamenlijke afspraken. Begrijp je het dan niet? Om wetten te kunnen instellen moet iedereen het eens zijn over de regels. En dat is hier niet zo.'

Ze keek in zijn ogen en toen naar de slapende Cassian. 'Het waren Duitsers die hem dit hebben aangedaan, geen Argentijnen. Ze scholden hem uit in het Duits.'

'Ze zijn geen Duitsers meer. Zoals wij geen Hollanders meer zijn.'

'Cassian heeft nooit iets misdaan! Het is niet eerlijk.'

'Kijk me aan, Minke. Probeer het te begrijpen. Het gaat er niet om wat hij heeft gedaan, maar wie hij is.'

'Ik stoor toch niet?' Dietz' gladde, vettige stemgeluid vulde de kamer, en hoewel Minke de neiging had Pieps' handen onmiddellijk los te laten, deed ze dat niet. Ze liet zich niet door Dietz intimideren. Pieps wilde een stap terug doen, maar ze hield zijn handen vast.

'Wat is er?' vroeg ze.

'Is de brave dokter al wakker?'

'Nee. Dat zie je toch?' fluisterde ze, nog altijd met Pieps' handen in de hare. 'En schreeuw niet zo.'

'Waarschuw me als hij wakker wordt,' zei Dietz.

Pas toen Dietz was verdwenen, trok Minke haar handen terug.

'Hij is een slang,' zei Pieps.

Fortunato en nog een paar arbeiders van de *obras* verschenen in de deuropening.

'Cassian,' zei ze zacht. Hij deed één oog open; het andere was dichtgeslagen en gezwollen. 'Vertel ons wat we met je been moeten doen.'

Ze waren er allemaal bij nodig, alle zeven: Minke, Pieps, Fortunato en de vier arbeiders van de *obras*. Het ging stap voor stap, met zoveel pijn dat Cassian twee keer flauwviel en op een houten stok moest bijten als ze het been bewogen. Ondanks de morfine barstte hij zo nu en dan in een wanhopig snikken uit. De bedoeling was het been te zetten, met de uiteinden van de gebroken botten zo dicht tegen elkaar dat ze weer aaneen konden groeien. Ze vergeleken de lengte met die van zijn goede been, brachten het gips aan en takelden zijn been in een hoek van vijfenveertig graden, met een contragewicht van zandzakken om het strak te houden. Toen ze eindelijk klaar waren, was Minke zo moe dat ze op de grond in slaap had kunnen vallen. Ze vroeg Fortunato en de anderen om bij Cassian te blijven.

Cassian pakte haar hand. Hij was klaarwakker en doodsbang. 'Ga niet weg.'

Ze streek met haar hand over zijn voorhoofd. Zijn huid voelde koud aan. 'O, Cassian,' zei ze. 'Arme, arme man.'

Pieps trok zijn stoel naar Cassians bed toe. 'Ik blijf bij u, dokter Tredegar. Minke moet voor haar baby zorgen.'

'Morgenochtend ben ik weer terug, zo vroeg als ik kan,' beloofde ze.

Tranen welden op in Cassians ogen. 'Ik wilde je niet bij Zef vandaan houden.'

'Hij komt ook, morgen.'
Cassian glimlachte moeizaam.

Vlak voordat ze bij het huis kwam, zag ze rookwolken in het westen. De gaucho's waren terug; het enige goede nieuws van die hele dag. Als ze Goyo zag, zou ze hem Zef laten zien en hem bedanken voor het maté-kopje.

Binnen vond ze Fenna en Sander aan de keukentafel, met een halve fles cognac tussen hen in. Fenna zat met gespreide knieën, leunend op haar ellebogen, als een man.

'Waar is Zef?' vroeg Minke.

Fenna knikte naar de kinderkamer. 'Hij slaapt.'

Minke sloop naar binnen. Hij lag ineengerold en zoog op zijn duim terwijl hij sliep. Ze kuste zijn voorhoofd en trok zachtjes zijn duim uit zijn mond, zonder hem wakker te maken. Toen stopte ze hem weer in.

'Hoe ging het in het hotel?' vroeg ze aan Sander toen ze terugkwam.

'Dat vertelde ik net aan Fenna,' zei hij.

'Vertel het mij ook maar.'

Sander leunde zwijgend naar achteren, als teken dat haar toon hem niet beviel. Minke was te moe en ongelukkig om ruzie te maken. 'Alsjeblieft,' zei ze.

'Ik heb een beloning uitgeloofd en briefjes opgehangen in het hotel en de Almacén.'

'Die beloning was mijn idee,' zei Fenna. 'Mensen willen wel praten als ze er beter van worden.'

'Maar wat zei Meduño?'

Sander kneep in de brug van zijn neus. 'Dat dit soort dingen gebeurt.'

'Ze hadden Cassian wel kunnen vermoorden.'

'Hij heeft een gebroken been,' zei Fenna. 'Hij overleeft het wel.'

'Meduño opperde dat een van de arbeiders van de *obras* het had gedaan,' zei Sander.

'Ze kunnen heel goed met elkaar opschieten, daar. Geloof je dat echt, Sander? Dat het een van de arbeiders kan zijn geweest?'

'Het wordt tijd om naar mijn werk te gaan,' zei Fenna.

'Luister naar wat de mensen zeggen, wil je? Iemand zal wel iets loslaten,' zei Minke.

Fenna salueerde.

Minke bleef angstig na die overval op Cassian, net als in de begintijd, alleen had ze hem niet meer als steun, omdat hij nu van háár afhankelijk was. Elke dag ging ze naar hem toe om hem te wassen en zijn po leeg te gooien.

Zijn sofa stond in de voorkamer, met kussens en spreien die hij kon arrangeren zoals hij het prettig vond. De hele vloer lag bedekt met Perzische kleden, die de kamer een warme, enigszins exotische sfeer gaven. De leren stoel stond naast het bed. Soms praatten ze samen, soms ook niet. Minke oefende haar Engels, dat in de loop van de tijd steeds beter was geworden. Zo nu en dan lag Cassian te beven en te schokken als iemand die dreigde dood te vriezen. Op andere momenten lag hij slap en ademende hij zo oppervlakkig dat ze bang was dat hij doodging. *Je kunt het,* zei ze voortdurend tegen zichzelf. *Als je maar goed voor iedereen zorgt: voor Cassian, voor Zef en voor de baby die in je groeit.*

'Vergeef me,' zei Cassian op een dag.

Het was vroeg in de ochtend en Minke zat weggedoken in haar leren stoel met een kop zwarte koffie. 'Waarvoor?'

'Zeg alleen dat je het me vergeeft.'

'Er is niets te vergeven.'

'Je weet wat ik bedoel.' Hij lag half ineengerold op zijn zij, als een kind, en keek haar smekend aan.

'Zíj zouden vergiffenis moeten vragen, niet jij.' Ze streek met een hand over zijn klamme voorhoofd.

'Voor wat ik ben...'

Ze boog zich naar voren om hem een kus op zijn wang te drukken. 'Sst. Dat vraagt niet om vergeving.'

'Zeg het, alsjeblieft.'

'Ik vergeef je.'

Hij sloot zijn ogen en zuchtte. 'Zijn ze al gevonden?'

'Nee,' zei ze.

Het tipgeld had een hele reeks beschuldigingen opgeleverd. Mensen wezen naar hun buren, hun schoonfamilie en naar de gaucho's. Uiteindelijk had de uitgeloofde beloning alleen maar tot problemen geleid. Mensen waren kwaad op Minke en Sander dat ze het geld niet kregen, maar hoe zou dat kunnen? Niemand had enig bewijs, alleen maar grieven, en inmiddels was het echtpaar DeVries meer gehaat dan ooit.

Op dat moment kwam Sander binnen. Hij maakte nu lange dagen op de *obras*, omdat hij niet alleen zijn eigen werk maar ook dat van Cassian moest doen. Er hing voortdurend een zoete geur van opium om hem heen, en hij maakte een uitgeputte indruk. Zijn kleren hingen slap om zijn lijf door het werk in al die stoom. Hij wreef in zijn handen, alsof hij ze warmde, met een energie waarvan Minke wist dat het maar schijn was.

'Cassian vroeg of er al iemand met informatie was gekomen,' zei Minke.

Sander schoof een stoel bij. 'O, jazeker. Allemaal onzin.'

'Volgens de bewoners van deze stad is het een wonder dat de gaucho's ons niet allemaal in onze slaap vermoordden,' zei Minke. 'Elk excuus is goed genoeg om hen te beschuldigen.'

'De gaucho's doden soms mensen, Minke,' zei Sander. 'Het is bekend dat ze daar genoegen in scheppen. En ze maken zich ook schuldig aan ontvoering.'

'Dat weet ik wel, Sander,' zei ze. Het was een feit dat de gaucho's hun vijanden doodden. Die verhalen kende iedereen. 'Mensen die hun paarden stelen of hun eer aantasten. Maar het is een belachelijk idee dat ze hier iets mee te maken zouden hebben.'

'Nou.' Sander kantelde zijn stoel naar achteren. 'Hoor je, Cassian? Wat ze allemaal over de gaucho's weet? Ik vraag me of hoe ze aan die wijsheid komt.'

'Als de gaucho's jou hadden willen vermoorden, Cassian,' ging Minke verder, 'dan zouden ze je keel hebben doorgesneden, op klaarlichte dag. Gaucho's plegen geen laffe overvallen in het holst van de nacht. Maar de gaucho's zijn op je gesteld.'

'En hoe weet jij dat allemaal?' vroeg Sander.

'Van Pieps,' zei ze.

'Die jongen is toch Duits?'

'Nee, hij is een Nederlander, en dat weet je heel goed.'

'Pieps zou een woord als *schwul* kennen, of hij nu Nederlands is of Duits.'

Cassian hees zich in zithouding. Zijn slapen waren grijs, waar hij ze niet had kunnen bijkleuren. Hij schudde zijn kussens op, liet zich terugzakken en trok de dekens om zich heen. 'Belaster nou niemand, Sander. Het was zeker niet onze vriend Pieps.'

'En die Duitsers die hier zijn om Petróleo Sarmiento te bekijken?' Dat was de nieuwe naam van Dietz' oliemaatschappij. 'Misschien heeft iemand van hen Cassian overvallen.' Toen

Minke het zei, wist ze al hoe onwaarschijnlijk dat was. Ze leunde naar achteren in haar stoel. 'Pieps mág Cassian.'

'Iemand kan hem hebben ingehuurd. Een man als hij doet alles voor geld.'

'Een man als wat? Waarom heb je zo de pest aan hem? Hij zou nooit een vinger naar Cassian uitsteken.'

'Je schijnt hem goed te kennen.'

'Goed genoeg, in elk geval.'

'Alsjeblieft,' zei Cassian. 'Ik krijg hoofdpijn van jullie. Ga ergens anders ruziemaken. Maar ze heeft gelijk, Sander. Pieps was geweldig voor me.'

'Ben je soms met hem naar bed geweest?'

'Sander!' zei Minke. 'Wat bezielt je toch?'

Cassian raakte haar hand aan. 'Dat ben ik wel van hem gewend,' zei hij met een bleke glimlach. 'Hij is meedogenloos. Nietwaar, Sander?'

'Ik heb je gezegd voorzichtig te zijn, Cassian. Dat is toch niet te veel gevraagd?'

'Dat ben ik ook geweest.' Tranen blonken in Cassians ogen. 'Ik zweer je bij God dat we nooit...'

'Wie was het deze keer?'

'Fortunato,' zei Cassian.

'Die is al lang weg,' zei Sander. 'De eerste die hier vertrok.'

Cassian was zichtbaar geschokt. 'Waar is hij heen?'

'Hij werkt nu voor Dietz. Fenna hoorde het in de bar.'

Cassian draaide zijn gezicht naar de muur.

'Daar zijn ze allemaal naartoe. Hun families willen niet meer dat hun zoons hier werken. We mogen van geluk spreken dat er nog twee man over zijn, anders hadden we de zaak kunnen sluiten.'

'Je zegt het alsof het Cassians schuld is, Sander. Is het niet bij je opgekomen dat de morfineproductie misschien een probleem voor de families is? Daar kleeft een stigma aan. Mensen zien hun zoons liever in de olie werken.'

'Jij kleedt je er anders goed van, lieverd.'

'Pieps vindt dat we allemaal zouden moeten vertrekken,' zei Minke.

'O, hij weer?' zei Sander. 'Ze luistert nu naar hem, en niet naar mij. Wat vind je me daarvan?'

'Fortunato moet doodsbang zijn geweest,' zei Cassian. 'Hij heeft niet eens afscheid genomen.'

'Niemand heeft afscheid genomen,' zei Sander.

'We moeten over geld praten,' zei Cassian.

Minke had Sander ooit geld zien tellen toen hij zich onbespied waande. Hij had het op zijn bureau gelegd om het te tellen, en toen nog een keer. *Liefdevol*, had ze op dat moment gedacht.

'Hoezo geld?' vroeg Sander.

'Wat denk je? Er komt niemand meer morfine kopen. Dietz' mannen krijgen hun medicijnen blijkbaar van die nieuwe dokter, Pirie, en de mensen uit Comodoro redden zich liever zonder medicijnen dan dat ze hierheen komen. Dat bedoel ik met geld,' zei Cassian.

Sander sloot zijn ogen. 'De *Elisabeth* komt terug met grondstoffen. Dan verandert het wel weer.'

'Ik kan geen grondstoffen verwerken zonder hulp, en die hebben we niet,' zei Cassian. 'Jij en ik houden het niet lang meer vol.'

'Als er niet genoeg geld is, waarom blijf jij dan gokken?' vroeg Minke.

'Ik heb je gezegd waarom ik naar dat hotel ga.'

'Mag ik het ook horen?' zei Cassian.

'Het domste zou zijn om uit het zicht te verdwijnen en mijn hoofd te laten hangen. Ik moet zichtbaar blijven in de stad. Alsof we geen problemen hebben.'

'Hoeveel heb je verloren?' Cassians vermoeide blik vertelde Minke dat dit nieuws geen verrassing voor hem was. Ze herinnerde zich een opmerking van Pieps dat Sander ook al aan boord van de *Frisia* had zitten gokken, met de mannen in het vooronder. Ze begon zich af te vragen hoeveel tijd hij eigenlijk aan de kaarttafel zat als hij niet bij haar was.

'Ik win steeds,' zei Sander onverstoorbaar, alsof hij Cassian tartte om hem tegen te spreken.

'Niemand wint steeds,' zei Minke.

'Hoeveel hebben we nog over, Sander?' Cassian liet zich niet overbluffen.

'Genoeg.' Sander stond op. 'Maak je niet druk. Zorg maar dat je beter wordt. Ik kom op ziekenbezoek en ik krijg alleen maar problemen.'

Dit was haar kans om iets te zeggen, nu Cassian haar kon steunen. 'Sander, Tessa en Frederik gaan naar Amerika als ze hun olievelden aan de Duitsers hebben verkocht. Wij zouden ook naar Amerika moeten gaan, een nieuw begin moeten maken. Voor de baby, Sander. Voor Zef. Ik ben zo bang sinds die overval op Cassian. Ik voel overal vijandigheid.'

'Behalve bij die jongen, Pieps.'

Ze huiverde bij de blik die hij haar toewierp, alsof ze een vreemde was.

Een paar dagen later hoorde Minke hoefgetrappel op de binnenplaats van de *obras*. Ze rende naar buiten, met Zef op haar heup, en zag Pieps en Goyo rondjes rijden op twee prachtige gevlekte paarden. Goyo sprong van zijn paard, nam de baby in zijn armen en riep: '*¡Es un muchacho magnífico!*' Zef zette grote ogen op, als van een uil.

'We kwamen helpen,' zei Pieps. 'We hoorden dat jullie mannen wegliepen.'

Sander verscheen bij de deur van de werkplaats om te zien wat al die drukte was. Goyo stapte op hem toe, nog steeds met Zef op zijn arm, greep Sanders hand en feliciteerde hem met zo'n geweldige zoon.

Of Sander het tweetal nu mocht of niet, hij kon hun aanbod niet afslaan en zette hen meteen aan het werk. De hele middag en de weken die volgden hoorden Minke en Cassian hun grappen en hun lach over de binnenplaats schallen. Cassians been begon te genezen. Het zat nog in het gips, maar het lag nu plat op bed en hing niet meer in de takel. Zijn kneuzingen waren verdwenen en zijn stemming was veel beter nu, ondanks de terugkeer van de winter met het voortdurende gejammer van de wind. Zef had ontdekt dat hij zich aan dingen omhoog kon hijsen met zijn dikke kleine vuistjes en zich zo de kamer door kon bewegen naar Cassian, waar hij dan uitgelaten op en neer sprong.

In juli werd Cassians gips weggehakt met hamer en beitel. Het verpulverde gips bleef als een sneeuwbui op de vloer achter. Het been was zo wit dat het wel blauw leek, maar het resultaat was een akelige verrassing. Het bot was weer aangegroeid, dat wel, maar scheef. Als Cassian stond, bleef zijn linkerbeen krom. Bovendien had hij geen gevoel meer in zijn voet.

Zoals gewoonlijk maakte hij zich meer zorgen om Minke dan over zichzelf. De baby moest over tien weken komen, maar ze was nog veel te mager. Cassian hoorde de hartslag van haar kind door zijn stethoscoop, maar toch moest ze veel meer rusten, zei hij. Minke wilde doorgaan met hem te helpen, maar Cassian was onverbiddelijk. Instructies van de dokter, geen discussie mogelijk.

En het was heerlijk om overdag weer thuis te zijn. Ze was zo moe dat ze naast Zef in slaap viel tijdens zijn tukjes. Ze liet het vuur in het fornuis aan en het kleine huis was warm genoeg om bij het raam te kunnen zitten en naar de sneeuw te kijken. Ze dronk de room die haar was voorgeschreven en moest ervan kokhalzen, maar bij de gedachte aan de baby die in haar buik groeide zette ze zich over haar afkeer heen en slikte.

Elke middag, vlak voor hun dutje, wikkelde ze Zef in warme kleren en nam hem mee naar het water, zoals ze ook op die zomeravonden had gedaan. In de winter scheen de zon maar een paar uurtjes per dag, rond het middaguur. Tegen de tijd dat ze vertrokken, was de hemel al bijna donker en ging de zee tekeer. Grote zwarte golven braken tegen de kust in explosies van schuim; een prachtig gezicht. De wind joeg de sneeuw over het zand.

Dikwijls zag ze ruiters over het strand galopperen, met grote wolken zand en ijs achter zich aan, opgeworpen door de paardenhoeven. Zef vond het geweldig en draaide zijn kleine hoofdje van links naar rechts om de ruiters te ontdekken. Hij zag hen altijd eerder dan Minke zelf. Minke had geen idee wie het waren. Ze vertelde het aan Sander, die zei dat het gaucho's moesten zijn. Maar dat was niet zo, wist Minke. De paarden waren niet mooi genoeg, het tuig te simpel, en de berijders lieten hun paarden zweten op koude dagen, wat een gaucho nooit zou doen.

# 13

HET WAS EEN abnormale dag. Na weken van kou was het gaan dooien en voelde het heerlijk warm aan. Tegen het middaguur was de hemel al wazig blauw, en het bleef nog licht tot lang na twee uur. Toen Zef uit zijn middagslaapje wakker werd, deed Minke hem een schone luier aan en nam hem mee naar buiten. Het was veel te mooi weer om binnen te blijven. Ze stak haar handen uit en merkte dat handschoenen niet nodig waren. Even later wandelde ze met hem het paadje af naar het strand. Ze hadden zelfs geen jassen aan. 'Ruik je het, Zef?' vroeg ze hem. 'Ruikt de lucht niet anders? De warmte maakt de geur van de dingen vrij, vandaag.'

Op het strand aangekomen zette ze hem in het zand. Eerst hield hij zich nog aan haar been vast, maar toen liet hij los, deed zelf een paar stapjes en viel toen op zijn bips. Hij lachte, duikelde naar voren, richtte zich weer op en probeerde het nog een keer. Nu steunde hij met zijn handje tegen de kademuur.

Minke lette niet op hem. Ze was helemaal in de ban van deze dag. Terwijl Zef zich amuseerde met zijn pogingen om te leren lopen, spreidde Minke haar armen en draaide om haar as, met haar gezicht naar de zon gekeerd. Ze genoot van dat gevoel, rende naar de waterkant en tuurde over zee. Als ze haar best deed, kon ze zich voorstellen dat ze op de boeg van een boot stond, niet op het land. Ze vouwde haar handen over haar buik en vertelde de baby in haar schoot over de zon en de zee – de plek waar ze geboren zou worden. Want Minke was ervan overtuigd dat dit kind een meisje zou zijn.

Onder haar voeten voelde ze het dreunende geluid van hoefgetrappel, en ze kneep haar ogen tot spleetjes om iets te kunnen onderscheiden in het afnemende licht. 'Zef! Liefje!' Ze wees naar het noorden, de richting waaruit de paarden altijd kwamen. Zef, die met zijn vuistjes tegen het zand klopte en het door zijn mollige vingertjes liet glijden, stopte met wat hij deed. De ruiters waren nog maar jochies, zag Minke, die over het strand reden voor de lol, zo vrij en zo hard mogelijk. Op een dag zou Zef ook zo zijn. Ze zag hen wel vaker komen aanstormen, voordat ze linksaf sloegen, de helling op. Maar de laatste paar keer waren ze rechtdoor gereden. Heel spannend. Toen denderden ze recht op haar en Zef af, bogen af naar rechts en galoppeerden door de branding, in een fontein van zand, ijs en water. Maar nog nooit hadden ze iets tegen haar gezegd.

Vandaag bogen ze niet af. Zef zat versteend als een klein standbeeld. De drie jongens stormden op hen toe, met sjaals voor hun gezicht gebonden. Op het laatste moment hield de voorste ruiter halt. Het paard steigerde en hinnikte. De andere twee haalden hem in en bleven ook staan.

'Ik was al bang dat jullie ons niet gezien hadden,' riep Minke opgelucht. Ze had haar adem ingehouden, bang dat ze onder de voet zou worden gelopen als ze probeerde Zef te redden.

De paarden cirkelden snuivend rond. De ruiters spraken geen woord.

'Hallo!' zei Minke.

Maar het leek alsof ze haar niet zagen of hoorden. Ze wilde om hen heen lopen, naar Zef, die in zijn eentje aan de andere kant zat, maar opeens ontstond er een chaos. De ruiters rukten aan de teugels, de paarden draaiden gevaarlijk om hun as en het was moeilijk de berijders nog van hun dieren te onderscheiden. 'Hallo,' zei Minke nog eens. Paniek dreigde haar de keel dicht te knijpen. 'Ik moet naar mijn kind toe.'

Een van de ruiters versperde haar opzettelijk de weg.

'Zef?' gilde ze. Ze kon hem niet meer zien. '*No duele al bebé*,' riep ze. Doe de baby geen kwaad. Ze probeerde bij hem te komen, langs de paarden heen, maar weer versperden ze haar de doorgang. '*No duele al bebé*,' jammerde ze nog eens. Ze was Zef uit het oog verloren. Opnieuw wierp ze zich naar voren, zwaaiend met haar vuisten, maar de paarden steigerden en trappelden met hun benen door de lucht, voordat de hele groep rechtsomkeert maakte en in razende galop over het strand verdween. Een diepe stilte daalde neer.

'Zef?' fluisterde ze. Geen reactie. Hij zat niet meer op de plek waar ze hem het laatst had gezien. 'Zef?' Was hij weggekropen, bang voor al die drukte? Ze rende heen en weer, speurend naar haar kind.

'Zef!' gilde Minke, en ze gunde zich een moment om te luisteren. Toen gilde ze opnieuw.

Hij was verdwenen.

# Deel drie

## New York, New York

*April 1914*

# 14

HET DEK STOND vol met mensen toen het stoomschip *Maceió* op een bitterkoude zondag de haven van New York binnen voer. De oevers lagen bezaaid met ijsschotsen en de reling was koud en glad. Een paar honderd passagiers stonden zwijgend en vol ontzag voor zich uit. Het was dezelfde eerbiedige stilte die over de *Frisia* was neergedaald op de dag dat Minke uit de haven van Amsterdam naar Comodoro was vertrokken.

'Net als op de foto's,' fluisterde Minke tegen Cassian. Imposante, betonnen gebouwen verhieven zich wel honderd meter hoog. Andere waren zo breed als tien huizen in Amsterdam. Het silhouet van de stad was onwaarschijnlijk grillig, alsof een tekenaar als een dolle tekeer was gegaan met zijn pen en duizenden kleine ramen en deuren had ingeschetst.

'*¡Estatua de la Libertad!*' riep iemand, en Minke draaide zich om naar het Vrijheidsbeeld met haar metalen mantel en de fakkel boven haar hoofd. Minke pakte Elly's kleine handje. Elly keek om zich heen met haar gebruikelijke verveelde blik, alsof dit niets voorstelde na alles wat ze in haar kleine leventje al had gezien.

Achter het Vrijheidsbeeld rees nog een exotisch bouwwerk uit het water op, als een Europees kasteel met vier torens, helderrode baksteen, wit omrande ramen en hoge bogen boven de drie deuren aan de voorkant. Eén blik deed Minkes hart al bonzen van opwinding en angst. Ellis Island. *Sander.* Ze kon zich nauwelijks beheersen bij de gedachte om hem terug te zien na al die tijd, deze nacht weer in zijn armen te liggen en hem aan zijn kleine dochter voor te stellen. Voor het eerst sinds Zefs verdwijning voelde ze een straaltje hoop – een ongelooflijke luxe.

Maar tussen dit ogenblik en het moment waarop ze zich in Sanders armen kon werpen lag nog die beproeving. Een vrouw aan boord van de *Maceió* had haar beangstigende verhalen verteld over wat zich op Ellis Island afspeelde. Madame Gill deed Minke aan Tessa Dietz denken – haar manier van spreken, met grote handgebaren, maar dan zonder papegaai en met een wat vriendelijker karakter. Ze zat aan het hoofd van de lange houten eettafel, en mensen luisterden naar haar alsof ze de messias zelf was, omdat ze Ellis Island al eens was gepasseerd. Er gingen de wildste geruchten over wat daar gebeurde: pijnlijke medische onderzoeken, lastige vragen. 'Ze doen hun uiterste best om mensen weer terug te sturen,' zei Madame. 'Ze willen alleen sterke, gezonde, rijke immigranten in Amerika. En u...' Ze wees naar Cassian. 'Met dat manke been zit u alweer op volle zee voordat u één teug Amerikaanse lucht hebt ingeademd! U mag niet hinken op Ellis Island. Begin maar meteen te oefenen, want er zijn spionnen die ons allemaal in de gaten houden.'

Met hulp van Minke en Madame had Cassian geoefend de scheepstrap te beklimmen zonder te hinken. Hij moest zijn goede been enigszins gebogen houden om het net zo kort te maken als zijn slechte been. Dat was heel vermoeiend, en de eerste keer kwam hij maar een paar treden omhoog. Maar Minke was een harde leermeesteres. Ze liet het hem eindeloos herhalen, zodat zijn benen steeds sterker werden en hij ten slotte alle twintig treden kon beklimmen, bijna als normaal.

'Pas goed op, dokter Tredegar. U mag hun nooit laten zien dat u hinkt.' Madame Gill liet haar stem dalen en fluisterde tegen de hele tafel: 'De echte test begint namelijk al bij de trap omhoog naar de grote zaal. De immigratiepolitie is overal, maar je kunt ze niet herkennen omdat ze eruitzien als iedereen. Zij moeten van boven en beneden toezien hoe de mensen de trap beklimmen. Soms gaan er in één enkele dag wel duizenden passagiers doorheen. En geloof me, ze weten waar ze op moeten letten. Blijf niet staan om op adem te komen, zelfs als je geen lucht meer hebt. Eén teken van zwakte en ze tekenen een grote L op je schouder, met wit krijt.' Madame schetste met haar vinger een L in de lucht. 'Dat betekent dat je slechte longen hebt en dus het land niet in komt. Nooit hoesten. Probeer maar te slikken. En als ze zien dat je hinkt, maak je ook geen kans. Dan krijg je een LB op je jas: "linkerbeen".

'Erger nog is een X,' ging ze verder, en ze tikte met een vinger tegen haar voorhoofd. 'Dan ben je gek.' Iedereen aan tafel zou zich wel net zo wanhopig voelen als Minke. Blijkbaar moest je volmaakt zijn om in Amerika te worden toegelaten. Ze dacht aan Fenna met haar forse gestalte, aan Sander met zijn charme en zijn knappe kop. Zij moesten zonder probleem door de controle zijn gekomen. Cassian en zij stonden er heel wat slechter voor.

'Ooginfecties zijn het ergst,' preekte Madame. 'Die kun je niet verbergen. De dokter onderzoekt ieders ogen met een vergrootglas.' De mensen aan tafel wierpen meteen een blik naar de anderen, speurend naar tekenen van ziekte.

'En geef alleen antwoord op hun vragen. Zeg nooit iets uit jezelf. Kijk, zo.' Madame draaide zich naar Minke toe. 'Wat is uw naam?' vroeg ze snel en zakelijk.

Minke schrok van die onverwachte wending. 'Eh...' zei ze.

'Niet snel genoeg!'

'Minke Johanna DeVries-van Aisma,' riep Minke.

'En waar wilt u heen?'

Minke slikte. 'Naar Amerika,' zei ze. Dat was nogal logisch.

'Iedereen op dit schip gaat naar Amerika,' zei Madame. 'Wáár in Amerika?'

'Dat weet ik nog niet. Mijn man haalt me van de boot, dan hoor ik het wel.'

'Zeg dan maar New York,' raadde Madame haar aan.

'Ik ga naar New York.'

'Alleen antwoord geven. Je beperkt je tot "New York". Niet "Ik ga naar New York."'

'New York.'

Madame boog zich naar haar toe, totdat ze bijna neus aan neus zaten. 'Bent u een anarchist?'

'Natuurlijk niet! Wat een afschuwelijke vraag.'

'Alleen antwoorden.'

'Nee,' zei Minke.

'Dat vragen ze altijd,' zei Madame met grote voldoening. 'Als je een raar antwoord geeft, denken ze dat je liegt en sturen ze je terug. Ze willen geen anarchisten in Amerika.'

Een paar mensen aan de tafel lachten.

'Niet lachen!' berispte Madame hen. 'Het is een serieuze vraag. Zeg alleen nee. Geen grappen maken, niet glimlachen. Heeft iemand nog vragen?'

'Wanneer zien we onze familie?' vroeg Minke.

'Helemaal aan het eind is de selectietrap, die in drieën is verdeeld. Het linker- en rechtergedeelte leiden naar de vrijheid. Maar God verhoede dat ze je door het midden sturen. Die mensen worden ingerekend of teruggestuurd. Je familie wacht onder aan de trap.'

'Dus ik zie mijn man beneden aan de trap?' vroeg Minke.

'Wat zei ik nou?'

'Kan ik hem van boven al zien?'

Martha spreidde haar handen. 'Ja. Als hij er is, natuurlijk.'

De dag dat ze in Amerika aankwam droeg Minke een zwarte wollen jurk die ze in Comodoro had gemaakt voor haar zwangerschap. Hij was veel te groot en hing als een tent om haar heen, maar ze was onderweg wel dankbaar geweest voor de warmte die hij gaf.

Alles wat ze van Madame had gehoord spookte nog door haar hoofd. Doe dit, doe dat. Het schip legde aan bij de kade voor het mooie gebouw. Minke klemde Elly tegen zich aan in de fleurige draagband die ze had genaaid uit de lappen die Bertinat haar als afscheidscadeau had gegeven. 'De kleuren van Comodoro,' had hij gezegd, en dat klopte: het blauwgroen van de oceaan, het helderblauw van de lucht en de grijsbruine tinten van het landschap, met okergele linten erin verwerkt.

Met haar andere hand klemde ze zich aan Cassian vast. Zo daalden ze de loopplank af. Om hen heen zeulden mensen met hun aardse bezittingen. Ze hadden grote jutezakken bij zich, tassen en zware koffers. De regel, wist Minke, was dat je enkel mocht meenemen wat je kon dragen. Zelf had ze alleen Elly bij zich. Cassian droeg hun kleine valies met onmisbare reisbenodigdheden. Sander en Fenna, die vooruit waren gereisd, hadden het grootste deel van hun spullen meegenomen.

De rij schuifelde langzaam maar gestaag in de richting van de drie hoge deuren. Het was ijzig koud in de wind die over het water blies. Minke was bang dat Elly kou zou vatten. Ze was bang dat ze zouden worden teruggestuurd, bang dat Sander niet wist wanneer het schip zou aankomen, bang voor alles wat er mis kon gaan.

'Het komt wel goed,' stelde Cassian haar gerust.

'Duimen maar.' Als je om een of andere reden werd afgewezen, zeiden de mensen, was de rederij verplicht je terug te brengen naar waar je vandaan kwam.

Toen ze door de middelste deur naar binnen was gestapt, werd ze overweldigd door het tumult van tientallen talen die tegelijk werden gesproken – om nog maar te zwijgen van de hitte en de angstgeur van de duizenden mensen die in deze enorme ruimte bijeen waren gedreven. In verschillende talen kregen ze instructies om hun bagage op de stapel achter te laten en naar de trap aan hun rechterhand te lopen. Minke stootte Cassian aan. 'Dat is de trap van het medisch onderzoek,' zei ze. 'Ben je er klaar voor?'

'Ja,' zei Cassian. 'Jij?'

Ze verplaatste Elly naar haar andere arm. 'Daar gaan we, oom Cassian.'

In hun kleine hut aan boord van het schip had ze op een avond ontdekt dat Cassian in werkelijkheid Sanders oom was. Zoals gewoonlijk had ze zich rond de slapende Elly gevouwen toen ze Cassian eindelijk durfde te vragen wat haar al zo lang dwars zat. Hoe was Elisabeth gestorven? Cassian had een hele tijd gezwegen voordat hij zei: 'Ik heb een eind gemaakt aan haar lijden.' In het maanlicht dat door de patrijspoort viel, zag ze zijn hand over de rand van zijn bed vallen, en ze pakte die. Zijn antwoord was een schok, maar geen verrassing. Diep vanbinnen had ze het wel geweten. 'Had Sander je dat gevraagd?' vroeg ze.

'Ja,' zei hij.

'Doe je altijd wat hij je zegt?'

Cassian gaf haar een kneepje in haar hand. 'Het was voor haar het beste.'

'Wist Elisabeth wat er gebeurde?'

'Misschien.'

'Maar dat is toch moord?'

'Natuurlijk,' zei Cassian. 'Iemand het leven ontnemen is altijd moord.'

'Hoe ken je Sander eigenlijk?'

'Hij is de zoon van mijn zuster. Ik was de arts van Elisabeths familie. Ik heb hen aan elkaar voorgesteld.'

Nu trok ze haar hand terug. Oom en neef! 'Waarom hebben jullie me dat nooit verteld?'

'Zo belangrijk is het niet.'

Maar dat was het wel. Het wierp een heel nieuw licht op alles. Het betekende dat Cassian Sander al kende sinds zijn geboorte en dat hij Elisabeth al had behandeld sinds ze een kind was. Minke kende Sander pas twee jaar. Voor haar leek dat een heel leven, maar het stelde niets voor vergeleken met alles wat eraan vooraf was gegaan. Ze was niet meer dan een knop aan de boom van Sander en Cassians familie. 'Als jij een oom bent van Sander, ben je aangetrouwde familie van mij en een bloedverwant van Elly.' Ze haalde diep adem. 'En van Zef.'

---

Als er inderdaad spionnen langs de trappen van Ellis Island stonden, kon Minke hen niet ontdekken. Mensen bogen zich over de leuning van de eerste verdieping en keken omlaag. Anderen zwermden rond de voet van de trappen en keken omhoog, maar het was onmogelijk de immigranten van het personeel te onderscheiden. Ze wierp een tersluikse blik op Cassian toen ze de trap beklommen. Hij deed het goed, maar de inspanning was zichtbaar op zijn bloedeloze gezicht.

'Hang niet zo aan de leuning,' zei ze. 'Je klampt je eraan vast alsof je leven ervan afhangt.' Ze putte kracht uit het besef dat de beproeving maar een paar minuten zou duren. Ze glimlachte demonstratief en hield Elly omhoog, zodat de baby om zich heen kon kijken. Zolang ze de aandacht maar van Cassian afleidde. Ze keek opzij. 'Lachen,' beval ze. 'Trek een blij gezicht.' Cassian glimlachte. Hij had zijn laatste zwarte haren weggeknipt, en alles was nu wit. Hij was zeventig, had hij haar verteld; oud genoeg om haar grootvader te kunnen zijn.

Bij de overloop maakte de trap een bocht. Een vrouw was blijven staan om op adem te komen. Zonder erbij na te denken stak Minke haar vrije hand door de arm van de vrouw. 'Doorlopen. Niet blijven staan.' Ze wist niet of de vrouw haar verstond, maar ze klom wel verder, arm in arm met Minke. Boven aan de trap stond de man die mensen van een teken voorzag met wit krijt, maar hij had geen aandacht voor Cassian, Minke of de onbekende vrouw. Allemaal hadden ze de test doorstaan.

De grote zaal was een kathedraal met een gewelfd plafond dat wel dertig meter hoog leek, betegeld in subtiele motieven en kleuren. Maar op ooghoogte zag het er heel anders uit: een zee van mensen, schouder aan schouder, met huilende kinderen. De stank was hier nog erger dan op de begane grond. Minke en Cassian stapten een doolhof van houten hekken binnen, achter een Russische familie van ouders, grootouders en vier kleine jongens. De rij slingerde zich door de grote zaal. De moeder van het gezin glimlachte regelmatig tegen Minke en Elly, alsof ze duidelijk wilde maken dat ze iets deelden, hoe verschillend ze ook waren.

Minke was nu twee uur in Amerika.

Aan het einde van de rij stonden artsen in mooie kaki-uniformen met helderrode epauletten en petten met glimmende zwarte zonnekleppen hen op te wachten. Ze hadden onheilspellende instrumenten in hun hand. Het oogonderzoek. 'Laat me je ogen zien,' zei Minke tegen Cassian. Haar hart bonsde in haar keel. Zijn zwarte ogen leken haar gezond. Eén spoor van een oogziekte, en je kon meteen terug. Ze had al gezien hoe er mensen uit de rij werden gehaald en naar het balkon gebracht dat rond de hele grote zaal liep, om daar te worden afgevoerd door een deur die achter hen dichtviel.

Toen het hun beurt was, glimlachte de dokter vriendelijk, en Minke slaakte een zucht van verlichting. Madame Gil had haar voorbereid op een vijandige houding van de Amerikanen, maar daar was geen sprake van. Tot nu was iedereen heel aardig. De dokter nam Elly uit haar armen, legde haar voorzichtig op zijn onderzoekstafel en tuurde in de ogen van de baby. Hij doopte zijn haakje in een buis met blauwe vloeistof en trok toen Elly's ooglid terug om beter te kunnen kijken. Minke wilde haar kind redden, maar een verpleegster hield haar tegen.

Vol ontzetting zag ze hoe de dokter Elly's bovenste en onderste oogleden terugrolde. Elly onderging de behandeling zonder protest. Eindelijk was Minke zelf aan de beurt. 'Geen Argentijnse, met blauwe ogen van u,' zei de arts. Zijn handen waren zacht en ondanks het beangstigende instrument voelde ze nauwelijks iets van het onderzoek. Voordat ze het wist, was ze met Elly en Cassian al op weg naar het volgende controlepunt.

De adviezen van Madame Gill bleken heel nuttig. Minke beschouwde elke horde als een triomf. Voorlopig hadden ze alle tests doorstaan: de gevreesde trappen, de lange rijen, het oogonderzoek. Nu bleef alleen nog de inspectie van hun papieren over.

Ze gingen op lange houten banken zitten. Voor hen zat de Russische familie, zo dicht bij elkaar dat ze nauwelijks ruimte innamen. Namen werden afgeroepen, en andere mensen namen de vrijgekomen plaatsen in. Elly begon wat lastiger te worden. Ze spartelde in Minkes armen en gooide haar hoofd in haar nek, zodat Minke haar zou neerzetten. De Russische vrouw stak haar armen naar Minke uit en knikte snel, als teken dat zij Elly wel even wilde vasthouden. Een golf van paniek sloeg door Minke heen bij de gedachte dat ze haar kind aan een vreemde zou moeten geven.

'Het is wel in orde, denk ik,' zei Cassian. 'Ze kan nergens naartoe, en jij moet weer leren om mensen te vertrouwen.'

Ze hielp de vrouw Elly op schoot te nemen, en Elly's mollige gezichtje was komisch om te zien toen ze de onbekende vrouw aanstaarde, zonder zelfs maar met haar ogen te knipperen. De vrouw en al haar kinderen staarden op dezelfde manier terug. De kinderen begonnen te giechelen, waarop Elly voorzichtig maar duidelijk verheugd teruglachte. Ze raakten haar zijdezachte kastanjebruine haar aan. Elly draaide zich om en stak haar armpjes uit naar Minke. Ze had er nu genoeg van. De familie schoof nog wat verder over de bank toen er weer ruimte was. Hoe dichter Minke bij de controle kwam, hoe beter ze kon zien wat daar gebeurde.

Op elke post controleerde een ambtenaar de papieren. Passagiers die ze had gezien met ooginfecties of witte krijtletters op hun kleren waren al verdwenen, op weg naar een ziekenhuis of terug naar hun vaderland. Wie overbleven waren mensen zoals zij, op het punt om tot Amerika te worden toegelaten.

'Denk eraan, hou je antwoorden kort en simpel,' zei Cassian.

Eindelijk was de Russische familie aan de beurt. Minke, Cassian en Elly schoven naar het einde van de bank. Een tolk werd erbij geroepen om de Russen te helpen. De vader deed het woord, de ambtenaar maakte notities.

Het duurde een hele tijd, maar ten slotte mochten ze doorlopen. De moeder zwaaide nog naar Minke voordat ze haar kinderen verzamelde en de trap af liep. Toen was het hun beurt. Minke stond op en probeerde niet te beven, omdat Elly – die weer in haar armen sliep – daarvan zou schrikken. Ze werden naar de laatste controlepost in de rij geroepen, het dichtst bij een brede trap naar beneden. Twee koperen leuningen verdeelden de trap in drieën. Haar hart maakte een sprongetje toen ze de trap herkende uit de verhalen van Madame Gill: de selectietrap. Madame had gezegd dat ze hier vandaan Sander moest kunnen zien. Ze boog zich naar voren en tuurde naar beneden. Er stonden minstens honderd mensen te wachten, die allemaal naar boven keken. Minke trilde van opwinding. Ergens in die deinende massa moest haar man staan, en misschien ook Fenna. Het was moeilijk te zien. De mensen die de trappen afdaalden benamen haar het zicht. Er gebeurde te veel tegelijk.

'Juffrouw!' riep een man.

Ze kromp ineen en draaide zich om. De ambtenaar met wie Cassian in gesprek was keek haar ontstemd aan. 'Hij is daar beneden!' zei Minke opgewonden, en ze wees langs de trap omlaag.

De man knikte naar een witte lijn op de vloer. 'Niemand mag die streep passeren,' zei hij.

Cassian streek hun papieren glad op de tafel van de ambtenaar. Hij sprak Engels. Minke zou hetzelfde doen als het haar beurt was. Cassian zei dat het hun motivatie aantoonde dat ze de taal hadden geleerd van het land waar ze naartoe wilden.

Nog altijd kon ze haar blik niet losmaken van de menigte aan de voet van de trap. Ze dacht dat ze Sanders gezicht had ontdekt. Haar hart sloeg over, maar toen zette de man zijn hoed af. Het was Sander niet.

'Je papieren,' zei Cassian, terwijl hij haar aanstootte. 'Let nou op!'

Terwijl de man de documenten doorlas, boog Minke zich weer naar voren, op zoek naar Sander. Ja! Daar stond hij! Ze voelde haar knieën knikken toen ze hem zag. Op hetzelfde moment sloeg die vertrouwde heerlijke koorts weer door haar heen. Ze zwaaide fanatiek. En hij zag haar! Hun blikken ontmoetten elkaar. 'Elly, kijk daar. Zie je je papa?' Ze hield de baby omhoog, zodat Sander haar kon zien.

Er ontstond enige drukte achter haar. Drie ambtenaren en een tolk bogen zich over het bureau om te overleggen. Minkes hart begon te bonzen. Wat was er aan de hand? 'Komt u even hier, mevrouw,' snauwde de inspecteur tegen haar.

'Hij heeft twijfel over onze paspoorten,' zei Cassian.

Minke keek weer of ze Sander nog zag.

'Mevrouw, kijk me áán.'

Ze sloeg haar ogen naar hem op. Hij was zo ongeduldig.

'Komt u mee.' De ambtenaar ging haar voor door een van de gevreesde gangen. Dit kon toch niet waar zijn? 'Sander!' riep ze naar de menigte, en weer ving ze een glimp van hem op. 'Mijn man staat daar,' zei ze. 'Hij regelt het wel.'

Ze werden naar een kamer met houten stoelen gebracht, waar een paar families zaten, met huilende vrouwen en kinderen. De deur viel achter hen dicht en ze moesten gaan zitten. Een andere ambtenaar deed de ronde langs de ongelukkige kandidaten, noteerde hun namen en vergeleek die met zijn gegevens in een dik boek. 'Wat gebeurt er? Wat is er mis?' siste ze tegen Cassian.

'Ze denken dat we Argentijnen zijn, maar we reizen op een Nederlands paspoort. Het wordt wel opgelost.'

'Dit is belachelijk.' Minke wilde opstaan.

'Blijf zitten. Het zijn bureaucraten. Zij hebben alle macht. Wees beleefd, in vredesnaam.' Cassian had haar nog nooit zo streng toegesproken.

'De *Maceió*, nietwaar?' vroeg een nieuwe functionaris.

Minke knikte. Steeds als de deur openging en er nog meer mensen binnenkwamen, keek ze op, ervan overtuigd dat het Sander moest zijn en dat alles in orde was. Maar hij was er niet bij, en de nieuwkomers keken angstig en verslagen.

'Mevrouw DeVries, dokter Tredegar.' Een andere stem. 'Neem me niet kwalijk. U mag gaan.'

Minke wachtte geen seconde, maar gooide de deur open en rende de gang door, met Cassian hinkend achter zich aan. Terug bij de paspoortcontrole wachtte ze ongeduldig tot hij haar had ingehaald, speurend naar Sander om hem te laten weten dat alles goed was. De ambtenaar stempelde hun paspoorten en de scheepspapieren af. Drie harde klappen, en hij schoof de paspoorten naar haar terug. 'Welkom in Amerika,' zei hij, maar hij keek al langs haar heen naar de volgende kandidaten in de rij.

De herrie, de stank, de mensen – alles drong weer tot haar door. Ze klemde Elly tegen zich aan en wrong zich naar de selectietrap. Ze koos het rechter gedeelte, waar ze Sander had gezien. Trillend van opwinding worstelde ze zich tussen de mensen door. Elly botste tegen haar heup. Overal renden nieuwe immigranten hun vrijheid tegemoet. Buiten op het plein omhelsden en kusten mensen elkaar en werden kinderen in de armen genomen door ouders, ooms en tantes. Minke bleef staan, keek om zich heen en maakte een sprongetje om over de hoofden heen te kijken. 'Sander DeVries!' riep ze. Waar was hij?

Een veerboot legde aan bij de kade en de menigte golfde die kant op. Minke drong op. Als Sander dacht dat zij en Cassian door de autoriteiten waren tegengehouden, zou hij bij deze groep kunnen zijn. Ze durfde geen risico te nemen. Als hij nu vertrok, hoe moest ze hem dan ooit terugvinden? Weer riep ze zijn naam, zo hard als ze kon, en wrong zich tussen mensen door die haar uitfoeterden in alle talen. Met haar hand om die van Cassian geklemd zocht ze haar weg door het gedrang, zonder erop te letten wie ze op de tenen trapte. Ze moest weten of Sander op de veerpont was. Eenmaal aan boord keek ze speurend naar de gezichten, en opeens zag ze hem, bijna achteraan. 'Sander!' O, ze was zo overgelukkig om hem te zien, maar zelf was hij zo wit als een doek. 'Wat zijn wij geschrokken!' zei ze toen ze hem had bereikt. 'Je hebt het gezien. We waren bijna teruggestuurd.' Hij leek in shock. 'Sander!' Ze overdekte zijn gezicht met kussen, hoewel zijn reactie nogal lauw was, niet meer dan een koele aanraking van zijn lippen. Ze keek naar Cassian en zag dat de twee mannen een blik wisselden. Hier was iets ernstig mis. En op dat ene moment drong de waarheid tot haar door – het simpele feit dat Sander helemaal niet bang was geweest dat ze alle drie zouden worden teruggestuurd.

Hij had er juist op gehoopt.

# 15

IJSSCHOTSEN BONKTEN TEGEN de romp van de veerboot toen ze vertrokken over het glinsterende water van de rivier de Hudson. Minke wist dat ze een vuurrode neus zou krijgen; dat gebeurde haar altijd, in dit soort weer. Sander liep zakelijk rond. Hij scheurde de kaartjes af voor de controleur en zigzagde tussen de mensen door om plek te vinden op een van de banken. Toen pas stak hij zijn armen uit naar Elly en hield haar omhoog in zijn grote handen. Het tweetal beloerde elkaar als een stel argwanende honden.

'Sander?' zei ze.

Hij zette Elly weer op Minkes schoot, leunde naar achteren en legde zijn arm over de leuning – wel om haar schouders, maar zonder echt contact.

'Tong verloren, Sander DeVries?'

'Het is heel zware tijd voor me geweest,' was alles wat hij zei. Dat hoefde hij Minke niet te vertellen. Wie had de zwaarste klappen moeten opvangen sinds ze uiteen waren gegaan? De ontvoering van Zef was bij haar nog harder aangekomen, en bovendien had ze in haar eentje moeten bevallen.

'En Fenna?' vroeg ze, terwijl ze zijn profiel bestudeerde.

Hij kleurde. 'Wat is er met haar?'

'Waar is ze?'

'Ze voelt zich niet goed,' zei hij.

Minke leunde naar achteren en hield Elly wat steviger vast. Ze keek eens naar Cassian, die met zijn handen draaide en blijkbaar iets interessants ontdekte aan zijn glanzende nagels.

De veerboot legde aan bij een brede houten steiger. Mensen dromden langs hen heen en versperden de gangen met hun bagage. Minke, Cassian, Sander en Elly waren de laatsten die van boord gingen.

Ze had de gele auto verwacht en zich voorgesteld dat ze zo naar huis zouden rijden, met Cassian en Sander voorin en zijzelf op de achterbank, zoals ze ooit uit Enkhuizen was vertrokken naar Amsterdam en de *Frisia*. Maar er stond geen auto en ze moesten lopen, de ene straat na de andere. Op elke hoek lagen grote bergen modder en sneeuw, waar ze overheen moest springen, waarbij ze soms tot over haar enkels in de natte prut terechtkwam. Ze bevroor zowat in haar zwarte jurk; de ijzige wind had vrij spel door de manchetten en de lage hals. Wat moest Sander wel van haar denken, zo onaantrekkelijk als ze eruitzag! Ze hield Elly stevig tegen zich aan om haar warm te houden. Maar ondanks de dampen, de herrie en al die mensen was ze onder de indruk van de hoge gebouwen van de stad.

Sander liep maar door, zonder een moment halt te houden om zich te oriënteren. Minke greep zich aan zijn mouw vast als ze door de mensenmassa van elkaar gescheiden dreigden te worden. Regelmatig keek ze over haar schouder en vroeg hem het wat kalmer aan te doen voor die arme Cassian.

Ze kwamen bij een hoge brug waar treinen overheen denderden en snelle auto's onderdoor zoefden. Een lange trap leidde naar een perron, helemaal overdekt en zo groot als een balzaal, met versleten houten vloeren en spoorrails in het midden. Een trein kwam en ging, maar Sander maakte geen aanstalten om in te stappen. Niet hun trein dus, en Sander wist dat. Weer was Minke zich bewust van die oude aantrekkingskracht en had ze respect voor zijn kennis van de wereld. Ze stak haar hand uit, kneep hem in zijn arm en drukte haar vingers tegen zijn handpalm.

'Het geld is op,' zei hij, voordat de binnenkomst van een volgende ratelende trein ieder gesprek onmogelijk maakte. De deuren gingen krijsend open. Minke stapte in. Er stonden rijen lichtbruine rieten banken.

'Hoe kan dat?'

Hij schudde zijn hoofd. *Vraag het niet.*

Ze had nog nooit in een trein gezeten, nog nooit zo snel gereden. Het was letterlijk adembenemend. Minke voelde zich zo duizelig dat ze niet eens over het geld kon nadenken. Sander zou wel een oplossing vinden. Deuren gingen sissend open en dicht. Mensen stapten in en uit, maar niemand keek elkaar aan. Na een tijdje werd het stiller in de coupé. De deuren gingen weer open en Sander loodste haar en Cassian naar buiten, tegen de stroom van passagiers in die naar binnen drongen. Ze bevonden zich in weer zo'n reusachtig station. Sander ging voorop over een overdekte trap omlaag, naar de straat, waar kinderen rondrenden en tegen elkaar riepen in het Duits en Nederlands. Hun moeders zaten ineengedoken op stenen trappen en warmden hun handen boven kleine vuurtjes. Ze keken Minke achterdochtig na toen ze passeerde. Een rij winkels strekte zich uit langs West 121st Street. Het rook er naar gekookte vis, en het geheel deed Minke eerder denken aan Enkhuizen dan aan het New York dat ze een halfuur tevoren had gezien. Sander speelde nog altijd voor rattenvanger van Hamelen, met haar en Cassian in zijn kielzog. De smurrie langs deze straat was smeriger en lag hoger dan in de wijk rond de veerboot.

Eindelijk bleef Sander staan bij een tapperij met biervaten voor het raam en mannen op stoelen die dof naar buiten staarden en uit pullen dronken. Een van hen hief zijn pul naar Sander. Hij opende een deur links van de kroeg, en Minke dacht terug aan de keer toen ze met hem in Amsterdam was aangekomen. Hoe anders was dit! Hoeveel troostelozer.

De trap was smal en stonk naar vuilnis. Ze klommen naar de eerste verdieping, de tweede en de derde, totdat ze op een kleine overloop kwamen met twee deuren, nummer 3A en 3B. Sander stak een sleutel in het slot van 3B en opende de deur naar een donker halletje. Voor hen uit lag een lange gang met deuren aan weerskanten en een vuil raam aan het eind.

Ze liepen het appartement door, met Sander voorop, dan Minke en Cassian. Er was een voorkamer met alleen een bank en een stoel, een kleine keuken en daarachter twee kamertjes, elk niet groter dan een cel. In een ervan lagen Fenna's kleren op een hoop op de vloer.

'Waar is Fenna?' vroeg ze, net toen Sander de deur opende van een wat grotere kamer met een tweepersoonsbed. Hun slaapkamer. Het beddengoed lag grotendeels op de grond, alsof het bed al in geen dagen was opgemaakt.

'Hier,' zei een stem achter haar.

Fenna stond in de deuropening in haar nachthemd. Haar blonde haar viel slap over haar schouders en ze had rode ogen en een rode neus. 'Fenna?' Minke deed een stap naar haar toe en bleef toen staan. Ze had het gevoel dat ze inbreuk maakte op een privésituatie waar ze zelf geen deel van was. Fenna drukte haar handen tegen haar buik en ging er kreunend vandoor. Minke volgde haar zus en trof haar over de wc gebogen.

Ze zette Elly op haar heup terwijl ze een washandje bevochtigde met water dat nog in de wasbak stond en dat tegen Fenna's voorhoofd drukte. 'Cassian,' riep Minke. 'Kun je even komen?'

'Iets verkeerds gegeten,' zei Fenna. 'Je moet heel voorzichtig zijn in dit smerige land.'

Samen met Cassian hielp Minke haar zus naar de kamer waar ze haar kleren hadden zien liggen. Omdat het beddengoed ontbrak, spreidden ze haar oude groene jas over de matras, bundelden de rest van haar kleren tot een kussen en legden een deken over haar heen.

'Ga jij maar naar Sander,' zei Cassian. 'Ik zorg voor Fenna.'

Minke had Elly nu al een hele tijd gedragen, en toen ze terugkwam in de slaapkamer, waar ze Sander had achtergelaten, moest ze echt gaan zitten. *Laat hij het woord maar doen*, dacht ze. *Stort je er niet meteen in.*

Sander was demonstratief bezig het bed op te maken, maar het lukte niet erg. Met zijn armen in zijn zij bleef hij voor het raam staan, dat uitkeek op de zijmuur van een naburig gebouw, en schraapte zijn keel. Minke volhardde in haar besluit om niets te zeggen. Eindelijk draaide hij zich naar haar om. 'Je ziet er moe uit,' zei hij. Elly keek om zich heen om te zien waar die stem vandaan kwam.

*Niets zeggen,* waarschuwde Minke zichzelf. Als ze maar een woord zei, zou al haar woede er in een keer uit komen – haar verontwaardiging over zijn kille ontvangst, dit akelige appartement en vooral over Fenna.

Hij ging op het bed zitten, tegen haar aan, en liet zijn hoofd hangen. Minke deinsde terug. 'We hebben het heel moeilijk gehad in dit land,' zei hij.

Minke bleef zwijgen.

'Alles komt op mij neer. Ik ben nu kostwinner voor iedereen: jou, de baby, Cassian en die zus van je. Ik doe mijn best.'

'De baby heet Elly,' zei ze.

'Kijk me niet zo beschuldigend aan, Minke.'

'Waar is ons geld gebleven?' Hij had zo gloedvol over Amerika verteld. De straten daar waren geplaveid met goud. Hij zou makkelijk werk kunnen vinden. Fenna zou een geweldig huis zoeken voor hen allemaal. 'Je had een zaak moeten beginnen, een fatsoenlijk huis moeten regelen.'

'Dat is het enige wat jou interesseert: geld. Ik ken jou. Ik weet wat je denkt.'

'Wat denk ik dan, Sander?' Ze wachtte, maar er kwam geen antwoord. 'Je durft niet hardop te zeggen wat ik denk, is het wel?'

'Je vergeet je plaats, Minke.'

'Ik denk...' Ze moest stoppen en diep ademhalen. 'Ik denk dat ik hiervoor de kans heb opgegeven om ooit Zef nog terug te vinden.' Haar lip trilde toen ze zijn naam noemde en bracht die verschrikkelijke nacht weer in herinnering toen hij was meegenomen.

Op haar hysterische geroep waren er mensen naar het strand gekomen. In paniek had ze zich aan hen vastgeklampt. 'Mijn baby!' riep ze maar steeds. 'Zef!' In haar ontreddering kon ze alleen bedenken dat de hele wereld moest worden stilgezet, bevroren, totdat Zef gevonden was.

Ze namen haar mee van het strand, maar Minke verzette zich hevig. Stel dat Zef terugkwam en haar niet zou kunnen vinden? Ze kon hem niet aan zijn lot overlaten. Het was druk in het kleine huis. Iedereen praatte door elkaar heen. Sander diende haar een kleine dosis morfine toe, omdat ze hysterisch was. Ze probeerde hem van zich af te duwen. Ze moest terug om Zef te zoeken. Maar handen hielden haar tegen en staken een lepel tussen haar lippen. De morfine maakte haar wazig, maar nam de scherpe pijn niet weg. Ze sloeg haar armen om zich heen alsof ze Zef tegen zich aan drukte. Ze schopte en sloeg totdat Fenna haar tegen zich aan trok en haar zei dat ze aan de baby in haar buik moest denken, die ze schade zou doen als ze niet rustig bleef.

Sander gedroeg zich als groot-inquisiteur. Wie had ze verteld dat ze naar het strand ging met Zef? Niemand. 'En die jongen dan?' vroeg hij. 'Die Duitse jongen?' Minke sprak met dubbele tong vanwege het medicijn. Nee, zei ze, ze had nooit iets gezegd en Pieps al maanden niet gezien, maar Sander drong aan, ervan overtuigd dat Pieps er iets mee te maken had. Ten slotte was Minke uit bed gesprongen en naar de deur gerend omdat niemand iets dééd. Ze stonden daar maar te roepen en te praten. Ze was het pad af gelopen naar het strand, gillend en schreeuwend, met rauwe, schorre stem: 'Zef!'

Sander had haar naar huis teruggebracht en in bed gelegd. Voordat ze het wist, werd ze weer vastgehouden. Ze vocht terug en sloeg met haar hoofd, maar op Sanders bevel had Fenna nog een lepel morfine tussen haar lippen gestoken.

Toen ze de volgende morgen wakker werd, was het onheilspellend stil in het kleine huis. Sander zat naast haar op bed en Fenna lag onderuitgezakt in een stoel tegenover haar. 'Wat is er gebeurd?' vroeg ze, bang voor het ergste, bang dat Zef dood was teruggevonden. Sander leunde tegen haar aan, voor het geval ze weer zou proberen ervandoor te gaan. En hij vertelde haar uitvoerig wat zich die nacht had afgespeeld. Hij was naar de vilders gegaan en had Pieps naar buiten geroepen, maar de jongen was als een haas gevlucht. Ondanks zijn jeugd was hij trager dan Sander, die hem had ingehaald en tegen de grond gewerkt. Alleen wie schuldig is, neemt de benen, brulde Sander, en Pieps had alles bekend. Huilend had hij om vergiffenis gesmeekt, 'als de jammerende lafbek die hij is.'

'Dus Pieps heeft Zef?' vroeg Minke, met nieuwe hoop.

Maar die vraag maakte Sander nog kwader. Pieps had de jongen verkocht, zei hij, verkocht aan de gaucho's, die nu al meer dan honderd kilometer ver moesten zijn. En vervolgens ging hij tegen Minke tekeer, omdat het allemaal haar eigen schuld was. Hoe vaak had hij haar niet gewaarschuwd? Maar wilde ze ooit luisteren? Pieps had als een schooljochie opgesneden over zijn daad. Een kind als Zelf, zo blank, blond en Europees, leverde veel geld op. En wat maakte het uit? Minke kon nog zoveel kinderen krijgen. Op een dag zou ze Zef gewoon vergeten zijn.

Haar enige reactie op dat moment was geen woede tegenover Pieps – die kwam later – maar de gedachte dat ze hem onder druk moesten zetten om meer informatie. Aan welke gaucho's had hij Zef verkocht? En waar konden ze nu zijn? Haar woorden wakkerden Sanders woede nog aan. Begreep ze het dan niet? Pieps was dood. Sander had hem door het hart geschoten en hem stervend achtergelaten in die godvergeten puinhoop. En nu moesten ze uit Comodoro vandaan, want er zouden ongetwijfeld repercussies volgen. 'God zal mijn daad rechtvaardigen. Als een man mijn kind steelt, mag ik hem doden,' verklaarde Sander. Maar natuurlijk zouden de gaucho's zich willen wreken. Pieps was hun vriend geweest.

Minke protesteerde uit alle macht. Als ze nu vertrokken, hadden ze geen enkele hoop meer om Zef ooit te vinden. Maar Sander zei dat het weinig zin had om hier te blijven en in hun slaap te worden vermoord.

Een geweldig schuldgevoel daalde over Minke neer, met de zwaarte van duizend stenen. Ze kon niet verkroppen dat Pieps haar zoiets had aangedaan. Hoe kon een vriend je zo behandelen? Maar hij had bekend. De pijn was zo heftig dat het leek of iemand de huid van haar lichaam scheurde, terwijl de draad die haar met Zef verbond – de band met haar eigen vlees, heel diep vanbinnen – steeds meer uiteenrafelde naarmate hij verder uit het zicht verdween.

In opdracht van Sander moesten Marta en Fenna ervoor zorgen dat Minke diep in haar morfineroes bleef. Zelf had ze het gevoel dat ze in een wollen wereld leefde. De morfine hielp niet tegen het verdriet, maar maakte haar alleen onmachtig iets te doen. Ze kon niets ondernemen tegen Sanders plannen om onmiddellijk naar Amerika te vertrekken, voor zijn eigen veiligheid.

Hij had geld verborgen dat hij zou meenemen om een nieuw bedrijf te beginnen in Amerika. Fenna zou met hem meereizen en een mooi huis voor hen zoeken. Minke smeekte of ze ook mee mocht, maar dat ging niet, vanwege haar gevorderde zwangerschap. Het schip zou haar niet aan boord nemen, en zelfs als ze de zwangerschap verborgen zou kunnen houden, verbood Cassian haar zo'n zware reis – veel te gevaarlijk voor een vrouw in haar toestand. Zowel het kind als de moeder zou ernstige risico's lopen, en ze wilden niet nog een kind verliezen.

❧

Minke trok Elly weer tegen zich aan en wiegde haar op de arm, met haar rug naar Sander toe. Ze wilde niet instorten of een scène maken waar de baby bij was, maar dat punt was niet ver meer. Om zich te beheersen zong ze een liedje dat hen allebei rustig maakte:

*Slaap, kindje, slaap*
*Daar buiten loopt een schaap,*
*Een schaap met witte voetjes,*
*Dat drinkt zijn melk zo zoetjes,*
*Slaap, kindje, slaap.*

Maar ze kon het gezelschap van haar man op dat moment niet verdragen. Dus stond ze op en nam haar kind mee naar de voorkamer, waar ze alleen kon zijn. Ze wiegde Elly en bedacht – met een voor haar ongekende bitterheid – hoe ze altijd weer voor Sanders fantasieën viel. Ze wilde helemaal geen groot huis of geld. Dat kon haar niet schelen. Ze kon overal wonen. Had ze dat niet bewezen? Maar het was dodelijk vermoeiend om steeds weer in haar verwachtingen te worden teleurgesteld.

Ze dacht terug aan de tijd die ze nu samen waren, bijna drie jaar. Waarom had ze niet eerder gezien hoe hij in elkaar zat? Er waren immers aanwijzingen genoeg; ze leken haar nu van alle kanten te bespringen. Hij was met haar getrouwd omdat ze toevallig bij hem in huis was, zodat hij zo van de ene echtgenote op de andere kon overstappen. En van Minke op Fenna. Hij had Cassian gevraagd om Elisabeth een overdosis te geven, niet ter wille van haar maar uit eigenbelang. Wat had Griet ook alweer gezegd op de dag dat de *Frisia* uitvoer? Pas op, hij is een man die geen enkele kans onbenut laat. En inderdaad, zo was hij. En zo deed hij zaken. Waarom had hij haar nooit eerlijk verteld dat hij in morfine handelde? Als ze ernaar vroeg, had hij een antwoord ontweken. En dan de winkel. Waar sloeg dat op? Eerst leek het nog wat, maar de Almacén verkocht alles wat de mensen nodig hadden. Die zogenaamde winkel aan de voorkant van hun huis was niets anders dan een verzameling kisten en snuisterijen uit het huis in Amsterdam, die Sander met Goyo had geruild voor God-weet-wat.

Hij had nooit werk gemaakt van de winkel. De hele zaak was een luchtkasteel, omdat de Almacén al een gevestigd bedrijf was. Wat verkochten ze nu helemaal? Lappen stof voor de vrouwen uit het stadje, soms een meubelstuk of wat prullen die ze met de gaucho's ruilden. De winkel was nooit bedoeld geweest om van te leven. Het ging om de *obras*, maar daar was het Cassian die de morfine produceerde, niet Sander. En de *Elisabeth* was feitelijk eigendom geweest van zijn eerste vrouw, niet van hem. Hoe langer Minke erover nadacht, hoe duidelijker het werd. Ze was gewoon blind geweest, tot nu toe. Terwijl Cassian herstelde, had ze Sander nooit een spat werk zien doen, behalve zijn geld tellen. De *obras* had misschien gered kunnen worden als Sander zijn mouwen had opgestroopt en zich ervoor had ingezet. Uiteindelijk, dacht ze bitter, was het eenvoudiger voor hem geweest om haar achter te laten om een baby te krijgen en de restanten van hun leven in Comodoro op te ruimen, terwijl hij zelf naar Amerika vertrok met Fenna en het geld – geld dat nu, drie maanden later, ook verdwenen bleek.

Minke huiverde. Dit troosteloze appartement met zijn vuile ramen... Hij was een zwakkeling. Hij had zijn kinderen achtergelaten om een nieuw leven te beginnen. Dat was het enige wat hij kon. Hij had haar ook laten zitten toen hij naar Amerika vertrok. En wat had hij er een puinhoop van gemaakt!

In goede en slechte tijden, zo luidde hun eed van huwelijkse trouw. Maar die gelofte had zij nooit afgelegd. Sander had haar een echte bruiloft beloofd als ze in Argentinië arriveerden, maar dat was er niet van gekomen. Ze had een halve ring, meer niet.

Uit de badkamer kwamen geluiden van een kotsende Fenna. Minke pakte Elly op, liep naar de slaapkamer terug en trok de deur achter zich dicht. 'Is Fenna zwanger?' vroeg ze hem, terwijl ze Elly zachtjes op haar arm wiegde.

Hij lag onderuitgezakt op het onopgemaakte bed.

'Geef antwoord.'

Hij keek haar aan. 'Een man heeft behoeften, Minke. Daar heb jij geen idee van. Jij was niet beschikbaar, door je baby, door je zwangerschap. Wat moest ik dan?'

Ze moest bijna lachen om die brutaliteit – dat hij het lef had de schuld bij haar te leggen. 'Dus het lag aan mij?'

'Dat zeg ik niet.'

Ze kwam een stap dichterbij en keek op hem neer. 'Je bent mijn man, niet de hare. Je hebt al een vrouw en een kind om voor te zorgen.'

De deur achter hen ging open. 'Kan ik je even spreken, Sander?' Het was Cassian.

'Hoe ver is ze al heen, Cassian?' vroeg Minke. 'Ik wil een van jullie beiden het horen zeggen.'

Cassian wierp een blik naar Sander. 'Een paar maanden, zegt zij zelf. Misschien drie.'

Minke gaf Elly aan Cassian en vroeg hem het kind mee te nemen. Ze deed de deur achter hem dicht, liep de kamer door, boog zich over Sander heen en sloeg hem met al haar kracht in zijn gezicht. Zijn hoofd knakte opzij door het geweld van de klap. 'En waar moeten we nu van leven?'

De deur ging open. 'Dus je weet het,' zei Fenna, die met haar grote gestalte, haar brede schouders, haar gespierde armen en haar volle borsten de deuropening vulde.

'Slet,' zei Minke. 'Dat ben je altijd al geweest. Stom rund.'

Fenna haalde schouders op, niet onder de indruk.

'Hoe kón je?' zei Minke.

'Vraag dat maar aan Sander,' zei Fenna met een lach. 'Hij vindt iets lekker, iets speciaals, waar jij geen benul van hebt. Je bent zelf een rund. Wij deden het terwijl jij sliep. Wij deden het terwijl jij voor Cassian zorgde. Word toch wakker, Minke!'

Minke draaide zich weer om naar Sander. 'Zeg iets!'

Sander sloeg zijn ogen op naar haar. 'Sla niet zo'n toon aan, jullie allebei,' zei hij, maar zijn stem klonk dof. 'We zullen allemaal werk moeten zoeken.'

'Ik niet,' zei Fenna. 'Ik kan niet werken als ik steeds moet kotsen.'

'Dan slik je het maar in,' zei Minke. 'Want werken zul je!'

'Dat hoeft niet, heeft Sander al gezegd. Jij bent de enige die moet werken. En Sander, en Cassian. Ik blijf thuis om op Elly te passen. Nietwaar, Sander?'

'Vergeet het maar.'

'Je doet wat ik je zeg,' zei Sander.

Niet in staat hun gezelschap nog maar één seconde te verdragen, zei Minke tegen Sander: 'Vraag Cassian of hij Elly terugbrengt. Ik wil alleen zijn.' Ze draaide zich weer om naar Fenna. 'Ga weg. Dit is mijn kamer. Ik ben nog altijd de vrouw des huizes, of ik nu wil of niet.'

Fenna sloeg haar armen over elkaar en leek een volgende ruzie te willen beginnen, maar Sander kwam tussenbeide en bracht haar naar buiten. Even later stapte Cassian binnen, met een slaperige Elly in zijn armen.

Ze gingen op het bed zitten, Cassian met zijn armen om Minkes schouders. Ze zat te beven, maar hij gaf haar wat rust. 'Wist je het, van hen?' vroeg ze.

Hij boog zijn hoofd.

Ze zuchtte toen hij geen antwoord gaf. 'Waarom heb je niets gezegd? Ach, laat maar, ik begrijp het wel. Hij is familie. Je moest hem verraden of mij. Dat is een onmogelijke keuze voor jou. Ik neem het je niet kwalijk.'

'Ik dacht dat het wel zou ophouden. Ik begreep er niets van. Hoe kon hij je nou bedriegen met je eigen zus?'

'Zij pakt wat ze krijgen kan.' Ze bleven een moment zwijgend zitten, totdat Minke zei: 'Ze moeten al het geld hebben opgemaakt.'

Cassian keek haar met zijn zwarte ogen aan. 'Sander is een gokker, Minke.'

'Dat weet ik. Hij zat altijd in het Explotación te kaarten, met Dietz en de anderen.'

'Het is een verslaving, bij hem.'

'Bij allemaal, toch?'

'Nee. Alleen bij mensen die doorgaan totdat ze niets meer hebben.'

'Dan zijn we verloren.'

'Je moet voorzichtig zijn. Ik ook. We mogen ze nooit het geld geven dat wij verdienen. Maar dat zal niet gemakkelijk zijn.'

'Ik weet echt niet hoe ik hier aan geld moet komen. Ik kan helemaal niets. En ik heb Elly.'

'Jij bent sterker dan je zelf weet, Minke.'

'Vijf monden om te voeden, en Fenna is zwanger. Hoe moeten we dit overleven?'

'Mensen kunnen niet in de toekomst kijken, Minke. Dat is niemand gegeven. Kracht, daar gaat het om, en die bezit jij.'

Toen Cassian was vertrokken, knoopte ze haar zwarte jurk los om Elly te voeden. De baby hield de hele tijd haar ogen strak op Minke gericht. Ten slotte legde ze Elly voorzichtig op de grond, terwijl ze het bed opmaakte en de hoeken goed instopte, zodat het er fris en strak uitzag. Ze ging liggen en kromde haar lichaam om Elly heen. Eerst kon ze aan niets anders denken dan het onrecht dat haar was aangedaan: Sanders schandalige gedrag en Fenna's verraad. Het leek een diepe put van zorgen, zo diep dat ze erin dreigde te verdrinken. Ze verlangde naar de troostende armen van haar moeder, maar dat was een onmogelijke droom. De schande – Minkes mislukte huwelijk, een verdwenen kind en haar uitzichtloze situatie – zou mama's dood worden.

Maar toen, alsof ze uit een nachtmerrie ontwaakte, maakte haar wanhoop plaats voor helderheid. Waarom had ze dat niet eerder bedacht? Voor het eerst, niet alleen vandaag, maar in heel lange tijd, schoof het gordijn van haar zorgen opzij en wist ze precies wat ze moest doen. Ze zou teruggaan naar Comodoro, met Elly. Hoe dan ook. Op de een of andere manier zou ze werk vinden en geld sparen, totdat ze kon vertrekken.

Ze zou Zef terugvinden, al moest ze haar hele leven naar hem zoeken.

# 16

MINKE MAAKTE EEN plan. Ze zou beginnen op de hoek van Broadway en 121st Street en iedere winkel binnenstappen, wat er ook werd verkocht. Cassian had haar opgedragen om alleen met de eigenaren te spreken en met niemand anders. Hij had haar moed gegeven toen ze in haar wanhoop dacht dat ze nooit werk zou vinden. 'Je bent een goede naaister. Je zou er je beroep van kunnen maken,' zei hij tegen haar. 'En je spreekt Engels.'

'Maar wie zou me aannemen?' vroeg ze. 'Ik ben zeventien.'

'Geduld,' zei hij.

De eerste winkel, klein en kwalijk riekend, verkocht schrijfmachines en linten. 'Ik kan naaien,' zei ze verlegen. De eigenaar schudde zwijgend zijn hoofd. Minke voelde zich onnozel toen ze weer naar buiten stapte. Wat moest een schrijfmachinezaak nu met een naaister? In de volgende winkel was het assortiment wat meer gevarieerd: eten in blik, rollen textiel. Weer vertelde ze de eigenaar dat ze kon naaien. Hij lachte. 'Dat kan iedereen,' zei hij. 'Wegwezen.'

'Ik spreek Engels,' zei ze tegen de volgende winkelier.

'Niet nodig,' zei hij. 'Er komen hier geen Engelsen, alleen Hollanders, Duitsers en Polen.'

'Ik spreek ook Nederlands, natuurlijk.'

'De hele stad is Nederlands.' Voor het geval ze hem niet begreep, tikte hij op de plattegrond boven de toonbank en zei met een zwaar accent: 'Konijnen Eiland, Bouwerij, Breukelen, Haarlem, Greenwijck, Vlissingen, Staaten Eylandt.' Hij doelde op de oorspronkelijke namen van Coney Island, the Bowery, Brooklyn, Harlem, Greenwich, Flushing en Staten Island.

'En ik kan rekenen.'

Hij zuchtte. 'Ik wil het met je proberen, als je dat kind maar thuis laat.' Toen ze dat weigerde, zette hij haar de deur uit.

En zo ging het door. Niemand had werk. Overal kreeg ze hetzelfde te horen. Ze hadden haar niet nodig of ze wilden haar wel aannemen, maar zonder Elly. Er waren duizenden werkzoekenden.

Op een avond vertelde Fenna haar over iemand in de buurt die een meisje nodig had als mannequin in een klein warenhuis. Minke wist dat Fenna hele dagen op de stoep zat te roddelen met andere vrouwen. Daar moest ze het verhaal hebben gehoord, maar toch stapte Minke erop af. Ze was inmiddels wanhopig. De winkel heette Murphy's en lag in een buurt veel verder naar het noorden. Toen ze daar aankwam, moest ze achter een gordijn op meneer Murphy wachten. De winkel was wel mooier dan de andere zaken waar ze was geweest, dat moest ze toegeven.

Een man van ongeveer Sanders leeftijd trok het gordijn opzij. Hij was dik en had een rood gezicht. 'Leg die baby ergens neer. Waar denk je dat je bent?'

Ze tilde Elly met draagband en al van haar schouder en legde haar voorzichtig in een hoek. De man deed een stap naar achteren en vroeg haar om voor hem rond te draaien. Toen gaf hij haar een blauwzijden hemdje om aan te trekken en sloot het gordijn. Minke voelde haar hart sneller slaan bij het vooruitzicht van werk. Ze liet haar zwarte jurk op de grond vallen en wilde het hemdje over haar hoofd laten zakken toen het gordijn weer open werd getrokken. De man keek vol verwachting toe, met opgetrokken wenkbrauwen. Minke rukte het gordijn weer dicht, gooide het hemdje op de grond, trok haar zwarte jurk aan, griste Elly van de vloer en wrong zich langs de man heen. Ze wist niet hoe snel ze weg moest komen.

De volgende morgen, nog voordat het licht was, hoorde ze een woedend gekrijs vanuit de gang en werd er op de deur gebonsd. Het was Fenna, die binnen wilde komen. De deur vloog open en knalde tegen de muur. 'Hij is van mij!' zei Fenna. 'Hij hoort in mijn bed!' En tegen Sander: 'Nu meteen. Jij gaat met mij mee of je zult het bezuren, Sander, dat zweer ik je. Ik draag jouw kind, vuile klootzak.'

Minke sprong overeind. Dit was de laatste druppel.

Sander zwaaide zijn blote benen over de rand van het bed. Cassian kwam hinkend uit zijn kamer, terwijl hij een ochtendjas om zich heen sloeg.

'Nu!' herhaalde Fenna, nog luider, en ze greep Sander bij zijn hand om hem mee te sleuren. 'Ik accepteer deze situatie geen minuut langer.'

Fenna was duidelijk al uren wakker en had zich geweldig liggen opwinden, totdat haar woede en verontwaardiging op deze manier tot uitbarsting waren gekomen. Ze kon behoorlijk intimiderend zijn, maar bij Minke knapte er iets en ze haalde uit. Haar vuist trof haar zus met kracht tegen de schouder. Fenna jammerde, sloeg dubbel, maar richtte zich onmiddellijk weer op en deed een uitval naar Minke, die het logge meisje ontweek. Hoe zwak en tenger hij ook was, toch stelde Cassian zich tussen de twee zussen op en spreidde zijn armen als een scheidsrechter bij een bokswedstrijd. Minke stapte terug, maar Fenna deed er wat langer over, en heel even was Minke bang dat ze Cassian iets zou aandoen. Opeens was het stil, afgezien van hun hijgende ademhaling. Minke had er genoeg van. Ze stond te beven als reactie op haar eigen woede. En ze voelde zich misselijk.

Het had alles bij elkaar maar enkele seconden geduurd. Elly begon doordringend te huilen. Minke tilde haar op en liep met knikkende knieën de gang door naar de voorkamer, waar ze zich op de bank liet vallen en probeerde Elly te kalmeren. De baby kwam weer tot bedaren toen Minke haar zachtjes heen en weer wiegde.

Buiten viel sneeuw, die de vuile straten en de winterse bomen met een witte deken bedekte. Het was stil onder de straatlantaarns. Minke probeerde na te denken, met haar baby in haar armen. Fenna had deze ronde gewonnen, dat stond vast. Sander ontbrak het aan ruggengraat, en Minke had geen zin meer om te vechten voor een man die ze niet wilde.

Toen het eindelijk licht werd, liep ze naar de kleine keuken. Normaal vertrok Cassian in alle vroegte om naar werk te zoeken, maar vandaag niet. Ze ging tegenover hem zitten en hij schonk haar koffie in. 'Ik heb een idee,' zei hij.

Hij had haar verteld over de nieuwe openbare bibliotheek. In de krant had hij een stukje gelezen over de bouw ervan. De bibliotheek lag op de hoek van Forty-Second Street en Fifth Avenue, en ze konden er lopend naartoe, als ze er de tijd voor namen. Dus trokken ze hun dikke jassen aan en gingen op weg. Ze liepen Broadway af, de ene straat na de andere, door modder en sneeuw. Cassian moest regelmatig op een bankje gaan zitten om uit te rusten. 'Wat een stel zijn wij. Wat moeten de mensen wel van ons denken? Jij met die grote draagband en je afschuwelijke jurk, en ik met mijn witte haar en een mank been.'

Minke hield haar adem in toen de bibliotheek in zicht kwam. Het gebouw besloeg twee hele straten. Twee reusachtige, woeste, stenen leeuwen, half bedekt met sneeuw, flankeerden de trappen naar de ingang. Volgens Cassian bevatte de bibliotheek honderdtwintig kilometer aan boekenkasten. Maar dat kon niet waar zijn. Zoveel boeken waren er niet eens in de wereld.

Binnengekomen vroeg Cassian een medewerker waar hij moest zijn. De man ging hen voor naar een zaal waar kranten aan houten pennen hingen, als wasgoed aan een lijn. Hij liet Minke zien hoe ze een krant met pen en al op een lessenaar kon uitspreiden om te lezen, en bladerde naar een sectie met de kop BETREKKINGEN AANGEBODEN. Minke had nooit geweten dat zulke informatie bestond, en ze las de advertenties gretig door. Er werden koks, chauffeurs en metaalbewerkers gevraagd. En toen vond ze het, een annonce met de tekst:

**Naaister/wasvrouw gezocht.**
Kost en inwoning.
Gaarne vervoegen bij Riverside Drive 131, appartement 2,
Tussen drie en vier uur 's middags.

# 17

De vloer van de voorkamer was de enige ruimte die groot genoeg was. Minke schoof de bank en de stoel opzij om plaats te maken voor wat ze van plan was en trok haar jurk uit. Alleen gekleed in haar onderjurk spreidde ze de jurk op de grond uit. Het leek wel een reusachtige tent van zwarte wol, met de lucht van zweet, rook en vet.

Elly lag op een dekentje naast haar en bestudeerde haar vingertjes in een bundel zonlicht die de kamer binnen viel.

'Wat ben jij aan het doen?' Fenna liet zich op de bank vallen. Haar bleke ogen stonden dof.

Minke gaf geen antwoord.

'Cassian heeft een patiënt gevonden,' zei Fenna. 'Dan komt er weer geld binnen.'

Minke pakte een scheermes en sneed zorgvuldig alle steken langs de zoom van de jurk los.

'Waar ben je mee bezig?'

'Deze jurk passend maken.'

'Maar ik heb hem straks nog nodig. Als ik een dikke buik

krijg.' Fenna stak pruilend haar onderlip naar voren, zoals ze ook al deed toen ze nog een kind was.

'Het is mijn jurk,' zei Minke. 'Ik heb hem zelf gemaakt.' Ze sloeg de jurk open en spreidde de twee helften uit. Toen begon ze de steken los te snijden waarmee de rok aan het lijfje was genaaid. De jurk zat losjes in elkaar en liet zich gemakkelijk loshalen – de mouwen van het lijfje, daarna de manchetten, de zakken en de splitten. Minke legde alles plat neer, totdat de onderdelen voor haar op de grond lagen als een puzzel van zwarte wollen lappen.

'Ik zeg het tegen Sander.'

'Je gaat je gang maar,' zei Minke.

Het kostte haar de hele middag om alle lapjes op maat te knippen, te spelden, het resultaat te passen en alles weer opnieuw te spelden totdat het goed zat. Die avond waste ze alle delen van de jurk met koud water in een wasbak. Het water kleurde troebel door het vuil en de rook die zich de afgelopen maanden aan de wol hadden gehecht. Ten slotte hing ze alles boven de radiator te drogen. De hele nacht verspreidde de natte wol een heerlijk schone lucht die haar aan thuis deed denken.

Bij het ochtendkrieken naaide ze de stukken aan elkaar. Dat kostte uren. En toen ze met de jurk klaar was, haalde ze Elly's draagband uit elkaar en keerde de stof, zodat de heldere kleuren zichtbaar waren, niet de kant die door vuil en zonlicht was verbleekt. Fenna verklikte aan Sander waar Minke mee bezig was. Toen hij niets deed, kregen ze slaande ruzie. Op een gegeven moment viel de voordeur met een klap in het slot. Sander was vertrokken naar de kroeg, of waar hij dan ook zijn geld vergokte. Het kon Minke niet meer schelen. Maar toen Cassian terugkwam, stopte ze even met haar naaiwerk. 'Ik hoorde dat je een patiënt hebt,' zei ze.

Hij had weer wat meer kleur. Dagenlang had hij in de stad naar werk gezocht. Hij had de patiënt gevonden in een bar waar zúlke mannen kwamen. 'Je weet wel wat ik bedoel,' zei hij in het Engels. Cassian sprak alleen met haar in het Engels, zodat Fenna en Sander hen niet konden verstaan. 'Ze behandelen me daar als de messias, als een wonder.' Hij lachte. 'En wat ben jij aan het doen, als ik vragen mag?'

Minke trok de jurk aan en knoopte hem dicht. 'Mooi,' zei hij, nu wel in het Nederlands. De nieuwe jurk sloot strak om haar slanke middel en viel tot op haar enkels. Ze kamde haar blonde krullen uit, vlocht ze tot de vertrouwde knot en tilde Elly op haar heup. 'Ik wil thuiskomen met een baan,' verklaarde ze.

Ze liep naar Riverside Drive, het dure gedeelte van de stad. Onderweg kwam ze vrouwen tegen, meestal in paren, die grote, dure kinderwagens duwden. Minke hield Elly stevig vast in haar met linten versierd draagband. Het ging om de inhoud, niet om de verpakking.

Het gebouw was opgetrokken uit grijze steen, met een markies boven de deur en een man in uniform, die haar naam noteerde, op een bel drukte en haar omhoog stuurde met de lift.

Ze had haar Engels ijverig geoefend met Cassian, met extra zorg voor bepaalde woorden. Ze moest er vooral op letten dat ze de Engelse 'th' niet als een 's' uitsprak. En ze had haar eerste zinnetjes gerepeteerd. 'Ik kom voor de vacature die in de krant stond,' zou ze zeggen. 'Ik ben naaister. Ik heb deze jurk gisteren voor mezelf gemaakt.'

En dat was wat ze zei tegen de vrouw die de deur opendeed.

De vrouw droeg een grijze jurk met een hoge kraag. Ze was klein, tenger en oud – misschien van mama's leeftijd, minstens veertig. De vrouw glimlachte tegen haar. Ze had een wit gepoederd gezicht, blosjes rouge op elke wang, en rode lippenstift. Ze vroeg of ze in de draagband mocht kijken, en Minke opende hem voorzichtig, zodat ze een glimp kon opvangen van Elly, die opkeek met haar grote, bruine ogen. De vrouw keek Minke een paar lange seconden aan. 'Ik haal mijn zuster erbij,' zei ze ten slotte, en ze luidde een kleine bel die op een tafel bij de deur stond.

Er verscheen nog een vrouw, die op de eerste leek maar wat forser was. Ze droeg een brilletje en keek Minke over de halve glazen aan.

'Kom toch binnen,' zei de eerste.

De kamer waar Minke binnen stapte was groot, met een glanzende houten vloer en zware fluwelen gordijnen voor de ramen. De zusters gingen naast elkaar op een divan zitten. De grootste van de twee wees Minke een stoel.

'Wij zijn de dames Wiley,' zei de kleinste. 'Ik ben Miss Anne Wiley, en dit is mijn zuster, Miss Amanda Wiley. Je kunt ons Miss Anne en Miss Amanda noemen. Wel zo simpel, vind je niet?'

Minke knikte. Miss Anne sprak alsof ze haar al had aangenomen, maar dat kon natuurlijk niet.

'Vertel eens wat over jezelf,' zei Miss Anne vriendelijk.

Dat had Minke niet verwacht. Cassian had met haar geoefend hoe ze haar vakkundigheid moest demonstreren. Hij had gedacht dat ze haar zouden vragen iets kleins te naaien. Minke wist niet wat ze moest zeggen tegen zulke keurige dames met hun mooie appartement en hun goede manieren. Hoe kon ze ooit bekennen dat haar man een dronkenlap en een gokker was geworden, dat hij haar eigen zus zwanger had gemaakt en dat de familie – waarmee het ooit zo goed ging – nu wanhopig was?

'Ik meende dat je zei dat je die jurk zelf hebt gemaakt,' hielp Miss Anne haar. 'Hoe ging dat?'

Dat was voldoende voor Minke. In haar beste Engels vertelde ze hoe ze de jurk had genaaid. Ze stond op om het de zusters te laten zien: het patroon en de naden. Haar vingers trilden nerveus. Ze beschreef de split, die ingewikkeld in elkaar zat en in het Engels moeilijk was uit te leggen. 'En dat heb ik dus gisteren gedaan, in één dag,' zei ze. 'Want ik kon me hier niet melden in de jurk zoals hij was. O, hij zag er verschrikkelijk uit,' ging ze verder, voordat ze besefte dat ze dat misschien beter niet had kunnen zeggen. In haar zenuwen vertelde ze over het schip vanuit Argentinië, de beperkte ruimte en de koude nachten.

'Maar ik dacht dat je een Hollands meisje was,' viel Miss Anne haar in de rede.

Het hele, heftige verhaal kwam er nu uit, in gebroken Engels. Soms verviel ze in Nederlands, voordat ze zich herstelde. Ze moest nu alles maar vertellen en er het beste van hopen. Ze beschreef de dood van Elisabeth in Amsterdam, haar huwelijk, de avontuurlijke zeereis naar Comodoro en Comodoro zelf. En ze ging verder met de *obras*, de gaucho's, de rit te paard, het oversteken van de rivier, zelfs de gekrompen schedels van Frederik Dietz! Ze kon gewoon niet meer stoppen, aangespoord door kleine, aanmoedigende geluidjes van Miss Anne. De twee zusters wisselden soms een blik, maar Minke had geen idee wat ze ervan dachten. In elk geval leek Miss Anne wel meelevend.

Ze vertelde hoe Cassian, dokter Tredegar, in elkaar was geslagen omdat hij homoseksueel was. De zusters verblikten of verbloosden niet. 'Hij was zwaargewond. Zijn been wordt nooit meer helemaal goed. Maar hij is dokter, en hij heeft allebei mijn baby's ter wereld gebracht!'

Als op een teken werd Elly wakker. Ze begon te spartelen en maakte kleine, tsjilpende geluidjes. De zusters lachten allebei, en de ban was gebroken. 'En je man?' informeerde Miss Amanda.

Minke schepte kort en snel adem. Ze had de rest ook verteld, ze kon nu niet meer terug. 'Hij heeft me bedrogen, en ik ben bij hem weg.'

De zussen leken wel een stel poppen, zo beheerst, maar toch een beetje geschrokken. Ten slotte vroeg Miss Anne: 'Mag ik haar vasthouden, alsjeblieft?'

Minke haalde haar kind uit de warme draagband, waarin ze veilig was, als in de buidel van een kangoeroe. 'De enige reden waarom het me spijt dat ik nooit getrouwd ben,' zei Miss Anne, terwijl ze de baby aanpakte en haar op schoot wiegde.

'Amanda?' Miss Anne trok een wenkbrauw op naar haar zuster. Miss Amanda fronste. 'Het klinkt mij als de waarheid in de oren. Maar wij houden niet van verrassingen. Je hebt ons nu alles verteld?'

Minke slikte. 'Ja.'

'Goed dan,' zei Miss Anne. 'Dit zijn de taken die we van je verwachten.'

En ze beschreef misschien wel het gemakkelijkste baantje dat Minke zich kon voorstellen. Ze mocht wonen in kamers achter de keuken. Op de benedenverdieping van het gebouw waren ook kamers, waarvan er één toebehoorde aan de twee zusters en hun broer, Louis, over wie later meer. Die kamer beneden kon ze gebruiken voor het naaien en verstellen. Ze mocht ook ander werk aannemen, zolang ze hun werk maar op tijd klaar had. Er lag een berg aan verstelwerk klaar, en er moesten jurken worden genaaid. Bovendien moest Minke de persoonlijke was doen voor de Wileys, in de keuken. De kleren en het beddengoed werden uitbesteed. De huishoudster, mevrouw Bowen, deed de schoonmaak en kookte het eten. Daar had Minke dus niets mee te maken. 'We zien de baby niet als een onmiddellijk probleem,' besloot Miss Anne, 'maar als je je werk niet kunt combineren met de zorg voor je kind, moeten we je ontslaan.'

'Dus ik ben aangekomen?' vroeg Minke stomverbaasd.

'Ja,' bevestigde Miss Anne.

'Ik had nooit verwacht...'

'Dat bevalt me juist aan je,' zei Miss Anne.

'Dan moet je nu je koffers gaan pakken, neem ik aan?' zei Miss Amanda.

'Ik heb niet zoveel.'

'En vertel je vriend, die dokter, waar hij je kan vinden.'

❧

Waar had ze zoveel geluk aan verdiend? Bijna dansend liep ze terug naar huis. Het appartement was donker en somber, zoals gebruikelijk. Sander lag te slapen op de bank in de voorkamer. Minke sloop de gang door waar Cassian een plekje voor zichzelf had ingericht bij de achterdeur. Hij lag ook te slapen, op de matras die hij daar had. Ze nam niet de moeite om Fenna te vinden. Cassian was degene die ze zocht. Ze schudde hem wakker.

'Ik heb de baan!' fluisterde ze, om de anderen niet wakker te maken. Hij lag te slapen in zijn kleren, met eroverheen een versleten fluwelen jasje. Zodra ze zich in haar kleine naaikamer had geïnstalleerd, zou Minke zijn kleren vermaken, zoals ze ook met haar eigen jurk had gedaan. Ze deed hem het hele verhaal. 'Dus ik ga weg,' zei ze. 'Ik wil hier niet blijven om me te laten vernederen. Ik moet aan Elly denken.'

Hij ging rechtop zitten. 'Ik zei toch dat je sterk was?'

Ze noteerde het adres op een papiertje en drukte dat in Cassians hand. 'Laat Sander of Fenna niet weten waar ik zit.'

De volgende morgen stond ze op om Elly te wassen, te verschonen en te voeden. Toen ze klaar was, gooide ze de deur van Fenna's kamer open. Sander en Fenna leken een reusachtige berg onder de dekens, een groot, log, bewegend ding. 'Sander.' Hij schrok, als een angstig kind dat was betrapt terwijl het iets pikte. Minke bleef kalm. 'We komen niet meer terug,' zei ze. 'We gaan weg.'

'Wie?'

'Elly en ik.'

'Waarheen dan?'

Fenna kwam moeizaam uit bed. 'Je kunt niet weg,' zei ze. 'Je moet werken. We moeten bij elkaar blijven, dat zegt iedereen. Als een familie uiteenvalt, is er geen hoop meer.'

'Ik ben niet degene die de familie heeft verwoest, Fenna. Bovendien heb ik werk,' zei Minke. Ze had het niet willen zeggen, maar het floepte eruit.

'Waar dan? En wat verdien je?'

'Vaarwel, Fenna.'

'Ik kom er heus wel achter,' riep Fenna haar na. 'Wij zijn familie.'

'Jammer dat mama je dat niet kan horen zeggen,' riep Minke over haar schouder. 'Wij zijn helemaal geen familie meer.'

'Je kunt Elly niet meenemen. Zij is van Sander.'

Minke kon het niet nalaten. Ze kwam naar de kamer terug. 'Sander?'

Hij gooide de deken omlaag over zijn blote borst.

'Is dat waar? Wil jij Elly houden?'

Sander sloot vermoeid zijn ogen.

'Zie je? Hij heeft geen enkele belangstelling voor Elly. Zoals hij ook niet in jouw baby geïnteresseerd zal zijn, Fenna. Ik heb met je te doen.'

'Je kunt niet zomaar weggaan zonder ons te zeggen waarheen,' riep Fenna haar na, en heel even had Minke medelijden met haar zus die zo wanhopig klonk. Maar dat duurde niet lang. Ze trok de deur achter zich dicht.

# 18

Miss Amanda liet Minke binnen door de dienstingang bij de keuken. Omdat het zaterdag was, waren er twee dingen anders dan normaal. Om te beginnen had de huishoudster het weekend vrij, dus zou Minke mevrouw Bowen pas op maandag ontmoeten. En ze zou voor zichzelf moeten koken. Zodra ze een rondleiding had gekregen door het appartement en de kleine naaikamer beneden, kon ze een stevig ontbijt klaarmaken. Ze had al zo lang zo weinig gegeten, en Elly's voedingen hadden ook hun tol geëist, dus kreeg ze het water in de mond bij de gedachte aan een lekkere maaltijd. Miss Amanda liet haar de keuken zien, met een ijskast vol eieren, melk en groente. Er was een kolenfornuis, een spekstenen aanrecht en een wringer om de was te doen. De provisiekast was tot de rand toe gevuld met eten in blik en verleidelijke koekjes. Haar appartementje achter de keuken bestond uit twee kamers, groter dan die van Sanders appartement, elk met een raam dat uitkeek over de steeg en een aangrenzende stal. In de ene kamer zag ze een eenpersoonsbed en een bureautje, in de andere een bank en twee stoelen. De twee kamers werden van elkaar gescheiden door een smalle betegelde ruimte met een wc, een kleine wastafel en een badkuip. Allemaal voor haar! Ongelooflijk.

Miss Amanda daalde zakelijk de personeelstrap af naar de begane grond, waar ze een donkere gang door liepen met deuren aan weerskanten. De derde deur rechts was de naaikamer, die genoeg licht kreeg uit twee hoge ramen. In het midden stond een trapnaaimachine met daarnaast een grote mand met fournituren, scharen, naalden en draad. Minke raakte alles aan met haar slanke vingers. Geweldig, allemaal. Miss Amanda knikte naar de stapel verstelwerk die klaar lag. Het meeste, legde ze uit, waren kleren die moesten worden ingenomen voor hun broer, Louis. Ook dat was anders, nu. Louis was thuis, omdat het zaterdag was en hij niet naar zijn werk hoefde. Hij wilde haar graag ontmoeten en meteen kleren passen. Er waren al meer naaisters geweest, maar die bevielen niet, en hij had hoge verwachtingen van Minke. 'Mijn broer is een heel belangrijk man,' zei Miss Amanda. 'Je moet hem met respect behandelen. En ik moet je zeggen dat ik nog niet zo overtuigd ben als mijn zuster. Ik verwacht dat je jezelf hier bewijst.'

De moed zonk Minke in de schoenen. Als anderen hier waren mislukt, hoe zou zij dan kunnen slagen? Ze had het zichzelf aangeleerd. Op school maakte ze de mooiste proeflapjes en mama had haar alles geleerd wat ze wist, maar dit was New York, niet Enkhuizen. Het naaiwerk hier, voor mensen als de Wileys, moest natuurlijk veel mooier zijn.

Ze kreeg een sleutel van de naaikamer, maar voorlopig moest ze door de dienstingang het gebouw binnen komen, via de personeelstrap. Het was een beetje vroeg om haar nu al een sleutel van het appartement te geven.

'Ik begrijp het,' zei Minke. Dat zou ze zelf ook zo hebben gedaan.

'Goed. Kom mee,' zei Miss Amanda. 'Dan kun je kennismaken met Louis.'

Minke volgde de lange, zwarte rokken van Miss Amanda de trap weer op, door de keuken, de eetkamer en de hal. Nu pas zag ze dat de muren waren behangen met wandkleden en allerlei snuisterijen die uit de hele wereld afkomstig moesten zijn. Ze deden haar denken aan de exotische dingen in het huis van Sander en Elisabeth in Amsterdam. Vlak voor de huiskamer kwamen ze langs een grote spiegel, en Minke bleef verbijsterd staan. Het meisje dat ze in het glas zag was een schok voor haar. Ze deed een stap ernaartoe, om zichzelf beter te kunnen bekijken. Haar gezicht was zoveel magerder geworden! Ze had mooie hoge jukbeenderen en een gebruinde huid door de zon en de wind tijdens de zeereis. Haar blauwe ogen leken stralender dan ze zich herinnerde. Haar wimpers waren gebleekt door de zon en net zo witblond als haar haar. Ze viel bijna flauw toen ze het besefte – toen ze begreep waarom de gelijkenis haar bijna de adem afsneed.

Ze leek op Zef.

'Wat sta je daar te doen?' Miss Amanda wachtte op haar, duidelijk verbaasd dat Minke zo naar zichzelf stond te kijken in de spiegel.

Ze kon het niet uitleggen. 'Het spijt me heel erg,' zei Minke.

De volgende deur kwam uit in een gang met nog meer kamers, een appartement op zichzelf. Het leek wel de openbare bibliotheek, met al die boekenkasten en glanzende houten meubels. Bij de laatste deur klopte Miss Amanda aan. Een man verscheen. Hij was klein en dik, met een groot hoofd en een innemende glimlach. Hij stak Minke een hand toe. 'Mijn zusters hebben me over je verteld. Kom binnen, kom binnen.' In de kamer stond een groot bureau met houtsnijwerk en een paar leren fauteuils. Hij wees naar een van de stoelen. Miss Amanda bleef bij de deur staan. Hij spreidde zijn armen. 'Ik ben een lastige man wat kleren betreft. En nog ijdel ook. Niet lachen. Ik wil dat mijn kleren perfect zitten.'

Minke wierp een kritische blik op zijn broek en vest. De mouwen van zijn overhemd waren wat te lang en de manchetten te wijd. Ze kreeg weer moed: dat kon ze wel aanpassen. En de zomen van de broekspijpen waren niet strak genoeg. O ja, ze was beter dan de vorige naaister. 'Dat gaat wel lukken, denk ik.'

Hij knikte en wees naar haar draagband. 'Wat heb je daar?'

De zussen hadden hem blijkbaar niet over Elly verteld. 'Mijn kind,' zei ze, en ze sloeg de doek half open, zodat hij de slapende baby kon zien.

Hij deinsde half terug. 'Mijn zusters weten me steeds weer te verbazen.' Hij keek Miss Amanda aan. 'Ik had niet gedacht dat jij een vrouw met een baby zou aannemen. Anne wel, natuurlijk, maar niet jij.'

'U zult geen last van haar hebben,' zei Minke snel. 'Dat beloof ik u. Ze is een lieve baby.'

'In dit huis weten wij helemaal niets van kinderen,' zei meneer Wiley.

'En dat willen we ook niet leren,' voegde Miss Amanda eraan toe.

'U wilt dat ik vandaag nog begin met uw kleren te vermaken, begrijp ik?' zei Minke. Ze was als de dood dat de Wileys een reden zouden vinden om van gedachten te veranderen. Ze bevond zich op glad ijs en bij alles wat ze zei leek Miss Amanda nog sceptischer te kijken.

'Klopt,' zei hij. 'Dan kunnen we zien wat je ervan maakt. Over een uurtje kom ik je halen. Goed?'

Miss Anne was in de keuken. Ze had een stapeltje schone doeken gevonden die Minke als luiers voor Elly kon gebruiken.

En ze liet haar zien waar alles voor de lunch te vinden was. Mevrouw Bowen kwam maandag weer, zei ze. De keuken was het domein van mevrouw Bowen, die moest je netjes houden.

Minke had zo'n honger dat ze dacht dat ze flauw zou vallen. Zodra Miss Anne verdwenen was, smeerde ze twee boterhammen met boter en werkte die gulzig naar binnen. Ze dronk een groot glas koude melk. Alles was vreemd en nieuw, net als toen ze in het huis van Elisabeth was aangekomen, alleen was ze toen door haar ouders gestuurd, waardoor het op dat moment heel veilig leek. *Maar kijk hoe dat was afgelopen!* De zusters kwamen steeds weer de keuken binnen met een of andere smoes, omdat ze iets moesten pakken of wilden weten of Minke alles had. Waarschijnlijk om te controleren dat ze niets zou stelen, en dat kon Minke best begrijpen. Ze was net zo'n vreemde voor hen als zij dat voor haar waren. Ze moest heel voorzichtig zijn en vreselijk haar best doen om deze baan te kunnen houden. Terwijl ze de afwas deed, begon Elly problemen te maken. Haastig maakte Minke haar werk af. Voordat Elly's gejengel te doordringend werd, nam ze de baby mee naar haar kamer om haar te verschonen en te voeden.

'Zullen we?' klonk de stem van meneer Wiley uit de keuken. 'Waar is dat meisje nou?' vroeg hij zijn zusters. Miss Anne klopte zachtjes op haar deur. 'Louis is klaar om te passen.' Minke stond meteen op en legde Elly weer in de draagband toen ze haastig terugliep naar de keuken. Elly wrong zich in bochten en protesteerde tegen die overhaaste behandeling.

'Laat de baby maar bij Anne,' zei meneer Wiley.

'Ik hou haar altijd bij me.' Minke raakte in paniek bij de gedachte dat ze Elly moest achterlaten.

'Kom, kom.' Hij maakte een ongeduldig gebaar, een teken om de baby aan Anne te geven.

'Dat kan ik niet.'

Meneer Wiley fronste. 'Wat kun je niet?'

Dit werd haar ondergang. 'Ik kan haar niet achterlaten.'

'Nonsens,' zei meneer Wiley. 'Dat is echt onzin. Het kind is hier absoluut veilig.'

'Het is te ver,' zei Minke, en meteen besefte ze hoe absurd dat klonk. Ze zouden denken dat ze gek was.

Meneer Wiley keek Miss Amanda eens aan, en Minke wist dat ze in moeilijkheden was.

'Ik ben een kind kwijtgeraakt in Comodoro. Sindsdien ben ik altijd bang om Elly uit het oog te verliezen.'

Meneer Wiley fronste.

'Hij heette Jozef. En zolang als Elly leeft, ben ik nooit meer dan een paar meter bij haar vandaan geweest.'

'Wat afschuwelijk,' zei meneer Wiley. 'Maar je kunt niet altijd bij haar blijven.'

'Louis,' zei Miss Anne. 'Een beetje meer begrip!'

'Ik zie het probleem niet. Mijn broer wil graag kleren passen,' zei Miss Amanda.

'Weet je wat?' stelde Miss Anne voor. 'Ik houd Elly wel bij me, dan gaan we allemaal naar de naaikamer.'

Meneer Wiley keek hen nog eens fronsend aan. Hij was duidelijk gewend de bevelen te geven in dit huishouden. 'Dat gaat niet. We hebben je aangenomen voor een bepaald soort werk, en we verwachten dat je dat doet.' Boos was hij eigenlijk niet, dat maakte hem wel ontwapenend. Hij noemde slechts de feiten zoals hij die zag. Minke moest haar werk doen zoals hij dat wilde, of ze kon vertrekken. En als ze werd ontslagen, zou Elly terug moeten naar het appartement met Sander en Fenna. Dat was ondenkbaar. Dus haalde ze Elly uit de draagband, gaf haar aan Miss Anne en volgde meneer Wiley de achtertrap af.

Het kostte haar de grootste moeite om haar paniek te onderdrukken – de angst dat Miss Anne op dat moment met Elly de deur uit zou rennen om het kind aan een vreemde te geven voor geld. *Hou op!* waarschuwde ze zichzelf. Dat was belachelijk. Maar Pieps had ze ook vertrouwd, en hij had haar vertrouwen zo schandelijk beschaamd. Eenmaal in de naaikamer verdween meneer Wiley achter een scherm en stapte even later weer tevoorschijn in een net pak van fijn linnen. Het leek hem goed te passen. Wat wilde hij dan van haar? De lengte klopte, en met de mouwen was niets mis.

'Ik ga niet meer naar J. Press. Daar doen ze nooit iets goed.'

Ze deed alsof ze het pak bestudeerde, terwijl ze probeerde rustig te worden. Meneer Wiley wachtte, met zijn handen in zijn zij.

'Kunt u een eindje lopen?' vroeg Minke, om tijd te winnen. Ze zag echt niets verkeerds aan dat stomme pak, en ze wilde maar één ding: zo snel mogelijk de trap op, terug naar Elly.

Hij liep de kamer door, draaide zich op zijn hakken om, en liep weer terug. Dat was het! Als hij zich bewoog, leek het pak onafhankelijk van hem te bewegen en kwamen er vreemde plooien in het jasje en de broek. Geen wonder dat het hem niet beviel.

'Blijft u maar staan,' zei ze, en ze stak een paar spelden in de voorkant van het jasje en de zijkant van de broek. 'Loopt u weer een eindje,' beval ze. Van een afstandje bekeek ze hoe de stof bewoog. Ze gebruikte nog wat spelden en zag nu dat het kruis te laag was. Het jasje zat te ruim onder de armen, maar paste goed rond de taille. Het pak zou hem langer en slanker moeten maken. Dat was zo moeilijk niet. 'Zo,' zei ze, toen ze klaar was met haar spelden en haar krijt.

'Ik voel me net een voodoopop,' zei hij. 'Hebben gaucho's ook voodoopoppen?' Lachend schudde hij zijn hoofd. 'Nee, natuurlijk niet. Wat zeg ik nou? Dat is een heel ander deel van de wereld.'

'Meneer Wiley?'

'Zeg het maar.'

'Mag ik vragen wat er met de kranten gebeurt die ik in uw studeerkamer zag, als u ze uit hebt?'

'Die worden verbrand.'

'De beste manier om mijn Engels te verbeteren is kranten lezen, zegt mijn vriend, dokter Tredegar.'

'Een verstandig man,' zei hij. 'Ik zal zorgen dat je ze krijgt.'

In het weekend ging regelmatig de telefoon op meneer Wileys kantoor. Zijn zussen liepen voortdurend naar de voordeur als er mensen aanbelden voor hun broer. Dat leek normaal, in dit huishouden. Minke ving zo nu en dan een glimp op van goed geklede mannen met bolhoeden en met bont afgezette jassen. Er was zelfs een vrouw bij. Via de hal liepen ze naar meneer Wileys appartement. Hij had nauwelijks nog de tijd om zijn nette pak te passen, maar op zondagmiddag kon hij eindelijk een gaatje vinden. Dankzij Minkes veranderingen maakte het pak hem nu zo slank mogelijk, en daar was hij blij mee. Minke was opgetogen. Haar eerste opdracht had ze goed volbracht.

Maar op maandagochtend heerste er een heel andere stemming. Bij het ochtendkrieken hoorde ze stemmen in de keuken – meneer Wiley en een vrouw, maar niet een van de zussen. Minke veronderstelde dat het mevrouw Bowen moest zijn.

Nog in haar bed vroeg ze zich af wat ze moest doen. Naar de keuken gaan of wachten tot ze werd geroepen? Elly bewoog zich, gewekt door de stemmen; ze vroeg om aandacht. Minke stapte uit bed in de hoop dat ze Elly stil zou kunnen houden voordat ze begon te huilen om eten, maar ze was te laat. Elly haalde diep adem en zette een keel op. De deur van Minkes appartement ging open en een vrouw verscheen in de deuropening. Ze droeg een lange, zwarte jurk met een witte kraag en witte manchetten. 'Waar kom jij in vredesnaam vandaan?' Ze staarde naar Elly en sloeg een kruisje.

'Dat is de nieuwe naaister,' riep meneer Wiley vanuit de keuken. 'Laat haar met rust.'

Mevrouw Bowen kneep haar ogen tot spleetjes, als een soort waarschuwing aan Minke, en trok de deur weer achter zich dicht. Minke maakte haast om Elly te voeden en te verschonen. Ze spoelde de vuile luier uit, waste haar gezicht, legde Elly in bed, maar pakte haar toen weer op. Wat nu? Ze wilde haar kind het liefst meenemen, maar met meneer Wiley in de keuken kon ze haar beter achterlaten. Dus stapte ze in haar eentje de keuken binnen.

Meneer Wiley zat aan de keukentafel, verdiept in de krant, die hij voor zich had uitgespreid. Mevrouw Bowen stond achter hem met een pot koffie en wierp Minke een norse blik toe, alsof ze haar uitdaagde om maar één stap tussen haar en meneer Wiley in te zetten. Hij scheen zich nergens van bewust, terwijl hij de krant doorlas en de pagina omsloeg, heel voorzichtig, met het hoekje tussen duim en wijsvinger, alsof het de duurste kant was. Hij tilde de pagina hoog de lucht in, liet hem op tafel terugzakken, streek hem glad en begon iets te lezen in de linkerbovenhoek.

Minke wist zich geen houding te geven.

Meneer Wiley keek op. 'Nou, geef dat meisje een kop koffie, Bowen,' zei hij. 'Sta daar niet zo.'

Mevrouw Bowen knikte naar de kast met kopjes en Minke pakte er een voor zichzelf. Daarna zette de huishoudster de koffiepot demonstratief op de waakvlam van het fornuis en kwam weer achter meneer Wiley staan, terwijl Minke zichzelf inschonk. Ze nam een slok van de heerlijke koffie en keek toe. Meneer Wiley was klaar met een katern van de krant en schoof het opzij. Mevrouw Bowen griste het van de tafel voor haar stapeltje op het aanrecht.

'Mag ik?' vroeg Minke, en ze stak haar hand uit naar de krant.

'Mag je wát?' zei mevrouw Bowen.

'Meneer Wiley?' vroeg Minke.

Mevrouw Bowen keek boos en legde een vinger tegen haar lippen.

'Meneer Wiley?' vroeg Minke weer. Ze was niet van plan zich op de huid te laten zitten door deze vrouw. Een beetje geschrokken keek hij op, terug in het heden. 'Mag ik uw krant lezen als u ermee klaar bent?'

'Natuurlijk, natuurlijk. Dat hebben we gisteren al besproken. Bowen zegt je wel waar ze naartoe moeten als jij ze gelezen hebt.'

Minke had de neiging haar tong uit te steken tegen mevrouw Bowen. Op dat moment zwaaide de deur open en stapte een jongeman de keuken binnen. Hij deed Minke aan Pieps denken, met zijn jeugdige charme en blonde haar. Hij kleurde toen hij Minke zag.

Meneer Wiley veegde zijn mond af met een servet, zette zijn kopje neer en kwam overeind. 'Goed, we gaan,' zei hij, en het volgende moment was hij vertrokken.

'Dus jij bent naaister?' zei mevrouw Bowen.

Minke knikte. Haar intuïtie zei haar dat ze deze vrouw zo min mogelijk moest vertellen.

'Dat was zijn secretaris,' zei mevrouw Bowen. 'Hij heet Bill.'

'O.'

'Die jongen rijdt met hem mee naar zijn werk en zit onderweg steeds aantekeningen te maken. Komisch om te zien, hoe

Bill op de achterbank zit te schrijven als een bezetene, de hele rit over Riverside Drive. De mensen praten erover.'

'Ik ga naar beneden voor mijn werk,' zei Minke. 'Er is heel wat te doen.'

Mevrouw Bowen bromde wat. Ze schepte een kom met havermout vol, zette hem voor Minke neer en trok een stoel bij. 'Wie ben jij?' vroeg ze.

'De naaister,' antwoordde Minke. 'Ik heb gereageerd op een advertentie in de krant.'

'Jij en tien anderen. Ik bedoel, wie ben je werkelijk? En praat er maar niet omheen. Ik wil weten met wie ik werk.'

Minke keek de vrouw strak aan. 'Ik ben een fatsoenlijke, schone, hardwerkende vrouw, mevrouw Bowen. Net als u.'

'En wat ben je van plan met die baby? Je denkt toch niet dat ik ervoor ga zorgen?'

'Ik laat mijn baby niet bij u achter,' antwoordde Minke.

'Je bent natuurlijk net als die anderen.'

'Ik heb niets gedaan om uw boosheid te verdienen.'

Mevrouw Bowen glimlachte. 'Wat betaalt hij je?'

'Ik ben blij met kost en inwoning.'

'Dat dacht ik ook.'

'Zeventig cent per week.'

Mevrouw Bowen pruilde.

'En wat krijgt u?'

'Dat gaat je niets aan, juffertje,' zei mevrouw Bowen. 'Je zult zien dat die jongen, Bill, ook snel zijn congé zal krijgen. Meneer Wiley wisselt nog vlotter van secretaris dan van naaister.'

'En van huishoudster?'

Mevrouw Bowen pakte het restant van de krant van de tafel. 'De man werkt te veel.'

'En zijn zusters?'

Mevrouw Bowen veegde een donkere krul van haar voorhoofd. 'O, wil je roddels horen? Altijd hetzelfde, met jullie soort.'

'Nee, geen roddels,' zei Minke. 'Ik vroeg me alleen af of ze werkten.'

'De zusters Wiley hebben hun liefdadigheid, en dat soort dingen. Dit is een net huis, dus haal je niets in je hoofd over die man.'

'U hebt het recht niet dat te zeggen.'

Mevrouw Bowen trok een grimas. 'Nou, jongedame met je mooie maniertjes, vanavond mag je helpen het eten op te dienen, dat staat vast.'

'O?' Dat verbaasde Minke, maar ze vond het niet erg, hoewel dat niet genoemd was bij haar taken.

'Wist je dat niet?' grijnsde mevrouw Bowen. 'Je doet maar wat ik je zeg.'

'Ik wil best helpen bij het eten. En ik neem de rest van de krant mee.' Ze knipoogde tegen mevrouw Bowen om haar een beetje te plagen.

Mevrouw Bowen zocht in een zak en haalde een donkere jurk tevoorschijn. 'Deze moet versteld,' zei ze. 'Er zit een scheur onder de oksel.'

'Ik ga uw kleren niet verstellen.'

'Ik zou niet graag klagen dat die baby een puinhoop van mijn keuken maakt,' zei mevrouw Bowen.

Minke griste de jurk uit haar hand. 'Als hij maar schoon is.'

In de naaikamer wachtte een hele stapel verstelwerk. Ze legde Elly neer, trok de gordijnen open om het licht binnen te laten en besloot van bovenaf te beginnen. Het was een jas met een driehoekige scheur, het lastigst te herstellen, omdat de naad niet zichtbaar mocht zijn in het weefsel. Ze pakte een extra fijne naald en ging aan het werk. Een moment voor haar alleen. En nadat ze een paar keer zijn naam hardop had gezegd, was ze eindelijk niet bang meer. 'Zef,' zei ze in de kleine kamer, en het geluid bracht weer zijn lieve lach bij haar boven, en al die keren dat hij kiekeboe had gespeeld met Cassian in de *obras*.

'We zullen hem wel vinden,' zei ze tegen de slapende Elly. 'Dat voel ik in mijn hart. Ik weet het zeker.' Ze zweeg om de stof omhoog te houden in het licht. 'Maar waar zou hij kunnen zijn?' Daar had ze al zo vaak over nagedacht dat ze er gek van werd. 'Stel dat het echt een complot van Pieps en Goyo was, wat ik nog altijd niet kan geloven, dan groeit Zef nu op als gaucho.' Een glimlach gleed over haar gezicht bij de gedachte aan haar kleine Zef te paard, of in een estancia voor de haard, met andere kinderen, luisterend naar een verhalenverteller als El Moreno. 'Gaucho's zorgen heel goed voor hun kinderen. Zo zal hij hun manieren leren.' Opeens kwam er een nieuwe gedachte bij haar op. 'Misschien wil hij helemaal niet weg. Als dat zo is, moeten we maar wachten tot hij er klaar voor is. Ja, dat doen we. We wachten rustig af totdat hij uit vrije wil naar ons toe komt. Maar als we hem snel vinden, is hij pas een jaar of twee oud en zal het zo moeilijk niet zijn.'

Ze zuchtte. Er waren zoveel mogelijkheden. 'Als hij niet bij de gaucho's is, en dat lijkt me veel waarschijnlijker, moet hij bij een familie zijn die veel geld voor hem heeft betaald. In dat geval zullen we hem terugstelen, zoals ze hem ook van ons hebben gestolen. Maar het zal lang duren om hem te vinden. Hij zou in Santiago kunnen zijn, of in Buenos Aires, of waar dan ook. Maar we hebben wel één voordeel, mijn kleine lieverd: Zef is zo blond als een Viking, wat heel zeldzaam is in Argentinië. O, we vinden hem wel.'

Elly sliep door.

Minke leunde naar achteren en keek wat er nog in de naaimand lag. Ze was flink opgeschoten en besloot dat ze wel even in de krant mocht kijken. De artikelen waren lastig, dus concentreerde ze zich op de foto's en de onderschriften. Het waren vooral namen van personen, maar vaak vermeldde het onderschrift ook wat er zich op de foto afspeelde, en de kunst was om goed naar de foto te kijken om zo de woorden beter te kunnen begrijpen. Als ze een woord niet kende, schreef ze het op. Ze zou het Cassian wel vragen als hij kwam. Hopelijk zou ze hem snel weer zien.

Toen de stapel verstelwerk eindelijk was geslonken en de kledingstukken op hangertjes aan het rek in de hoek hingen, stikte ze haastig de jurk van mevrouw Bowen, nam Elly op haar arm en liep de trap weer op. In het huis was het een drukte van belang. Behalve mevrouw Bowen stonden er nog drie struise vrouwen in de keuken. Een van hen sneed groente aan de tafel, een ander roerde in een grote pan met iets wat heerlijk rook, en de derde was bij de gootsteen bezig. Minke liep haastig door, op weg naar haar kamers.

'Kom terug,' beval mevrouw Bowen. 'Ik heb je nodig.'

Minke draaide zich naar haar om. 'U hebt me geen bevelen te geven,' antwoordde ze, 'dat accepteer ik niet.' Mevrouw Bowen leek te schrikken en wilde iets terugzeggen, maar Minke was haar vóór. 'Ik kom helpen zodra ik mijn kind heb verzorgd,' zei ze, en ze deed de deur achter zich dicht.

Ze verschoonde Elly's luier, bevend bij de gedachte aan wat ze had gezegd. Maar ze besloot haar protest te onderstrepen door alle tijd te nemen die ze nodig had, dus waste ze de luier uit, hing hem te drogen in de badkamer, voedde de baby en probeerde kalm te blijven. Ze vroeg zich af of mevrouw Bowen de macht had haar te ontslaan. Waarschijnlijk niet, omdat de Wileys haar zelf hadden aangenomen en geen woord hadden gezegd over haar taken bij het eten. Toen liep ze terug en legde Elly op een dekentje in een hoek van de keuken waar ze haar in het oog kon houden en waar de baby zelf ook iets interessants te zien had.

Mevrouw Bowen schreeuwde instructies met een rood aangelopen gezicht. Minke moest de tafel dekken voor tien personen. En bij god, ze kon beter geen fouten maken met de borden en het bestek! Vorken links, botermes boven. In Comodoro had Meduño er altijd voor gezorgd dat zijn tafels keurig gedekt waren. Daar had Minke gezien hoe het moest. Mevrouw Bowen had dus geen reden voor kritiek toen ze haar werk kwam controleren.

Later, toen de gasten arriveerden, nam Minke hun jassen aan, bracht ze naar een van de slaapkamers van meneer Wileys vertrekken en legde ze op een stapel op het bed. Daarna werd ze met twee andere vrouwen uit de keuken naar de eetkamer gestuurd om de vis op te dienen en de waterglazen te vullen. De gesprekken aan tafel leidden haar aandacht af, maar ze concentreerde zich op haar werk. De verhalen aan tafel varieerden van de oorlog en de criminaliteit in New Jersey tot wilde roddels over allerlei kennissen – buitenechtelijke verhoudingen en oplichterij. Er werd luid gelachen en de gasten praatten vrolijk door elkaar heen.

'Onze nieuwe naaister,' riep meneer Wiley uit, en hij pakte haar hand toen ze een bord wilde afruimen. 'Ze is bij ons terechtgekomen uit Nederland, via Argentinië. Comodoro Rivadavia.'

'Trek een stoel bij, jongedame,' zei de man aan het hoofd van de tafel. 'Hoe lang heb je daar gewoond?'

Minke ging voorzichtig zitten, aarzelend of dat wel de bedoeling was. 'Bijna twee jaar.'

'Het is daar zeker snel gegroeid?'

'Elk schip bracht weer nieuwe mensen. Honderden per jaar.'

'En de olie?'

Ze was verbaasd dat mensen iets wisten over zo'n klein

plaatsje, zo ver weg. 'Er ligt een zee van olie onder de stad. Het stroomt van de rotsen en spoelt door de straten.'

De man floot. 'Hoeveel bronnen?'

'Tientallen.'

'Twintig? Dertig?'

'Nee, meer. Misschien wel honderd.'

'En het transport?'

'Eh?'

'Hoe wordt de olie vervoerd?'

'In vaten.'

'Is er een spoorweg?'

'Daar werd wel over gesproken, geloof ik.'

De keukendeur zwaaide open en mevrouw Bowen bleef stokstijf staan toen ze Minke aan de tafel zag zitten. 'Ik moet weer aan het werk,' zei Minke.

In de keuken schudde mevrouw Bowen verontwaardigd haar hoofd. 'Wat verbeeld je je wel?'

'Ze hadden vragen over Comodoro.'

'Je mag nooit bij hen gaan zitten,' zei ze.

'Ze vroegen het zelf.'

'Dan nog niet.' Mevrouw Bowen snoof. 'Zeker niet als meneer Ochs het vraagt.'

'Wie?'

'Die donkere man en zijn donkere vrouw. Hij is eigenaar van *The New York Times*. Een heel belangrijk man.'

Een paar weken later zat Minke in haar naaikamer toen er op de deur werd geklopt. En daar stond Cassian. Ze sloeg haar armen om zijn hals en omhelsde hem innig. Nog nooit in haar leven was ze zo blij geweest iemand te zien. Elly klapte in haar mollige handjes toen ze hem herkende, hoewel hij zijn haar weer zwart had geverfd en een nieuw fluwelen jasje droeg, mooi roestbruin van kleur.

Minke vertelde hem alles over de Wileys, mevrouw Bowen, de etentjes – waarvan ze er inmiddels al een paar had meegemaakt – en de gasten, met hun verbazingwekkende gesprekken over meteoren, kunstexposities en een opstootje in Parijs over een ballet. O, en Elly at nu vast voedsel, een beetje pap, wat een opluchting voor haar was. Minke zelf begon wat aan te komen. De zusters vroegen haar soms om canasta met hen te spelen. Nou ja, Miss Anne vroeg het en Miss Amanda maakte geen bezwaar. Het mooiste was dat ze elke dag de krant mocht lezen, wat haar steeds beter afging, en dat beide zusters haar graag de betekenis uitlegden van woorden die ze niet begreep. Opgewonden liet ze hem haar stapel kranten zien, die groeide met de dag. Cassian hoorde het lachend aan. 'En jij?' vroeg ze toen ze uitgesproken was. 'Vertel!'

Hij haalde diep adem. 'Waar moet ik beginnen?' Het belangrijkste nieuws was dat hij nu al een hele groep patiënten had, allemaal homoseksuele mannen die niet naar een gewone arts durfden te gaan, die hen misschien zou aangeven bij de politie. Er waren heel wat homo's in Lower Manhattan, legde Cassian uit, en hij was van plan om spoedig te verhuizen naar een nieuw adres aan Washington Square.

'En Sander?' vroeg Minke voorzichtig.

'De baby komt in oktober,' zei Cassian hoofdschuddend. 'En Fenna is niet echt in blije verwachting. Het grootste deel van de tijd loopt ze met een zuur gezicht rond. Sander heeft een baantje als chauffeur voor iemand. Daar verdient hij wat mee. En ik probeer te helpen als ik kan.'

Minke huiverde toen de realiteit van Fenna's zwangerschap weer tot haar doordrong.

'Als Fenna het niet kan horen, vraagt Sander naar jou. Hij wil weten of het goed met je gaat.'

'Laat hem maar in onzekerheid,' zei Minke.

'Ik zeg hem dat ik het niet weet. Dan wordt hij witheet van woede.'

'Het spijt me dat ik je in zo'n situatie heb gebracht.'

'Hij weet dat ik lieg.'

'Je bent toch wel voorzichtig geweest toen je hier naartoe kwam? Heeft hij je niet kunnen volgen?' De gedachte dat Sander voor de deur van haar appartement zou opdoemen bezorgde haar hartkloppingen.

'Ooit zal hij erachter komen, Minke.'

'Hoe dan? Als jij en ik het hem maar niet vertellen. Bovendien ben ik op een dag vertrokken.' Ze vertelde hem over haar plan. Ze had het tot op de dag en tot op de cent uitgerekend. Als ze voorzichtig was, zou ze genoeg kunnen sparen om op 8 maart van het volgende jaar de boot naar Comodoro te nemen. Een plekje in het vooronder zou drieëndertig dollar kosten, voor haar en Elly. Als ze daar aankwam, zou ze meteen naar de Almacén gaan om met Bertinat te praten. Hij had haar altijd gemogen. Ze zou zich aanbieden voor naai- en verstelwerk, zonder valse bescheidenheid over haar vakkundigheid. Ze was immers naaister van een van de belangrijkste mannen in New York geweest. Ze wilde annonces ophangen op alle openbare plekken. 'Zodat iedereen weet dat ik op zoek ben naar Zef. Misschien is er al nieuws als ik van de boot stap. In zo'n land valt een blond jongetje onmiddellijk op. Het gaat me lukken. Dat weet ik zeker. Ik ben hier nog maar een paar maanden, ik heb werk, ik spaar mijn geld en met Elly gaat het geweldig.'

Cassian wierp haar een scherpe blik toe. 'Dan sta je voor een moeilijke keus.'

'Hoe bedoel je?'

'De kans om Zef terug te vinden is maar klein, Minke. En hier in New York heb je de zekerheid van een goed leven voor jezelf en voor Elly.'

# 19

Elke avond als Elly sliep boog Minke zich in de keuken over de kranten van meneer Wiley. Tegen die tijd was mevrouw Bowen al naar huis, naar haar man, en hadden de Wileys zich teruggetrokken op hun kamers. Ze las alles. Verbazend, wat je allemaal in de krant kon vinden. Er stonden stukken in over moorden, over politiek, de dreiging van een oorlog, en op vrijdag een societyrubriek. Een vrouw, Iris Singer, ging bij mensen langs en nam foto's van rijke families die statig poseerden met hun kinderen en honden, omringd door rijkdommen als van een koningshuis. Minke had nog nooit zulke grote huizen en zoveel luxe gezien. Iris Singer beschreef wat ze zag zoals een hongerlijder over eten zou praten, vol verlangen. Minke probeerde de woorden die ze leerde graag op de Wileys uit. 'Werkelijk fabuleus,' zei ze over een lap stof waar een van de zusters mee thuiskwam. 'Een hoogtepunt van de renaissance', probeerde ze een keer tegen meneer Wiley, die haar bevreemd aankeek en zei: 'Inderdaad, maar ik denk dat je de "renaissance" bedoelt en niet de "renissanke".'

Ze speurde altijd naar nieuws over Argentinië, een land dat volgens *The New York Times* net zo snel groeide als Amerika en grote groepen immigranten uit de hele wereld aantrok. Mensen probeerden daar hun fortuin te maken. Zo nu en dan vond ze zelfs een berichtje over Comodoro, altijd in verband met olieproductie. Minke las die stukjes steeds opnieuw, alsof ze Zef zou kunnen ontdekken tussen de regels. In augustus verschenen er twee foto's van Comodoro in de krant. Minke leende Miss Annes vergrootglas en boog zich eroverheen. Op de ene foto was een oliebron in Comodoro te zien, 'afgeschot met golfplaten als bescherming tegen zand en stof', volgens het artikel. Buiten poseerden een stuk of tien arbeiders houterig in hun dikke jassen met wollen mutsen. Minke keek aandachtig naar alle gezichten, in de hoop dat er iemand bij was die ze zich herinnerde. Misschien had ze sommige mannen al eens eerder gezien, maar er was niemand bij die ze echt kende. Toch voelde ze heimwee bij de aanblik van het vertrouwde rotsachtige landschap en de glooiende heuvels in de verte.

De andere foto was genomen vanaf de Cerro. Het duurde even voordat ze de barakken van het kamp van Dietz herkende, dezelfde gebouwen waar ze naartoe was gereden op de dag dat Cassian was overvallen. Het kamp was nu veel groter en leek zelfs een kleine stad. Volgens het artikel was Comodoro 'erg primitief, hoe je het ook bekeek', maar maakte het een snelle groei door. De journalist meldde dat het kostbaarste land was opgekocht door speculanten uit naam van grote Europese oliemaatschappijen, die als stromannen optraden totdat de akkoorden met Argentinië ook buitenlandse investeringen zouden toestaan. De maatschappij van Dietz werd zelfs bij naam genoemd: Petróleo Sarmiento.

Dat verklaarde alles! Dietz had altijd geroepen dat hij zijn bedrijf aan de Duitsers zou verkopen. O, wat een wereld. Als je dacht dat je de waarheid kende, bleek het toch anders te zijn. Dietz was geen zelfstandig ondernemer, maar een pion in een veel groter schaakspel.

Op haar volgende vrije middag, een prachtige dag in september, ging ze op weg naar Cassians appartement. Elly, inmiddels acht maanden oud, was te rusteloos om lang in haar draagband te blijven, maar Minke hield haar daar totdat ze een plaatsje had gevonden in de Ninth Avenue Elevated Train. Daar klom Elly op haar schoot en keek oplettend om zich heen terwijl de trein luid knarsend en slingerend door de stad denderde.

Zoals elke week nam Minke de kranten mee voor Cassian, maar nu kon ze niet wachten om hem de foto's van Comodoro te laten zien. Ze stapte uit bij het station in Thirteenth Street en zigzagde de straten door naar Cassians adres, een hoog, smal, bakstenen gebouw, dat net als alle andere in zijn straat een metalen brandtrap aan de voorkant had. Ze klopte op de deur van zijn kleine praktijk op de begane grond. Toen er geen reactie kwam, nam ze de trappen naar zijn appartement, waar ze opnieuw aanklopte en zonder te wachten naar binnen stapte.

Cassians flat stond vol met meubels en boekenkasten. Overal hingen kleurige wandkleden en lagen grote kussens, Turks of Marokkaans, net als ooit in zijn huis in Comodoro. Minke zette Elly neer en haar dochtertje kroop naar een bank die met spreien was bedekt. Cassian spreidde zijn armen om haar te begroeten. Hij was goed aangesterkt. Zijn gezicht had weer vlees op de botten, zijn donkere ogen glinsterden met hun oude vitaliteit en hij droeg zijn haar wat langer en het was glanzend zwart. Twee van zijn buren waren op bezoek, een echtpaar dat onderuitgezakt op de divan zat, loom en slaperig als een warme nazomer. Royal was schilder, en veel van zijn werk hing aan Cassians muren. Zijn vrouw, de tengere, donkere Ivy, sloeg haar man liefdevol gade. Ze kwamen vaak langs op zondagmiddag.

Dan ging Royal tekeer tegen de regering van dit of dat land, gaf zijn mening of er nu oorlog ging komen, en maakte zich boos over corruptie.

Minke knikte hen haastig toe, haalde de kranten onder uit Elly's draagband, pakte het katern met het stukje over Comodoro en liet de rest van de kranten met een klap op de stapel in de hoek vallen. 'Kijk hier eens!'

Cassian zette zijn bril op en ging zitten om te lezen. Hij drukte een hand tegen zijn borst. 'Dus Dietz werkte voor een oliemaatschappij?'

'Daar lijkt het wel op,' zei Minke.

'Hij deed alsof hij grote risico's liep als ondernemer, net als wij allemaal, maar in werkelijkheid stond hij gewoon op de loonlijst,' zei Cassian. 'Geen wonder.'

Cassian kwam met de thee en Minke begroef zich in de sofa, terwijl ze een slok nam. Ze voelde zich zo heerlijk ontspannen bij Cassian, terwijl ze toekeek hoe Elly bij iedereen op schoot klom, op haar achterste viel en zich weer overeind hees.

Vanaf de trap naar het appartement klonk opeens rumoer. Minke, die de stemmen onmiddellijk herkende, verstijfde. De deur vloog open en daar stonden Sander en Fenna – Fenna in haar groene jas, die wijd openhing over haar nachthemd eronder. Sanders gezicht zweette door de inspanning van het traplopen. Minke dook nog dieper in de sofa weg, alsof ze zich zo onzichtbaar kon maken voor Sander. Ze staarde naar het tweetal zoals ze naar acteurs op een toneel zou hebben gekeken. Fenna klapte dubbel van pijn en klampte zich aan Sander vast. Ze maakte een afschuwelijk geluid, dat het midden hield tussen kermen en kotsen, greep naar haar buik en liet zich in een van de leunstoelen vallen.

'Help haar,' zei Sander, en hij schudde Cassian aan zijn schouder. 'Godallemachtig, man! De baby komt!'

'Het is nog te vroeg,' zei Cassian.

'Maar het kind komt eraan!' hield Sander vol.

Cassian hielp Fenna overeind. Ze scheen Minke niet eens te hebben opgemerkt. Ivy en Royal waren blijkbaar gevlucht. Sander bleef met Minke in de woonkamer achter. Ze was zich scherp bewust van de veranderingen in hem. Zijn ogen stonden rood en waterig, waarschijnlijk door de drank. En zijn kleren, ooit zijn trots, hingen slap en smoezelig om hem heen. Het had haar een gevoel van voldoening kunnen geven, maar ze was alleen maar verdrietig nu ze zag wat er van hem geworden was. Toen hij haar eindelijk ontdekte, reageerde hij zichtbaar geschokt. Haar zorgvuldige pogingen om haar verblijfplaats voor hem verborgen te houden zouden voor niets zijn geweest als ze nu niet onmiddellijk vluchtte. Sander glimlachte bleek. 'Minke,' zei hij.

Fenna gilde weer, vanuit de slaapkamer. Minke stond op. 'Ga naar haar toe,' zei ze. 'Ik zal wel water koken.'

Weer hoorde ze Fenna kermen. De baby kwam acht weken eerder dan verwacht – veel te vroeg. Minke legde een hand tegen Fenna's voorhoofd en Fenna sloeg haar ogen op. Ze greep zich vast aan Minkes arm. 'Help me, Minke, help me toch,' snikte ze. 'De pijn is te erg.'

De ketel begon te fluiten in de keuken. Cassian kwam terug en gaf Fenna wat morfine, waardoor ze enigszins kalmeerde. 'Meer,' zei ze. 'Alsjeblieft. Meer!'

Maar de baby wachtte niet. Fenna gilde weer en was toen stil.

Het was een jongetje, niet veel groter dan Cassians hand, met een mager, scherp gesneden gezichtje. Cassian vroeg Minke een deken warm te maken in de oven. Sander stond in de keuken met de ketel, aarzelend wat hij moest doen. Ze liep terug naar de slaapkamer, terwijl Cassian het kind op Fenna's buik legde, met nog een dekentje eroverheen. Het was een troep. Het beddengoed zoog het vocht op en Fenna's kleren waren bloederig en doorweekt. Ze moest worden gewassen en warm gehouden waar ze lag, met de baby in haar armen. 'We willen hem Woodrow noemen, naar de pas gekozen president,' fluisterde ze.

*Als hij blijft leven*, dacht Minke. Het kind woog nauwelijks vier pond op Cassians weegschaal. 'De baby moet op een gelijkmatige temperatuur worden gehouden,' zei Cassian tegen Sander in de woonkamer.

'Onmogelijk,' zei Sander. 'Het wordt steeds kouder, nu.'

Hij gaf het al op zonder het te proberen, dacht Minke.

Cassian schraapte zijn keel. 'Het zal niet meevallen, Sander, maar onmogelijk is het niet. Het is wel eerder geprobeerd. Je moet het kind in de oven leggen, met alleen de waakvlam aan. Zo blijft de temperatuur ongeveer gelijk aan die van de moeder.'

Minke vreesde voor de baby, met ouders die misschien niet in staat waren voor hem te zorgen. Ze onderdrukte de neiging met hen mee te gaan en haar eigen leven op te geven om zich om het kind te bekommeren, dat anders misschien zou sterven.

Cassian voelde haar dilemma blijkbaar aan. 'Fenna blijft voorlopig hier, zodat ik haar kan helpen met de baby.' Hij wees naar het zware, gietijzeren fornuis, voorzien van een oven en een warmhoudcompartiment. 'Kijk zo.' Hij opende de deurtjes van de oven en het compartiment, haalde de deken eruit, hield hem tegen zijn gezicht om de warmte te testen, en vouwde hem weer op. Toen gaf hij hem aan Minke. 'Voel maar.' Ze stak een hand uit. De deken voelde goed aan, precies de temperatuur van haar hand.

Ze tilde Elly op haar arm. 'Ga naar je zoon kijken, Sander.'

Hij leek iets te willen zeggen, maar Minke legde een vinger tegen haar lippen. Toen hij verdwenen was, maakte ze van de gelegenheid gebruik om de voordeur uit te glippen met Elly. Zo snel als ze kon rende ze naar de Ninth Avenue Elevated, terwijl ze voortdurend over haar schouder keek om te zien of Sander haar niet volgde. Ze was bang een glimp van hem op te vangen, hoewel ze daar ook half op hoopte. Maar natuurlijk liet hij zich niet zien. Hij was geen man die ooit ergens zijn best voor deed.

# 20

TEGEN ALLE VERWACHTINGEN in, en ondanks een leven met Fenna en Sander als ouders in het vooruitzicht, hield Woodrow toch vol. Elke dag vocht hij om lucht en ten slotte begon hij wat aan te komen. Minke hoorde het van Cassian in november, toen hij bij haar op bezoek kwam om haar te zeggen dat de kust weer veilig was. Fenna en Woodrow waren teruggegaan naar het appartement aan 121st Street, en Minke kon weer langskomen.

Zelf had ze ook nieuws. Het spaargeld in haar sok groeide gestaag en op 8 maart zou ze op de boot naar Comodoro stappen. Ze had de goedkoopste plaats in het vooronder, maar wat maakte het uit? Ze was sterk genoeg, en Elly ook.

'Het wordt daar net weer winter,' zei Cassian. 'Dat is wel pech.'

Het deerde haar niet. Ze zou dichter bij Zef zijn, meer kans hebben om hem terug te vinden. Daar ging het om. Hij moest inmiddels twee keer zo oud zijn, bijna twee jaar. 'Ik zie kinderen van Zefs leeftijd als ik met Elly in het park ga wandelen, en het breekt mijn hart. Ik mis hem zo. Elke dag zie ik hem voor me, Cassian. Heeft iemand zijn haar geknipt? Hij moet nu al lopen, rennen, de wereld verkennen. Zou hij me nog kennen als ik hem vind?'

'Heb je dit ooit met je vader en moeder besproken?' vroeg Cassian.

Minke haalde haar schouders op. Ze had hun geschreven over Elly, en over New York. Maar hoe kon ze hun hart breken door hun de rest te vertellen?

'Wat krijg je voor nieuws van hen?' vroeg Cassian.

'Als ze mijn adres wisten, zouden ze het aan Fenna doorgeven, zelfs als ik hun vroeg dat niet te doen. Dat durf ik niet. Ik schrijf ze wel, maar ik hoor niets terug.'

Ze ging weer verder met haar smokwerk op een jurk voor Miss Anne. Cassian ging op de divan zitten om met Elly te spelen, en bladerde de stapel kranten door die Minke in haar naaikamer bewaarde.

'Wil je me voorlezen terwijl ik zit te naaien, Cassian?' vroeg ze. Hij deed het graag en las een paar artikelen. Meestal beperkte hij zich tot de eerste alinea's, het interessantste gedeelte, en ging dan verder met een ander stukje. Als hij klaar was met een bepaalde dag, zocht hij in de stapel naar de krant van de volgende datum. Het maakten hun allebei niets uit dat het nieuws al oud was.

Minke was net klaar met een knoopsgat toen Cassian opeens zweeg. Hij had haar een paar verhalen over rijke Amerikanen voorgelezen. 'Allemachtig!'

'Wat is er?' Ze legde haar naaiwerk neer.

Cassian stak haar de krant toe en schudde zijn hoofd. 'Ze zijn hier, in New York!'

'Wie zijn hier in New York?'

'Dietz en zijn vrouw.'

Ze griste de krant uit zijn hand en las het artikel.

EEN WARM WELKOM

Geen beter bewijs dat Fifth Avenue en Sixty-Second Street het centrum van de New Yorkse beau monde vormen dan de aankomst van de heer en mevrouw Frederik Dietz en hun zoontje Hendrik.

Fifth Avenue nummer achthonderdtien, waar tientallen jaren de Astors, de DuPonts en de Fricks hun intrek namen, is nu ook het thuis van de familie Dietz, die pas uit Argentinië is aangekomen. De heer Dietz is kortgeleden benoemd tot directeur van Pan American Petroleum & Transport, dat kantoor houdt in Woolworth Building.

Het drie verdiepingen hoge appartement heeft een ballroom op de benedenverdieping, twee haarden, een grote centrale trap en een penthouse met tuinen, die uitkijken over Fifth Avenue.

Via haar tolk toonde mevrouw Dietz, die van Hollandse afkomst is, zich enthousiast over het uitzicht op Central Park en de nabijheid van de beste restaurants. Mevrouw Dietz zag er prachtig uit in een rijk geborduurde jurk van Callot Soeurs en een zwarte tulband, extra opvallend door de waaier van blauwe veren – staartveren van een zeldzame Patagonische papegaai, legde ze uit.

Minke schoot in de lach. 'Ze heeft een hoed gemaakt van die papegaai!' Ze liet zich op de divan vallen, naast Cassian.

'Kijk eens naar die foto,' zei hij.

Minke had het nog niet gezien, maar boven aan de pagina, los van het artikel, stond een foto. Ze hield hem dicht bij haar ogen om beter te kunnen zien. Tessa leek wel een swami met haar tulband; de veren waaierden er bovenuit als een pauwenstaart. Dietz stond achter haar, met zijn handen stevig op de rugleuning van haar stoel. En op haar schoot zat het kind. Minkes adem stokte. Het was zo pijnlijk om Tessa met een zoontje te zien.

'Dat is een heel grote baby!' Ze bestudeerde het kind op de korrelige foto en probeerde zich te herinneren wanneer het jongetje geboren moest zijn. Tessa was pas in verwachting – en nog lang niet zeker – toen Minke van Zef beviel. De jongen droeg een belachelijke baret en een matrozenpakje van helderwit katoen. Hij was opvallend groot, maar zijn ouders waren zelf ook fors.

Minkes blik werd voortdurend naar de foto getrokken. Er was iets mee. 'Wil je me mijn vergrootglas geven?'

De baret hing diep over het voorhoofd van de baby en Tessa's grote hand rustte op zijn schoudertje, waardoor de zijkant van zijn gezicht moeilijk te onderscheiden was. Toch zag ze de gelijkenis. In zijn glimlach. Haar hart sloeg een slag over. 'Cassian?'

'Ja, ik dacht hetzelfde als jij. Kom mee.'

Ze namen Elly mee en verlieten het gebouw via de dienstingang aan de achterkant. Minke probeerde zich te beheersen, maar tevergeefs. Ze beefde over haar hele lichaam en kon nauwelijks adem krijgen.

Cassian hield een taxi aan. 'Sixty-Second Street en Fifth Avenue,' zei hij. 'Luister naar wat ik zeg, Minke. We moeten dit in stappen doen. Eerst wachten we totdat er iemand naar buiten komt met het kind. Misschien niet vandaag, maar uiteindelijk zal er toch iemand komen. We moeten het jongetje eerst hebben gezien om zeker te weten dat het Zef is. Maar daar laten we het bij. We proberen hem niet mee te nemen. Beloof me dat.'

'Hoe kan ik je dat in vredesnaam beloven?'

'Ik heb je nog nooit slechte raad gegeven, Minke. Beloof het me.'

Bij Fifth Avenue 810 staken ze over naar de kant van Central Park en keken omhoog naar het gebouw. Het leek wel een vesting, een zware stenen kolos met honderden ramen. Minkes blik gleed omhoog naar de bovenste verdieping, waar de familie Dietz moesten wonen, volgens de krant.

'En nu maar wachten,' zei Cassian. 'We blijven hier en wachten af.'

Er stonden genoeg parkbankjes langs Fifth Avenue om te gaan zitten en Elly te laten rondlopen terwijl ze de ingang van nummer 810 in de gaten hielden. Mensen kwamen en gingen, onder toezicht van een man in een zwart uniform met goudkleurige epauletten. Minke voelde zich tegelijkertijd in de zevende hemel en in de hel. Cassian hield vol dat ze onder geen enkele voorwaarde naar de ingang mochten stappen, uit angst te worden teruggestuurd, met de kans dat het echtpaar Dietz zouden worden ingelicht over hun komst.

Het leek een eeuwigheid te duren. Ten slotte werden de straatlantaarns langs Fifth Avenue gedimd. Op dat moment, niet vanuit het gebouw maar verderop in de straat, zag Cassian een vrouw aankomen met een kinderwagen. 'Kijk daar!' zei hij. 'Ze loopt naar de ingang.'

Minke tuurde door het halfdonker. De vrouw was tenger gebouwd, heel anders dan Tessa. 'Dat is ze niet,' zei ze.

'Laten we die kant op lopen,' zei Cassian. 'Maar doe wat ik zeg!' Minke tilde Elly op haar heup en stak achter hem aan de straat over. 'We nemen alleen maar een kijkje,' zei hij. 'Doe geen domme dingen.'

De vrouw was nog een meter of tien bij hen vandaan. Het moest een gouvernante zijn; zo werden kindermeisjes in New York genoemd, had Minke in de krant gelezen. Rustig duwde ze de kinderwagen voort. Minkes hart ging zo hevig tekeer dat ze bang was dat ze flauw zou vallen. Cassian pakte haar hand en kneep er veel te hard in, als een waarschuwing dat ze zich moest gedragen. Minke had enkel aandacht voor het kind in de wagen. Het was een grote, dure kinderwagen, glanzend zwart, met een kap. Het kind kon er rechtop in zitten en naar voren kijken. Zijn gezichtje was een ronde witte vlek tegen de donkere deken die hem stevig op zijn plaats hield. Zelfs zijn armpjes waren ingesnoerd.

Minke slaakte een onderdrukte kreet en deed een halve sprong naar voren, niet in staat zich te beheersen. 'Eén momentje maar,' zei Minke tegen de geschrokken vrouw. 'Ik wil even kijken.'

De gouvernante aarzelde, maakte toen een bocht om hen heen en liep haastig door. Maar Minke had genoeg gezien om zekerheid te hebben.

Cassian sleurde haar mee, sloeg een hand over haar mond en trok haar naar de overkant van de straat, terwijl Minke probeerde zich los te wurmen. Maar hij hield haar stevig vast, terwijl de vrouw door de glazen deuren de hal van Fifth Avenue 810 binnen vluchtte, met Zef in de kinderwagen.

Minke hapte naar adem. Elly jammerde van schrik. 'Waarom deed je dat nou? Waarom? Ik was er zo dichtbij!' hijgde Minke.

'Je had ons bijna verraden.'

'Het was Zef!'

'We krijgen hem wel,' zei Cassian. 'Maar we moeten ons verstand erbij houden. Je had bijna alles verpest.'

Minke wiegde heen en weer op het bankje en tuurde omhoog naar de bovenste etage van het gebouw, waar licht brandde achter de ramen. 'Ik had hem nu in mijn armen kunnen houden!' Ze schudde Cassians handen van zich af. 'Die daar! Die afschuwelijke mensen hebben mijn Zef!'

'Als het hem is, Minke.'

Ze kreunde. 'Wat bedoel je met "als"? Het wás Zef. Je hebt hem toch gezien?'

'Nee. Ik zag niet veel, omdat ik bezig was jou weg te trekken.'

Ze voelde zich misselijk. Weer was haar kleine jongen haar ontglipt.

'Ze zijn nu heel machtig, de Dietzen,' zei Cassian.

'Maar het is mijn kind! Wat heeft macht daarmee te maken?'

Cassian hield haar met al zijn kracht tegen en liet pas los toen ze haar verzet opgaf. 'Hoor eens, Minke, misschien kunnen we Zef in handen krijgen door dat gebouw binnen te dringen, maar het risico is groot. Je weet hoe die gebouwen in elkaar zitten. Je woont er zelf. De portier zal ons tegenhouden en de Dietzes bellen, die jou heus niet zullen ontvangen. Misschien waarschuwen ze zelfs de politie na die scène die je buiten hebt getrapt. Wij hebben geen enkele kans tegen hen. De politie zal ons arresteren als indringers.'

'Maar hij is mijn kind!'

'Voorlopig is hij veilig, Minke, in een warm huis, waar hij goed te eten krijgt. Het zal heus niet lang duren voordat je hem terug hebt, áls het Zef is. En kom nu mee. We moeten hier weg, voordat ze ons aanhouden wegens wetsovertreding.'

Ze wierp nog een laatste blik op het penthouse. Daar. Dáár was hij. 'We kunnen ook naar de politie gaan.'

Cassian zuchtte. 'We doen helemaal niets. We moeten alles eerst goed overdenken, met alle consequenties, voordat we in actie komen. Op dit moment is Zef – als hij het is – helemaal veilig.'

'Hij is bij Tessa Dietz! Dat noem ik niet veilig.'

'Hij wordt goed verzorgd, dat bedoel ik. En laten we maar van het ergste uitgaan: dat de gouvernante hun heeft verteld over die vrouw op straat.'

'Des te meer reden om meteen iets te ondernemen.'

'Nee,' zei Cassian. 'Des te meer reden om genoeg tijd te laten verstrijken voordat we iets doen.'

Terug in Riverside Drive liet Minke Cassian in de naaikamer achter en rende ze zelf de trap op. Ze was een hele tijd weg geweest. Mevrouw Bowen had de afwas al gedaan en stond op het punt te vertrekken. 'En waar heb jij gezeten?' vroeg ze.

'Waar ik gezeten heb? Buiten, met Elly.'

'Niet zo brutaal, jongedame.'

'Is er iets gebeurd, dan?'

'De volgende keer dat je verdwijnt, wil ik het weten. Stel dat iemand van de familie je nodig had?'

'Was dat dan zo?'

'Vraag het eerst aan mij voordat je de hort op gaat.'

Minke wachtte tot ze zeker wist dat mevrouw Bowen was vertrokken voordat ze naar de naaikamer terugging. Voorzichtig ging ze op de divan zitten om Elly te voeden.

'We zullen alles heel goed uitzoeken voordat we iets doen,' zei Cassian. 'Akkoord?'

'Tessa was zwanger. Wat zou er met dat kind zijn gebeurd?'

'Akkoord, vroeg ik?'

'Ja, akkoord.'

'De baby moet zijn gestorven, of misschien heeft Tessa een miskraam gehad. Ze was niet echt gezond genoeg voor een zwangerschap.' Cassian haalde zijn schouders op. 'Of misschien is ze nooit in verwachting geweest.'

Minke haalde snel adem. 'Denk je dat ze dit vanaf het eerste moment al van plan waren? Als ze niet zwanger was, verklaart dat ook waarom ze niet bij je wilde komen voor controle.'

'Zou kunnen.'

'Dus al die tijd waren ze al van plan om Zef te ontvoeren?' Minke moest een heleboel ideeën laten vallen en ruimte maken voor andere. Het was alsof er een mist voor haar ogen optrok en ze de wereld opeens veel scherper zag. 'Als Dietz achter die ontvoering zat, had Pieps er dus niets mee te maken.'

'Tenzij hij voor Dietz werkte. Dat is ook een mogelijkheid, dat Dietz hem heeft ingehuurd om de baby te ontvoeren. Pieps heeft immers bekend.'

'Hij heeft bekend aan Sander, Cassian. Aan niemand anders.' De volgende gedachte die bij haar opkwam was als een kille wind. Misschien had Pieps nooit bekend. Misschien had Sander hem gewoon neergeschoten uit haat en achterdocht, zonder dat Pieps iets had toegegeven. 'Pieps zou nooit met hem hebben samengespannen.'

'We moeten niet te veel verwachten. Ik hoop vurig dat het Zef is, maar ik durf het nog niet echt te geloven.'

'Je bent te voorzichtig, Cassian.'

'Laten we eens wat mogelijkheden onderzoeken. Stel dat Zef op de een of andere manier door Dietz is gevonden en dat ze hem naar Amerika hebben meegenomen om hem aan jou terug te geven?'

'Ze hebben die journalist en heel New York verteld dat het hun eigen kind is. Ze hebben hem zelfs Hendrik genoemd. Iedereen zei dat het de gaucho's waren. Niemand wilde luisteren toen ik het tegendeel beweerde, omdat het geen gaucho-paarden waren, die nacht. Geen bijzondere paarden, maar gewone knollen, die ze ook gebruiken als trekdieren voor de olieboorinstallaties. Nee, Dietz heeft opdracht gegeven om Zef te ontvoeren en aan zijn vrouw te geven. Dat is de enig mogelijke verklaring. Hun kind is gestorven, en ze hebben mijn baby in zijn plaats genomen.'

'Als het Zef is.'
Ze stak haar vingers in haar oren.

Minke lag in haar smalle bed, maar kon niet slapen. En áls ze sliep, waren haar dromen zo vervuld van hoop, dat ze wakker schrok met een heerlijk gevoel van verwachting, dat onmiddellijk plaatsmaakte voor een donkere afgrond van schuld en verlies. Na Zefs ontvoering waren alle hoeken van het huis vergiftigd door haat – haat tegen Pieps. Alsof hun leven nog niet ellendig genoeg was, ging Sander als een razende tekeer. Het speet hem dat hij de jongen niet had gecastreerd, riep hij, voordat hij hem had doodgeschoten. Hij schold Minke de huid vol omdat ze vriendschap had gesloten met iemand uit de lagere klasse. Zulke contacten liepen altijd op hetzelfde uit, schreeuwde hij. Natuurlijk had ze met die jongen geslapen! Dietz had hem dat meer dan eens verteld. En Tessa had hen samen gezien, tijdens dat bezoek aan de estancia. Hij wist er alles van! Ze was gewoon niet te vertrouwen; een goedkope slet uit een armoedig Hollands dorp. Minke had alles ontkend, gesmeekt en gesnikt dat ze hem altijd trouw was gebleven en altijd zou blijven. Maar behalve door haar wanhoop om het ondraaglijke verlies van Zef, werd ze ook verscheurd door haar eigen schuldgevoel en schaamte omdat ze zich met Pieps had ingelaten.

Maar nu werd ze verteerd door de gedachte aan een nieuwe mogelijkheid. Dat Pieps helemaal niets met Zefs verdwijning te maken had gehad. Dat hij voor niets was gestorven.

# 21

ELKE DAG KWAM Cassian naar haar kleine naaikamer, waar ze praatten terwijl zij werkte. 's Avonds deed ze de was of hielp ze bij etentjes, en geleidelijk daalde er een nieuwe rust over haar neer, omdat ze nu precies wist waar Zef was.

'We hebben hulp nodig,' zei ze tegen Cassian bij een van zijn bezoekjes. 'We kunnen dit niet zelf. Moet je ons zien. Ik ben een immigrante, een naaister met een baby, zonder man en met nauwelijks familie. Jij bent een dokter voor mensen die in deze stad worden geminacht en zelfs gehaat.'

'Precies,' zei Cassian. 'Als we Zef proberen weg te halen, kan Dietz gemakkelijk de politie omkopen om met ons af te rekenen, zodat we Zef nooit meer zullen vinden.'

'We hebben de hulp nodig van iemand met invloed.' Ze keek hem aan. 'Meneer Wiley.'

'Daar heb ik ook aan gedacht. We moeten hem benaderen, maar zonder hem iets te vragen,' zei Cassian. 'We zullen hem uitleggen wat er is gebeurd, zogenaamd omdat jij verplicht bent hem alles over jezelf te vertellen. Je bent immers bij hem in dienst, je woont in zijn huis, dus hoor je hem te informeren. Dan zal hij ons helpen, of niet. Meer kunnen we op dit moment niet doen.'

'Op mijn volgende vrije dag gaan we naar zijn kantoor. Ik kan hem er niet over aanspreken terwijl ik aan het werk ben. En ook niet thuis. Hij is een zakenman.'

Twee dagen later stonden ze voor het meest opmerkelijke gebouw dat Minke ooit had gezien. Het New York Times Building was tientallen verdiepingen hoog en zo dun als een riet, alsof het zo door een storm kon worden omvergeblazen. 'Hoe blijft dat staan?' vroeg Minke.

'Door toverkracht,' zei Cassian.

Maar niemand anders scheen zich zorgen te maken. Mensen liepen haastig de straat door of bleven staan om het laatste nieuws te lezen dat achter een grote ruit was opgehangen. Binnen, in een grote marmeren hal, zat een man achter een balie, die naar hen opkeek. 'Wij komen voor meneer Louis Wiley,' zei Minke.

'Ja, wie niet?' De man nam hen kritisch op. Hoewel ze hun beste kleren droegen, zagen ze er waarschijnlijk uit als de arme immigranten die ze waren, tot en met de baby in de fleurige draagband voor Minkes borst.

'Wilt u hem zeggen dat Minke DeVries hier is? Ik werk bij meneer Wiley thuis. Het is geen noodgeval, maar wel erg belangrijk.'

De man aarzelde, maar Minke vermoedde dat hij haar toch niet durfde weg te sturen. Hij riep een van de jongens die op een bank verderop zaten en zei iets tegen hem. De jongen verdween door een gang, kwam een paar minuten later weer terug en fluisterde de man iets toe. 'Loop maar met hem mee,' zei de man.

Het was een labyrint van smalle gangen, luidruchtige machines, kamers en trappen. Het deed Minke denken aan de *Frisia*, die keer dat ze was verdwaald en Pieps haar had gered. Ze moest de jongen twee keer vragen het wat rustiger aan te doen omdat Cassian, hoewel hij goed was hersteld, het tempo niet kon bijbenen. Ten slotte kwamen ze in een gang met een vloer die zo glansde dat Minke zichzelf erin weerspiegeld zag. Het rook er naar verse schellak en het was er veel stiller dan in de rest van het gebouw. Aan het einde van de gang zag ze een deur met een glazen ruit, die op een kier stond. Er hing een naambordje waarop MR. WILEY stond. Minke stak haar hoofd naar binnen.

Hij zat achter een bureau in het midden van zijn kantoor, met zijn voeten op een voetenbankje, net als thuis. Vijf of zes mannen zaten op stoelen rechtop tegen de muur, blijkbaar wachtend op hun beurt om met hem te kunnen spreken. Hij knikte tegen Minke en Cassian, wees hun een stoel en ging weer verder met zijn papieren. Even later tilde hij zijn grote hoofd op en keek om zich heen, alsof hij verbaasd was zoveel mensen te zien. Met een handgebaar vroeg hij de wachtende mannen hen alleen te laten. Zodra ze waren vertrokken gleed er een voorzichtige glimlach over zijn gezicht. 'Zo, Minke, wat brengt jou hier? Is er thuis iets gebeurd?'

Ze hadden dit natuurlijk gerepeteerd. Het ging erom hem alle noodzakelijke informatie te geven, maar zonder zijn tijd te verdoen. Minke begon. 'Nee, thuis is alles goed, meneer Wiley. Maar er is iets anders.'

Hij leunde naar achteren in zijn stoel. 'Laat horen.'

'Ik heb u toch verteld dat ik een kind was kwijtgeraakt toen ik in Comodoro woonde – Jozef?'

'Ja, ik meen me zoiets te herinneren.' Hij keek haar aan met een grootvaderlijke blik.

'In werkelijkheid is mijn kind toen ontvoerd.'

Meneer Wiley boog zich naar voren en fronste zijn wenkbrauwen. 'Ik dacht dat je bedoelde dat je baby was gestorven, kind.'

'Ik wilde er toen liever niet veel over zeggen.' Ze haalde diep adem. 'In Argentinië had ik de gewoonte om met Zef naar het strand te gaan. Op een dag werden we omsingeld door een groep mannen te paard, die hem van me hebben gestolen. Natuurlijk hebben we naar hem gezocht en mensen ondervraagd. Mijn man verdacht een bepaalde jongeman en stapte naar hem toe. Die jongeman bekende de ontvoering en mijn man heeft hem doodgeschoten.'

Meneer Wiley was iemand die zich niet snel liet verbazen.

'Er gingen geruchten over maatregelen tegen mijn man. Dat was de reden waarom wij weg moesten.'

Cassian glimlachte bemoedigend en Minke haalde het krantenknipsel tevoorschijn. 'Dit stukje vond ik in de krant.' Ze gaf het knipsel aan meneer Wiley en hield hem scherp in de gaten toen hij het las. Op zijn gezicht was geen enkele reactie te bespeuren.

'Frederik en Tessa Dietz, de mensen op die foto, waren kennissen van ons in Comodoro. Sterker nog, bijna drie jaar geleden waren we samen in Argentinië aangekomen op de *Frisia*. Dokter Tredegar kende hen ook al in Amsterdam.' Ze moest haar tranen wegslikken. 'Meneer Wiley, het kind op die foto is mijn baby Zef.' Haar stem brak. Ze had het goed gedaan, maar nu werd het haar toch te veel. Elly werd wakker en begon te bewegen in haar draagband.

Cassian nam het over. 'Nog geen jaar geleden woonde dit echtpaar kinderloos in Comodoro. Het kind op deze foto is een jaar of twee oud. Ik besef dat die informatie alleen nog geen bewijs is...'

'Het is mijn Zef! Dat weet ik zeker,' zei Minke.

'Dus je denkt dat déze mensen achter de ontvoering zaten?' Meneer Wiley tikte op het krantenknipsel.

'Ja,' zei Minke.

Meneer Wiley floot zacht.

'Wij zijn naar het adres gegaan dat in de krant stond en hebben daar een tijdje gewacht, totdat ik Zef zag – in een kinderwagen, geduwd door een gouvernante. Cassian zei dat we hem niet zomaar konden meenemen. Dan zou Dietz ons stevig aanpakken. Het zijn meedogenloze mensen.'

'Ik weet helemaal niets van kinderen, Minke,' zei meneer Wiley, 'maar het is al een jaar geleden sinds je je baby voor het laatst gezien hebt. Hoe kun je er zo zeker van zijn dat hij het is?'

'Een moeder weet dat, meneer Wiley.'

'Dokter Tredegar, bent u ook overtuigd? Denkt u ook dat dit kind Zef is?'

'Als regel houd ik een slag om de arm, maar het lijkt me zeker mogelijk.'

Minke kon hem wel omhelzen. Verder zou hij niet kunnen gaan.

'Dit is Frederik Dietz...' Meneer Wiley wreef over zijn slaap en scheen even met zichzelf te debatteren. 'En we hebben het over een bijzonder ernstige beschuldiging.'

'Een beschuldiging is het nog niet, meneer,' zei Cassian. 'Eerst willen we proberen de identiteit van het kind te bevestigen. Als het werkelijk Zef is, komen de volgende vragen pas aan de orde. De Dietzen moeten de kans krijgen hun gedrag te verklaren.'

Meneer Wiley kneep in de brug van zijn neus, keek op zijn zakhorloge en kwam overeind. Minke legde Elly weer in haar draagband en stond ook op. Het gesprek was ten einde.

'Maar wilt u me helpen?' vroeg Minke plompverloren.

Meneer Wiley verstijfde en keek nog eens op zijn horloge.

'Dank u voor uw tijd,' zei Cassian, terwijl hij Minke bij de arm pakte. Eenmaal buiten trok hij haar mee door de gangen, terug naar de hal, waar ze zich losrukte.

'Hij heeft niets toegezegd. Hij gelooft ons niet!' zei ze.

'Dat weet je niet.'

'Hij heeft geen enkele hulp aangeboden.'

'Denk eens aan de risico's voor hemzelf,' zei Cassian.

'Zo is hij niet.'

'Zo is iedereen.'

'Ik ga terug naar het gebouw van de Dietzen om de wacht te houden. Ze zullen wel met hem naar het park gaan. Als meneer Wiley niets wil ondernemen, zal ik het zelf moeten doen.'

'Wie zegt dat hij niets zal ondernemen?'

'Hij was zo kortaf tegen ons!'

'Hij is een drukbezet man.'

'Ik wil mijn Zef.' Ze stormde de deur uit, de straat op. 'En ik ga hem halen. Zelfs als ik de hele dag en de hele nacht op hem moet wachten.'

Cassian had moeite haar bij te houden. Het was wreed van haar om zo hard te lopen, maar vandaag kon haar dat niets schelen. 'Als de Dietzen je zien, Minke, hoef ik je niet te vertellen hoe dat afloopt,' riep hij haar na. 'Dan zie je Zef nooit meer terug. En als je wordt gearresteerd, raak je Elly ook nog kwijt.'

Ze bleef staan en hij haalde haar in. Daar had ze niet aan gedacht. Buiten adem ging hij verder: 'Luister nou naar me. Als er aan het einde van de week nog niets is gebeurd, ga dan je gang maar en doe het op jouw manier. Maar we kunnen niet eerst jouw plan uitvoeren en dan het mijne, want als jouw plan mislukt, is het afgelopen. Dan staan we machteloos. Dus moeten we het eerst op mijn manier proberen en daarna pas op jouw manier.'

'Maar wat is jouw manier dan? Niets doen?'

'We hebben meneer Wiley de feiten genoemd. Geef hem even de tijd daarover na te denken.'

'Soms kan ik je wel vermoorden, Cassian Tredegar.'

Hij lachte. 'Dat weet ik,' zei hij, 'maar dan ben ik dood.'

# 22

De dagen die volgden waren een beproeving. Meneer Wiley zei geen woord over haar bezoekje. Op geen enkele manier verwees hij naar hun gesprek, maar hij behandelde haar zoals altijd, beleefd en met respect. Als ze hem in de keuken trof met mevrouw Bowen, begroette hij haar met een knikje en een glimlach en wenste haar goedemorgen. Hij bracht een overhemd naar haar naaikamer om de boord te laten keren, maar ook toen zei hij niets over hun ontmoeting, evenmin als Minke. Ze had Cassian beloofd hem niet lastig te vallen.

Op vrijdag kwam Cassian langs. Hij wilde weten of meneer Wiley al iets had gezegd.

Niets, antwoordde Minke, een beetje kriegel van het wachten, ervan overtuigd dat er toch niets zou gebeuren. Ze keek uit naar haar eigen plan. Nog drie dagen, dan was er een week voorbij en kon ze de hal van Fifth Avenue nummer 810 binnen stappen om toegang tot het appartement van de Dietzen te eisen. Zef zou haar herkennen en lachend zijn hoofdje in zijn nek gooien. Eindelijk konden ze elkaar huilend in de armen sluiten. Ze zou hem meenemen naar haar appartement en aan meneer Wiley laten zien dat ze zich niet vergist had. *Kijk maar*, zou ze zeggen. Misschien zou hij haar niet in dienst houden nu ze twee kinderen had en hijzelf zo'n flater had geslagen, maar dat deed er niet toe. Ze zou zich wel redden.

De dagen sleepten zich somber voort. Ook haar werk leed eronder. De kraag, normaal geen enkel probleem voor haar, kwam scheef uit haar handen. Mevrouw Bowen klaagde dat ze er met de pet naar gooide. Het maakte niet uit. Alles zou anders worden. Ze kon niet wachten om Tessa Dietz te confronteren – haar gezicht te zien, haar op de knieën te dwingen.

Maar op zaterdagmiddag, toen Cassian toevallig op bezoek was, bonsde mevrouw Bowen op de deur. 'Naar boven, jongedame!' riep ze. 'Meneer Wiley wil je spreken. En die dokter ook, als hij bij je is.'

Minke pakte Elly, die op de grond met lapjes stof zat te spelen, en met hun drieën stapten ze naar buiten. Mevrouw Bowen wachtte op de gang, met haar armen over elkaar geslagen en een frons op haar gezicht. 'Wat een gezellig gezinnetje,' zei ze. Het was niet de eerste keer dat ze een insinuerende opmerking maakte over Cassians aanwezigheid, maar Minke verwaardigde zich niet te reageren. De huishoudster moest er maar het hare van denken. Ze volgde mevrouw Bowen de trap op.

Meneer Wiley zat in de keuken, geflankeerd door Miss Anne en Miss Amanda. Ook mevrouw Bowen ging zitten. 'Ik heb hun alles verteld,' zei hij.

Miss Amanda nam haar achterdochtig op. Ze had Minke nooit volledig geaccepteerd. Alleen Miss Anne wierp haar een samenzweerderig lachje toe.

'Mogen wij nog een paar dingen vragen, Louis?' zei Miss Amanda.

'Natuurlijk,' antwoordde meneer Wiley.

'Hoe goed ken je de Dietzen? Neem me niet kwalijk, maar er is nogal een verschil in jullie maatschappelijke status.'

'In Comodoro waren we gelijk. Zij waren ondernemers, net als wij.'

'Maar jij bent hier zonder een cent aangekomen,' ging Miss Amanda verder.

Cassian legde het uit. 'Toen ik was overvallen, konden we onze zaak – de productie en export van morfine – niet meer in stand houden. Al onze arbeiders vertrokken naar de olievelden van Frederik Dietz. Er bleef niemand over voor de morfine-productie.'

'Hoe is het mogelijk dat die mensen jouw kind hebben gestolen zonder dat iedereen dat wist?' vroeg Miss Anne. 'Het klinkt als een kleine wereld, waar nieuws snel de ronde deed.'

'Tessa woonde op een estancia, mijlenver weg,' zei Minke. 'Ze moet de baby daar bij zich hebben gehouden.'

Mevrouw Bowen leek niet overtuigd. 'Ben je naar de politie gegaan?'

'Er was daar geen politie.'

'Welke stad heeft nou geen politie?'

Minke keek hulpzoekend naar Cassian. Hoe moest je Comodoro beschrijven?

'Het lijkt erg op het Wilde Westen hier in Amerika,' zei hij. 'Er was wel een veldwachter, maar die had weinig gezag en macht.'

'Wat denk je dat er met Zef is gebeurd?' vroeg Miss Amanda. 'Je had toch wel vermoedens?'

'Het verhaal ging dat hij aan rijke mensen was verkocht, misschien wel in een ander land.' Minke zweeg een moment. 'En er werd vaak beweerd dat de gaucho's erachter zaten. Niemand wilde naar me luisteren toen ik zei dat dat onzin was.'

'En natuurlijk was er die bekentenis,' zei meneer Wiley.

'Ik heb nooit echt geloofd dat de jongen die door mijn man is doodgeschoten er iets mee te maken had,' zei Minke.

'En u, dokter?' vroeg Miss Amanda.

'Hij was een fatsoenlijke jongeman, maar zoals u zegt, meneer Wiley... hij heeft wel bekend.'

'En hij heeft het kind aan deze mensen verkocht,' zei Miss Amanda.

'Hoe weet je zo zeker dat het jouw zoontje is? Die foto is maar klein.' Miss Anne keek alsof ze die vraag liever niet had gesteld.

'Ik heb hem in zijn kinderwagen gezien.'

Meneer Wiley schraapte zijn keel om de aandacht te trekken. 'Je moet toegeven dat het hele verhaal nogal vergezocht lijkt, en dan druk ik me voorzichtig uit.' Hij glimlachte. Hij had echt een leuk, levendig gezicht. 'Maar het interesseert me wel, want ik hou van vreemde zaken. Sterker nog, ik heb mijn eigen redenen om deze mensen te willen ontmoeten.'

Minke keek stomverbaasd. 'O ja?'

Meneer Wiley haalde zijn schouders op. 'Olie wordt het belangrijkste product van de twintigste eeuw, wacht maar af. En meneer Dietz kan me daar meer over vertellen.'

'Dus u wilt iets doen?'

Meneer Wiley haalde een opgevouwen brief uit zijn vestzak. 'Er is meer. Ik kende de naam Dietz al voordat jij naar mijn kantoor kwam. De krant had namelijk een brief van hem ontvangen. Dat gebeurt wel vaker. De meeste brieven die we krijgen gaan over de roddelrubriek. Verzoeken om rectificaties, en zo. Mensen vinden het heel vervelend als ze voor hun omgeving te kijk worden gezet.' Hij schoof de brief over de tafel naar haar toe. 'Meneer Ochs had de zaak aan mij gedelegeerd.'

*Adolph Ochs*
*Uitgever*
*The New York Times*

*Geachte heer Ochs,*
*Mijn vrouw wil uw aandacht vestigen op bepaalde onjuistheden in een artikel dat onlangs in uw krant verscheen. Als u zo vriendelijk wilt zijn de volgende rectificaties te publiceren in uw societyrubriek, zal de rust in ons huis kunnen wederkeren. Wij merken op dat:*

*Ons appartement van drie verdiepingen over <u>drie</u> haarden beschikt, niet twee.*

*En dat de blauwe veren niet afkomstig waren van een Patagonische papegaai maar toebehoorden aan de geliefde Zuid-Amerikaanse blauwe ara van mijn vrouw.*

*Met vriendelijke groet,*
*Frederik August Dietz*
*(vert.) Miniver Rustrup*

'Hij heeft geklaagd!' zei Minke.

Meneer Wiley grinnikte. 'Inderdaad.'

'We nodigen hen uit voor de lunch,' riep Miss Anne uit.

'O, Anne,' zei Miss Amanda, 'laat Louis toch eens uitspreken.'

'We nodigen hen uit voor de lunch,' zei meneer Wiley.

Miss Anne giechelde.

Minke kon hem wel zoenen. Ze zou het liefst over de tafel zijn gesprongen om hem te smoren met kussen. Nog nooit was ze zo blij geweest. Hij schoof nog een vel papier naar haar toe. 'De uitnodiging is al verstuurd. Ik heb duidelijk geschreven dat we hen graag alle drie willen ontvangen. Met nadruk heb ik naar het kind gevraagd. Dit...' – hij tikte op de brief – 'is hun antwoord. We zullen zien of het inderdaad jouw zoontje is. Zo niet, dan heb ik tenminste kennisgemaakt met iemand die me nog van nut kan zijn.'

*Geachte heer Wiley,*
*Hoewel het ons spijt dat de heer Ochs zelf niet beschikbaar is en niet persoonlijk op onze klacht heeft gereageerd, nemen we uw uitnodiging voor de lunch, aanstaande zondag, graag aan. Mijn vrouw laat u daarbij weten dat zij de volgende gerechten niet verdraagt:*
*Uien.*
*Elke soort vis.*
*Gerechten zonder zout.*
*Bovendien vragen wij voor onze zoon een stoel waarop hij even hoog kan zitten als de aanwezige volwassenen. Hij is twee jaar oud en wordt soms onrustig. Ik vertrouw erop dat een lid van uw huishoudelijke staf beschikbaar is om hem te amuseren, mocht dat nodig zijn.*
*Hoogachtend,*
*Frederik August Dietz, directeur*
*Pan American Petroleum & Transport*

'Morgen al!' Minke was dolblij dat ze naar Cassian had geluisterd. Niets kon de lach nog van haar gezicht vegen.

'Uien,' herhaalde mevrouw Bowen. 'Elke soort vis.' Haar ogen glinsterden boosaardig.

Miss Anne klapte in haar handen. 'Laten we gekookte vis eten!'

'En zou er een lid van de huishoudelijke staf klaarstaan om Zef te amuseren?' Minke trilde bij het vooruitzicht. 'Nou, ik denk dat de naaister zich wel aanbiedt.'

'Laten we hem voorlopig allemaal wel Hendrik noemen,' zei Cassian. 'Ik ben nog altijd bang voor een teleurstelling.'

'O, Cassian! Ik vind Hendrik een vreselijke naam. Bovendien weet ik gewoon dat het mijn eigen Zef is.'

Miss Amanda tikte op de brief en zei vol afkeer: 'Misschien hebben we een kidnapper op de lunch gevraagd.'

'Precies,' zei meneer Wiley. Soms leek het een geweldige kracht te vergen om dat hoofd van hem overeind te houden, het was zo groot. 'Maar heeft je zoontje ook karakteristieke kenmerken – iets waardoor we zeker weten dat hij het is?'

'Ik heb bij de bevalling geassisteerd,' zei Cassian. 'Hij heeft een kleine, blauwachtige pigmentvlek op zijn onderrug, een Mongolenvlek, zoals wij die noemen. Onschuldig, maar heel karakteristiek.'

'Uitstekend,' zei meneer Wiley.

Minke voelde zich overvallen door een bijna ondraaglijke vreugde nu Zef gevonden was. Morgen zou ze hem al zien! Die blijdschap verzachtte alle scherpe kantjes. Ze hield van hen allemaal. Ze sloeg zelfs haar armen om meneer Wiley heen. 'Dank u!' De man verstijfde, maar liet zich toch omhelzen. Hij was blijkbaar niet aan aanrakingen gewend.

'Het moet een feestmaal worden,' zei mevrouw Bowen.

Minke omhelsde haar ook.

# 23

MENEER WILEY WAS in zijn element. Op zijn werk had hij de leiding over een groot team van mensen die zich bezighielden met iets wat public relations werd genoemd. Dat betekende dat ze contact hielden met de honderden, zelfs duizenden mensen over wie in de krant werd geschreven – mensen uit alle lagen van de bevolking, van hoog tot laag – om hun meningen te peilen en hun sympathie te winnen. Bijna eigenhandig, vertelde Miss Anne, had hij de reputatie van *The New York Times* gevestigd. Dat was zijn grote talent, en dat zou hij ook gebruiken voor de lunch met Tessa en Frederik Dietz.

Het hele huishouden was druk in de weer met de voorbereidingen. Schildpadsoep, oesters en rosbief, met Yorkshire pudding. Zelfs de beide zusters hielpen bij het tafeldekken en het poetsen van de wijnglazen. Minke zelf dekte de plek voor Zef. Ze haalde een stoel uit de voorkamer, zocht de kleurigste kussens die ze kon vinden en stapelde die op tot de hoogte van de tafel, als een vrolijke kleine troon. Bij zijn stoel zette ze een klein vaasje met een roos, en om zijn bord legde ze een halve cirkel van kleine gele en rode balletjes die ze van lapjes stof had gemaakt.

Een zwart gelakt Japans kamerscherm met rode en goudkleurige bloemen werd voor de klapdeur naar de keuken gezet. Het scherm bestond uit drie panelen, met kieren ertussen, waar iemand doorheen kon kijken. Zo kon de keukendeur open blijven zonder zichtbaar te zijn vanuit de eetkamer. Minke en Cassian zouden op stoelen achter het scherm gaan zitten om de eettafel in de gaten te houden door de kieren.

Om kwart voor een hadden ze hun plaatsen ingenomen. Terwijl ze wachtten, bood Cassian Minke een beetje morfine aan tegen de zenuwen, maar ze weigerde. Ze wilde elke seconde volledig meemaken. O, ze was nerveus genoeg, maar enkel door de gedachte dat ze het liefste wat ze op deze wereld wilde nu bijna binnen handbereik had.

Om kwart over een klonk de bel in de hal en nam meneer Wiley de hoorn van huistelefoon op. 'Ja?' zei hij energiek. 'Goed. Stuur ze maar naar boven, als je wilt.'

Minke wachtte met bonzend hart en keek om de rand van het scherm heen om een glimp van de hal op te vangen. Ze hoorde het gerinkel van het koperen hek toen de lift openging, en daarna een klop op de deur. Meneer Wiley liep voor haar langs en verdween. De deur ging open en hij verwelkomde zijn gasten. Minke had niet verwacht dat de stemmen van Tessa en Frederik Dietz zo'n weerzin bij haar zouden oproepen. Ze spitste haar oren of ze Zef al hoorde.

'En dit moet de kleine Hendrik zijn,' zei meneer Wiley, extra luid voor Minke en Cassian, zodat ze wisten dat de Dietzen het kind inderdaad hadden meegebracht.

Minke sprong in een opwelling overeind, maar Cassian greep haar arm, stevig genoeg om haar een blauwe plek te bezorgen. 'Even kijken,' siste ze hem toe. 'Ik ben heus wel voorzichtig.'

Maar Cassian kneep haar nog harder in haar arm. Het was een belofte die ze onder geen enkele voorwaarde mochten breken. Als Minke zich toch had vergist en het kind niet Zef was, zou de reputatie van meneer Wiley en zijn zusters ernstige schade kunnen oplopen. Op tijd kwam Minke tot bezinning en ging weer zitten.

Mevrouw Bowen kwam langs vanuit de keuken om de jassen aan te nemen. Ze gaf hun een teken om hun stoelen wat naar achteren te schuiven, zodat ze meer ruimte had. De stemmen van meneer Wiley en het echtpaar Dietz verstierven toen ze naar de voorkamer liepen, waar de zusters Wiley zaten te wachten. Mevrouw Bowen had de jassen in de kast gehangen en kwam terug.

'Nou?' vroeg Minke.

'Hoe moet ik dat weten?' fluisterde mevrouw Bowen.

Twintig minuten verstreken zonder dat ze iets hoorden, behalve zo nu en dan de luide lach van Frederik Dietz uit de andere hoek van het appartement. Minke luisterde scherp. Ze stond op en sloop op haar tenen naar de keuken. 'Hoe lang nog?' vroeg ze.

Mevrouw Bowen zat werkeloos aan de tafel en spreidde haar handen, als om te zeggen: *Wie weet?*

'Kunt u de lunch niet aankondigen?'

Mevrouw Bowen maakte een gebaar alsof ze een glas aan haar lippen zette. 'Meneer Wiley vindt het beter om eerst wat sherry in te schenken voor de lunch.'

Minke glimlachte tegen haar. 'Briljant!'

'Ga weer zitten, jongedame. Anders loopt alles nog mis.'

Waarom zei iedereen dat steeds tegen haar?

Na nog eens tien minuten kwam mevrouw Bowen eindelijk overeind, liep weer langs hen heen en stapte de voorkamer binnen om te melden dat het eten werd opgediend. Daarna liep ze heen en weer met allerlei schalen, totdat het geluid van de stemmen aanzwol. Tessa's irritante gegiechel en Dietz' luide, vreugdeloze lach waren duidelijk te herkennen.

Het was een ware beproeving.

De stemmen naderden en de gasten kwamen de eetkamer binnen. Minke kon opstaan zonder dat ze over het scherm heen zichtbaar was. Ze tuurde door een van de kieren, maar haar blik bleef beperkt tot wat zich recht voor haar afspeelde.

'Ja, natuurlijk,' hoorde ze Dietz zeggen. 'De toekomst van de wereld ligt in de ontdekking van nog grotere olievoorraden.'

'En in Comodoro bestaan daar geen regels voor?'

'Ach, nee,' zei Dietz. 'Natuurlijk niet.'

'Wilt u hier gaan zitten, mevrouw Dietz?' zei meneer Wiley, en hij trok haar stoel naar achteren. 'En Frederik, jij zit natuurlijk naast je vrouw.' Voor alle veiligheid hadden ze besloten om meneer en mevrouw Dietz met hun rug naar de keuken te zetten. 'En de kleine Hendrik? Ik zie dat iemand – een goede fee, misschien – al een mooie hoge plek voor je heeft gemaakt en leuke gekleurde balletjes voor je heeft neergelegd.'

'Je zou zelf ook wel gebaat zijn bij zo'n hoge stoel, is het niet, Wiley?' dreunde Dietz.

'Ha, ha,' beaamde meneer Wiley. 'Heel geestig.'

'Wat een lief jongetje,' zei Miss Anne. 'Ik vind het een eer om naast hem te mogen zitten.'

'En ik aan de andere kant, als het mag?' vulde Miss Amanda aan.

De Dietzen hadden allebei een brede rug, en hoe ze ook haar best deed, Minke kon niet langs hen heen kijken om Zef te zien. 'Is hij het?' mimede ze geluidloos tegen Cassian, maar hij schudde zijn hoofd en mimede terug: 'Ik weet het niet!'

Mevrouw Bowen liep heen en weer, langs Minke en Cassian, met de warme gerechten.

'Oesters?' zei Tessa met harde Nederlandse klanken, blijkbaar tegen haar man. 'Je had toch geschreven dat ik geen vis verdraag?'

Dietz gaf een vrije vertaling.

'Mevrouw Bowen,' riep Miss Anna naar de keuken met een gespeelde verontwaardiging die Tessa natuurlijk ontging. Mevrouw Bowen kwam haastig naar de eetkamer. 'Wat doet u nu? U zet onze gasten vis voor, tegen onze uitdrukkelijke instructies in!'

'Waar ik vandaan kom, heeft een vis twee ogen en een grote bek. Een oester is een heel ander dier, zoals u zelf kunt zien, Miss Anne.'

'Ze zegt dat oester geen vis is,' vertaalde Dietz in het kort.

'Zeg dat ze dat bord meteen mee terug neemt,' beval Tessa.

Minke kon zien dat het kind nieuwsgierig zijn hoofd van de ene spreker naar de andere draaide, maar nog altijd had ze hem niet volledig in beeld. Mevrouw Bowen kwam terug met Tessa's bord in haar hand.

'Bedienden!' zei Tessa in het Engels, en ze bromde iets vernietigends.

'Ja, ze is een bezoeking,' gaf Miss Anne toe.

'Maar nog niet half zo erg als onze naaister,' voegde Miss Amanda eraan toe.

'Wat zegt ze?' vroeg Tessa aan haar man.

'Dat ze een naaister hebben.'

'Helemaal voor zich alleen?' vroeg Tessa.

'Louis zou het niet anders willen. Goed gekleed gaan is zo belangrijk, vindt u niet?'

'Frederik, wij moeten ook een naaister in dienst nemen,' zei Tessa in het Hollands.

'Héndrik,' zei meneer Wiley, 'kijk eens wat ik voor je heb.' Minke zag niet wat het was, maar dat gaf niet, want het jongetje lachte, en op dat moment was al haar twijfel verdwenen. Zijn lach! Cassian draaide zich naar haar toe met een brede grijns, die tranen in haar ogen bracht. Ze grepen elkaars hand. Maar volgens de afspraak moesten ze nog wachten, dus deed Minke dat, hoe zwaar het haar ook viel.

'Geweldig, geweldig,' zei Dietz.

'Zeg eens dank u tegen die aardige man,' blafte Tessa in het Hollands tegen Zef.

Er klonk een geluid.

'Hendrik!' riep Tessa. Mevrouw Bowen rende weer langs hen heen. 'Je bent een heel stoute jongen!' foeterde Tessa. Mevrouw Bowen kwam langs met een doekje en rolde met haar ogen.

'Hij is ook zo'n onhandig kind,' zei Tessa. 'Mijn Astrid was veel keuriger dan deze jongen.' Dietz vertaalde dit letterlijk.

Minke moest zich beheersen. Hoe dúrfden ze hem te beledigen? Ze was juist trots dat hij iets gemorst had – wat het ook was.

'Jongens zijn anders,' zei meneer Wiley. 'Dat houdt de wereld in beweging, vindt u niet?'

'Totaal geen manieren,' zei Tessa.

'Als het kind manieren moet leren, mevrouw Dietz,' zei Miss Anne op haar rustige toon, 'is dat dan niet úw taak?'

'Ze vindt dat we hem zelf manieren moeten leren,' vertaalde Dietz. 'Als hij zich niet gedraagt, zegt dat niet veel goeds over ons personeel.'

Minke zag Tessa's gebogen rug toen ze op haar lunch aanviel. Meneer Wiley maakte van de gelegenheid gebruik om te vragen of ze de rectificatie in de krant had gezien. Dietz vertaalde het, en Tessa antwoordde met volle mond dat ze het inderdaad had gelezen, maar dat het stukje op een plek stond waar de belangrijke mensen in New York het nooit zouden zien. Ze vond dat het opnieuw en heel prominent in de societyrubriek moest worden geplaatst, misschien met nog een interview, waar ze, gezien de omstandigheden, wel toe bereid was.

Dietz vertaalde dit als: 'Mijn vrouw was er heel tevreden mee.'

'Excuseer me een moment,' zei meneer Wiley. 'We hebben een speciaal toetje voor Hendrik geregeld. Ik ga even bij mevrouw Bowen kijken.' Met die woorden stond hij op en verscheen achter het scherm. Cassian en Minke volgden hem naar de keuken en lieten de klapdeur achter zich dichtvallen. 'En?' vroeg hij.

'Absoluut,' zei Minke. 'Het is mijn baby.'

'En dat kunt u bevestigen?' vroeg meneer Wiley aan Cassian.

'Ik zou graag ja zeggen, maar ik ben nog steeds niet zeker van mijn zaak. Het is al zo'n tijd geleden sinds ik hem voor het laatst gezien heb.'

'We kunnen geen risico nemen.'

Meneer Wiley liep terug naar de eetkamer. 'Ach,' zei hij tegen Tessa Dietz, 'voordat het toetje komt, wil mevrouw Bowen de jongen even in de keuken hebben om zijn handjes schoon te maken. Nou? Wat denkt u ervan? Mevrouw Bowen is hier de baas. Wij doen allemaal wat zij zegt.'

Mevrouw Bowen, die haar naam hoorde, zeilde weer de eetkamer binnen. Minke nam haar plaats achter het scherm in en tuurde gespannen door de kier toen de huishoudster Zef van zijn stoel tilde. Minke was zo opgewonden dat ze bijna het scherm omgooide in haar haast om mevrouw Bowen naar de keuken te volgen.

Daar nam ze Zef in haar armen en drukte hem stevig tegen zich aan, zodat ze zijn kleine hartje tegen het hare voelde kloppen. Ze stond te snikken, maar probeerde niet te veel geluid te maken. Cassian duwde haar naar haar kamer en deed de deur dicht. Ze gingen op het bed zitten. 'Geloof je het nu?' vroeg ze aan Cassian. Ze kon haar ogen niet van Zefs gezichtje afhouden en overlaadde hem met kussen. Wat was hij veranderd! Zijn bolle wangetjes waren verdwenen, zijn haar was donkerder, en zijn blauwe ogen stonden veel helderder, afwisselend behoedzaam en opgetogen door al die aandacht.

Cassian trok Zefs hemdje omhoog.

Mevrouw Bowen kwam de kamer binnen. 'Nou?' vroeg ze.

'Geen twijfel mogelijk,' zei Cassian.

'Kom mee,' zei mevrouw Bowen.

Tessa en Frederik hadden alleen aandacht voor hun eten en zagen hen niet binnenkomen. Zef riep, waardoor Tessa opkeek. 'Wat nu weer?' Ze draaide zich om en slaakte een verraste kreet. 'Wat stelt dit voor?' riep Dietz.

'Het ziet ernaar uit dat dit kind niet úw zoontje is, mevrouw,' zei meneer Wiley.

'Ach wat, jij pompoenkop!' siste Tessa woedend.

'Tessa.' Cassian sloeg zijn hakken tegen elkaar om hun aandacht te trekken. 'Frederik. Het spel is uit. Wij weten allemaal dat dit kind Jozef DeVries is en niet jullie zoon.'

'Flikker,' mompelde Tessa.

'Laten we vooral kalm blijven,' zei meneer Wiley.

Mevrouw Bowen had zich voor het scherm opgesteld met haar armen over elkaar geslagen en haar mond halfopen.

'Je weet dat hij een pigmentvlek op zijn rug heeft, Tessa,' zei Cassian.

'Hij is van mij,' zei Tessa toonloos.

'Zef?' zei Cassian. Het kind keek meteen om. Hij wist het nog.

Cassian knielde. 'Laten we eens kijken,' zei hij, en hij wilde Zef van Minkes arm tillen.

'Breng onze jassen. Nu!' zei Dietz tegen de zusters Wiley, die geen van beiden aanstalten maakten.

'Je weet dat die vlek daar zit, Tessa,' zei Minke. 'En hij heeft ook een klein litteken op zijn pols. Hier.' Met haar linker wijsvinger wees ze naar de binnenkant van haar rechterpols. 'Misschien was je dat niet eens opgevallen.' Ze pakte Zefs hand. 'Zef, lieverd?'

'Dokter Tredegar hoeft die kenmerken niet eens te controleren, is het wel?' zei meneer Wiley.

'Ik heb mijn baby verloren, Minke,' zei Tessa, en ze huilde dikke krokodillentranen. 'Heb een beetje medelijden. Eerst mijn Astrid, en toen...' Ze zweeg. 'Jij hebt alweer een ander kind. En je zult er nog meer krijgen.'

'Als u niet snel onze jassen brengt, zal ik ze zelf wel halen.' Dietz stond op.

Minke drukte haar neus tegen de kruin van Zefs blonde hoofdje en snoof de zoete geur van haar zoon op, fris maar onmiskenbaar.

Tessa wankelde op haar benen. 'Geef me mijn Hendrik terug,' zei ze tegen Minke, en ze stak haar handen uit. 'We gaan nu weg.'

'Ga zitten, allebei,' zei meneer Wiley. 'Als er een misdrijf is gepleegd, is deze zaak nog lang niet afgedaan.'

'Hoe konden jullie ons zoiets aandoen?' vroeg Minke aan Dietz. Ze viel terug op het Nederlands. 'Zoveel pijn en verdriet.'

Dietz bleef staan. 'Vraag dat maar aan je man.'

Tessa pakte een servetje om het zweet van haar hals te deppen. 'Hij is nu onze zoon. We hebben voor hem betaald. We hebben hem meegenomen naar Amerika en hij heeft onze naam in zijn paspoort staan. Wij hebben hem grootgebracht. Meer hoef ik niet te zeggen.'

'Hoe bedoelt u – dat ik het mijn man moet vragen?' vroeg Minke snel.

'Ik zeg geen woord meer,' zei Dietz.

'Wie hebben jullie betaald, Tessa?'

'Sander, natuurlijk,' zei Tessa.

'Je man is een vreselijke geldwolf,' zei Dietz. 'Dat is al jaren zo, en iedereen weet het. Hij is alleen met Elisabeth getrouwd om haar geld, maar zij heeft haar bezittingen zorgvuldig beschermd. Dat had jij ook moeten doen, dom wicht. Je had je zoontje moeten beschermen.' Hij stapte achter Tessa's stoel en trok hem voor haar terug.

'Allemachtig, kan het ook in het Engels?' viel meneer Wiley hen in de rede.

'Mevrouw Dietz zegt dat ze het kind hebben gekocht, en dat vindt ze een bindende overeenkomst,' legde Cassian uit.

'Niet gekócht!' snauwde Dietz, weer in het Nederlands. 'Er kwam helemaal geen geld aan te pas.'

'Maar dat zei je net zelf.'

'Hij was me het geld schuldig.'

Meneer Wiley gooide vertwijfeld zijn handen in de lucht. 'Hou op met dat Hollands. Laat me die pigmentvlek nou maar zien.'

Minke trok Zefs hemdje omhoog. Ze voelde zich half versuft. De vlek was klein, maar duidelijk herkenbaar: een blauwachtige verkleuring van de huid, vlak boven de heup.

'Meneer en mevrouw Dietz,' zei meneer Wiley. 'Frederik en Tessa. Ik ben bang dat zo'n overeenkomst als u hebt gesloten tegen de wet indruist als de moeder er niet mee instemt. Dit moet door de rechter worden bepaald, na getuigenverklaringen van alle betrokkenen. Mevrouw DeVries verzet zich duidelijk tegen de ontvreemding van haar kind. Ik geloof haar als ze zegt dat de jongen vanaf het strand is ontvoerd. Niet bepaald een wettige adoptie, wel?'

'Ze hebben hem gewoon gestolen!' Minke klemde Zef met een arm tegen zich aan en wees met de wijsvinger van haar andere hand beschuldigend naar Frederik en Tessa.

'Neem hem dan maar. Jezus!' snauwde Dietz in het Hollands. 'Hij heeft ons alleen maar last bezorgd.'

'Nee. Nee!' gilde Tessa.

'Pieps heeft er nooit iets mee te maken gehad, zeker?' vroeg Minke.

'Natuurlijk niet.' Dietz draaide zich om alsof hij wilde vertrekken.

'Wie dan wel?'

'Een paar jongens.'

'Vreemd dat het altijd "een paar jongens" zijn. Zo anoniem. Net als die overvallers van Cassian.' Toen drong het tot haar door. 'Hetzelfde stel, misschien? Dezelfde daders. Het zou me niets verbazen als jij daar ook de hand in had.'

'Moet ik het soms uitleggen? Hier, waar meneer Wiley bij is?' vroeg Dietz.

'Graag,' zei Cassian.

'Meneer de dokter is een homoseksueel,' begon Dietz.

'In het Engels!' beval mevrouw Bowen.

'Ik ken het woord niet in het...'

'Wij hebben hetzelfde woord in het Engels, meneer Dietz,' zei meneer Wiley koeltjes.

'Dat was de reden waarom dokter Tredegar in elkaar werd geslagen,' zei Dietz. 'Dat gebeurt overal, met figuren zoals hij. Addergebroed is het, dat soort mensen.'

Meneer Wiley trok een borstelige wenkbrauw op. 'Is dat zo?'

'Kidnapping is een ernstig misdrijf in dit land,' zei Cassian.

'Wie heeft het over kidnapping?' antwoordde Dietz in het Engels. 'Ze kletst maar wat.'

Minke was over haar woede heen. Nu ze Zef in haar armen hield, kon ze wel huilen van geluk. Tessa had hem veel te warm aangekleed. Minke trok hem zijn jasje en zijn trui uit. Zef lachte toen zijn armpjes weer vrij waren. Hij scheen Tessa al vergeten te zijn en keek geen moment meer naar haar om.

'Minke zal een aanklacht indienen,' zei Cassian. 'Daar kun je op rekenen.'

'Dokter Tredegar,' zei Dietz op neerbuigende toon in het Nederlands, 'dat lijkt me niet verstandig. Het echtpaar DeVries heeft hun zoontje aan Tessa gegeven om voor hem te zorgen omdat ze zelf geen cent meer hadden. Daarna is mevrouw DeVries opeens van gedachten veranderd. En zo zijn er nog talloze andere verklaringen te bedenken. Wij hebben geld genoeg voor een leger advocaten. En dat verhaal over een ontvoering op het strand lijkt me vergezocht. Er is geen enkele getuige, behalve zijzelf. Sterker nog, onze getuigen, de Wileys, hebben geen woord verstaan van wat hier is gezegd.'

'Meneer Dietz, u kent de wet op uitlevering?' vroeg meneer Wiley somber en peinzend. 'Ik ben geen advocaat, maar één ding weet ik wel. Een misdrijf dat in een bepaald land is begaan moet ook in dat land worden berecht. Als mevrouw DeVries een aanklacht indient, wordt u waarschijnlijk uitgezet naar Argentinië. De Argentijnse autoriteiten kunnen u dan vervolgen. En ik heb gehoord dat verdachten soms jaren in de gevangenis op hun proces moeten wachten. Het is daar niet zo'n efficiënt systeem als bij ons.'

'Wat zei hij?' vroeg Tessa.

Minke vertaalde het maar al te graag.

'O, nee,' zei Tessa. 'Ik ga nooit terug. Ik heb helemaal niets verkeerds gedaan.'

'Kop dicht,' zei Dietz.

'Mevrouw Bowen, zou u de politie willen waarschuwen?' vroeg meneer Wiley, en hij draaide zich weer om naar Dietz.

'Je hebt geen idee wie je voor je hebt,' blies Dietz. 'Kom, Tessa.' En het tweetal verdween uit de eetkamer. De anderen hoorden hen nog ruziën in de hal. Toen rammelde de deur van de lift en was het stil.

'Wat zei ze eigenlijk tegen me?' vroeg meneer Wiley. 'Die vrouw van Dietz? Ze schold me uit in het Hollands. Ik wil weten wat ze zei.'

Minke keek beschaamd naar Cassian. 'Ze noemde u een pompoenkop.'

Meneer Wiley lachte. 'Heel origineel.'

'Wat gebeurt er nu?' vroeg Cassian.

'Morgen krijgt hij bezoek van de politie.'

'Is dat waar, van die uitlevering?' vroeg Cassian.

Meneer Wiley haalde zijn schouders op. 'Maar was het niet geweldig om te zien hoe ze schrokken?'

# 24

Miss Anne, die steeds van een goede afloop was uitgegaan, had al een kinderbedje voor Zef gevonden, en speelgoed voor allebei de kinderen, waar ze mee op de proppen kwam toen de Dietzen waren vertrokken. Iedereen dromde samen in Minkes kleine appartement achter de keuken om te zien hoe de kinderen elkaar voor het eerst ontmoetten. Elly, net wakker uit haar slaapje, keek van het ene gezicht naar het andere, ernstig als altijd. Minke zat op bed met Zef op haar schoot, en de twee kinderen leken elkaar een eeuwigheid aan te staren. Minke bedacht dat Elly misschien wel het eerste kind was waarmee Zef ooit in aanraking was gekomen. Hij nam haar aandachtig op. Elly keek met haar grote bruine ogen, en haar kleine engelenmondje hing half open. De twee kinderen schenen niet te weten wat ze van elkaar moesten denken. Ten slotte kwam Elly onzeker overeind en stak een mollig handje uit naar Zef, die zich van Minkes schoot worstelde, naar zijn zusje toe liep en zich voorover boog, zodat ze op gelijke hoogte met elkaar waren. Weer namen ze alle tijd om elkaar aan te kijken, totdat Elly de ban verbrak door haar broertje bij de neus te grijpen, waardoor hij in giechelen uitbarstte – en zij van de weeromstuit ook.

Minke had nog iets te doen wat geen uitstel kon lijden. Ze zou geen rust hebben tot het achter de rug was, en hoewel het haar de grootste moeite kostte om Zef en Elly bij Cassian achter te laten, troostte ze zichzelf met de gedachte hoeveel gelukkige jaren ze nog voor de boeg hadden. Voordat ze vertrok, vroeg ze Cassian de politie te waarschuwen als ze binnen een uur niet terug zou zijn.

Ze nam dezelfde weg terug naar Sanders appartement die ze naar de Wileys had gevolgd op de dag van haar vertrek – een heel leven geleden, leek het nu. En ze ging op hetzelfde bankje in Central Park zitten waar ze die dag gezeten had. Ze moest even alles op een rijtje zetten, al haar eendjes in het gelid, zoals ze hier in Amerika zeiden.

Ze liep naar het noorden over Broadway en toen naar het westen door 121st Street. Er was niets veranderd in Sander en Fenna's buurt. Vrouwen zaten nog steeds op de stoep, kijkend naar de spelende kinderen, terwijl ze zich warmden aan kleine vuurpotten. De mannen in de kroeg volgden wat er gebeurde op straat, met dezelfde doffe blik in hun ogen. Minke opende de voordeur van het gebouw en beklom de trappen. Toen ze aanklopte, hoorde ze een baby huilen. Woodrow.

Fenna snauwde iets tegen de baby. Het duurde even voordat ze naar de deur kwam. Ze zag er afgetobd uit, met zware borsten van het zogen. Toen ze Minke zag, aarzelde ze en deed een stap opzij. Het appartement was nog net zo als de vorige keer, alleen stonk het er nu naar ranzige melk en vieze luiers.

'Is Sander thuis?'

'Wat moet je?'

'Ik wil Sander spreken.'

Woodrow begon te krijsen, maar Fenna was duidelijk niet van plan er iets aan te doen. Minke tilde het kind uit zijn provisorische bedje. Hij was een mooie baby, met honingkleurig haar en blauwe ogen. 'Hij moet worden verschoond. Geef me iets.' Fenna verdween en kwam terug met een opgevouwen lap. Ze was te moe om tegen te sputteren en opgelucht dat iemand, al was het Minke, haar kon helpen met het kind.

'Waar kom je voor?' vroeg Fenna.

Dat had Minke haar al verteld en ze had geen zin het te herhalen.

'Waar woon je trouwens? Mama heeft me geschreven. Je had haar niet verteld waar je woonde. Ze denken dat je je ergens voor schaamt.'

'Ja. Hiervoor.' Minke knikte naar de baby en het appartement.

'Als je Sander had willen houden, had je voor hem moeten vechten. Dat zegt iedereen. Je hebt het zonder slag of stoot opgegeven.'

Minke voelde zich als een tennisbal, heen weer geslagen over een net dat de scheiding vormde tussen haar nieuwe geluk met Zef en haar woede om wat Sander had gedaan. Het was als de tegenstelling tussen de poorten van de hel en de Hof van Eden. Ze vond het eigenlijk wel grappig wat Fenna zei. 'Je had zeker graag gezien dat ik voor hem zou hebben gevochten en had gewonnen? Dan was je nu beter af geweest.'

Fenna liet zich op de stoel zakken. 'Er is geen geld. Werken doet hij nauwelijks meer. Hij zuipt alleen maar.'

'Arme jij. Arme, onschuldige Fenna.' Toen ze de baby had verschoond, tilde ze hem op haar schouder. 'Mama en papa zullen zo trots op je zijn,' zei Minke. Het sarcasme droop van haar woorden.

'Ze weten dit niet.'

'Dus jíj bent degene die zich schaamt.'

'Ze zijn allemaal hetzelfde in dit land,' snauwde Fenna. 'Vraag het maar aan die vrouwen daar buiten.' Ze knikte naar de straat. 'Het is het één of het ander. Mensen laten hun familie overkomen of ze zien ze nooit meer terug. Ik zal onze familie niet meer zien. Ze hebben ons allebei de deur uitgezet, weet je. Twee monden minder om te voeden.'

'Ik zie ze ooit nog wel,' verklaarde Minke.

'Het wordt oorlog. Ze zitten vast.' Fenna fronste toen ze zich iets herinnerde. 'Waar is jóúw baby, eigenlijk?'

'Bij Cassian. Wanneer komt Sander terug?'

'Hij komt en gaat wanneer hij wil.'

Ze cirkelden behoedzaam om elkaar heen en hielden afstand. Minke keek naar Fenna's gebarsten lippen, haar rode gezicht en de bewijzen van haar trieste leven hier. *Je zaait wat je oogst*, dacht ze.

Fenna haalde een zakdoek uit haar decolleté en snoot haar neus. Minke wist dat ze haar zus na vandaag nooit meer zou zien. En hoewel dat een hele stap was, in het besef dat haar kinderen ook Woodrow niet zouden kennen, die zowel een broertje als een neef van hen was, moest ze die prijs toch accepteren. Ze voelde geen minachting voor Fenna. Dat betekende nog enig gevoel. Nee, Fenna had haar ware aard getoond en Minke was niet langer geïnteresseerd. Vreemd dat die beslissing haar zo makkelijk viel, alsof hij haar was geopenbaard.

'Er is iets gebeurd, nietwaar?' zei Fenna.

Minkes vreugde explodeerde als vuurwerk in haar borst.

'Je lacht.'

Ze sloeg haar ogen neer en vroeg nog eens: 'Wanneer komt Sander terug?'

'Geen idee, dat zei ik je al.'

'Cassian zei dat hij werk heeft als chauffeur.'

'Ja, hij bestuurt een auto voor iemand. Elk uur van de dag of de nacht kan er op de deur worden gebonsd en moet hij weg. Na een paar uur komt hij dan weer terug.'

'Ik wacht wel.'

'Ik wil je hier niet.'

Minke haalde haar schouders op.

Fenna hield haar hoofd schuin. 'Ik hoor hem.'

Zware voetstappen naderden door de gang en de deur vloog open. Hij droeg een slordig zwart pak, met te korte mouwen en de kraag van zijn hemd los, zodat zijn bleke borst te zien was. Met ieder ander zou Minke medelijden hebben gehad. Zodra hij haar zag, gleed er een klein lachje over zijn gezicht. 'Zo, ben je eenzaam?' Hij trok zijn jasje uit en gooide het over een haak.

Hij was magerder geworden, en zijn haar en zijn wenkbrauwen werden grijs. Hij liet zich op een stoel bij de tafel zakken, trok zijn schoenen uit en schopte ze in een hoek. 'Haal iets te eten voor me,' zei hij tegen Fenna, die werktuiglijk opstond. Toen ze verdwenen was, draaide hij zijn wijsvinger rond naar Minke. 'Draai je eens om. Ik wil je zien.'

Ze verroerde zich niet.

'Jij je zin.' Hij veegde met de rug van zijn hand over zijn mond. Hoe had ze ooit van hem kunnen houden?

Fenna kwam terug met een kommetje van iets en zette het voor Sander op de tafel. Toen haalde ze Woodrow, die begon te dreinen en ging tegenover Sander zitten om het kind te voeden. Binnen een paar minuten had zich een verwachtingsvolle spanning opgebouwd in de kamer, die bleef hangen, zelfs toen Sander en Fenna aan de maaltijd waren. Minke voelde de druk van de verstrijkende seconden, waarin ze steeds meer de overhand kreeg, ook zonder een woord te zeggen.

Sander moest het ook hebben gevoeld. Hij sloeg met zijn vlakke hand op tafel, zo hard dat Fenna ervan schrok. 'Wat is er, verdomme?' vroeg hij aan Minke. 'Wat kom je doen?'

Ze had zich voorgenomen om kalm te blijven. De hele weg naar het appartement had ze zichzelf op het hart gedrukt niet te gaan schelden en tieren. 'Hoe kón je?'

Hij lachte. 'Hoe kon ik wát?'

'Zef.' Dat veranderde de zaak. Opeens zat iedereen doodstil. Minke wachtte nog even voordat ze vervolgde: 'Ik heb hem gevonden.'

Sander maakte ineens een beweging alsof hij een duw had gekregen van een onzichtbare hand. Fenna zakte nog dieper weg en scheen Woodrow totaal vergeten te zijn. *Ze wist het.* Het kind raakte los van de tepel en protesteerde hongerig.

Maar Sander herstelde zich als de vos die hij was. 'Bewijs het maar. Als je hem hebt gevonden, waar is hij dan?' Hij schoof zijn kom soep van zich af. 'Jij komt hier binnenvallen met zo'n verhaal, na de tragedie die we hebben meegemaakt? Je moest je schamen.'

'Hij is op dit moment bij mij thuis, en in goede gezondheid.'

Woodrow begon nog luider te jammeren, met een rood gezichtje van frustratie. 'Maar ik dacht...' zei Fenna tegen Sander.

'Wat dacht je, Fenna?' vroeg Minke.

'Hou toch je mond,' zei Sander tegen Fenna. 'Je zus moet hier weg, ons huis uit.'

'Je zoon is gevonden,' zei Minke. 'Ik dacht dat je blij zou zijn.'

'Dat zou ik ook, als het waar was.'

'Wil je niet weten hóé ik hem heb gevonden, Sander?'

'Wat zegt ze?' vroeg Fenna boven het gehuil van de baby uit.

'Geef jij je kind nou maar de borst,' zei Minke. 'Moet je hem zien.' Het kind zocht naar Fenna's tepel, rood van woede en frustratie. Fenna hees hem weer omhoog en het gejammer stopte.

'Nou?' Minke keek Sander strak in zijn hazelnootbruine ogen en daagde hem uit het eerst zijn blik neer te slaan. Zijn enige protest – dat ze loog – was erbarmelijk. Ze staarden elkaar aan. 'Ik weet alles, Sander.'

'Wat wil je dan?'

'Wat of ik wil?' vroeg ze, en toen nog eens, maar luider: 'Wat of ik wil?'

Hij keek naar de tafel en opende zijn handen. 'Dacht je dat ik iets voor je had?'

Ze ging zitten op de derde stoel aan de tafel en boog zich naar hem toe. 'Ik wil je in de gevangenis zien, dát wil ik. Ik wil je ogen uit je kop krabben met mijn blote handen. Ik wil je castreren. Ik wil je akelige kop op een paal steken. Wat of ik wil? Is dat het enige wat je te zeggen hebt? Je hebt ons kind verkocht. Mijn baby. Er is een heleboel wat ik wil, Sander.'

Hij bromde wat en haalde zijn schouders op. Alsof de zaak daarmee was afgedaan.

'Je hebt Pieps vermoord, vuile schoft. Terwijl je wist dat hij onschuldig was. Je hebt mijn enige vriend doodgeschoten, gewoon voor je plezier. Je was zo achterlijk, zo jaloers. Je wist niet eens dat je toen al mijn liefde had en dat ik je onvoorwaardelijk trouw was. Ik heb je nooit enige reden gegeven om jaloers te zijn. Je hebt hem alleen vermoord omdat je dat wilde.'

Sander staarde haar uitdrukkingsloos aan.

'Ik zal het hele verhaal aan de politie vertellen. Ontvoering en moord. Als het aan mij ligt, zul je het daglicht nooit meer zien. Je mag wegrotten in de gevangenis, samen met Tessa en Frederik Dietz. En in Zefs hele leven zal ik hem nooit één woord over jou vertellen. Voor hem heb je nooit bestaan. Je bent nu al een geest.'

'En ik? Wat moet er van mij worden?' kermde Fenna. 'En van Woodrow?'

'Jij wist het,' zei Minke toonloos. 'Wat zal ik me nog om jou bekommeren?'

Fenna keek neer op haar kind. 'We hadden het geld nodig. Zonder dat geld zouden we honger hebben geleden.'

'Je moet mij niet beschuldigen,' zei Sander. 'Het was Dietz.'

'Hij heeft Zef niet ontvoerd, Sander. Je hebt mijn kind aan hem gegeven om je gokschulden te voldoen.'

'Ik heb gedaan wat ik doen moest. Voor ons.'

Minke lachte schel en vernietigend. 'Voor ons? Bullebak, smerige boef. Voor ons? Geld, geld, geld!' Ze zocht in haar zak, vond wat muntjes en biljetten en smeet die in zijn richting. Ze raakte hem zo hard dat hij overeind sprong en zijn hand naar haar ophief. De baby huilde door hun geschreeuw. Fenna verzamelde het geld en stak het in haar zak.

'Stuur hem niet naar de gevangenis, Minke,' snikte Fenna. 'Alsjeblieft, alsjeblieft.' Ze wiegde haar baby en huilde. 'Denk aan Woodrow. Als het niet om mij is, dan om de baby.'

'Denk zelf om Woodrow. Bescherm hem zelf maar. Tegen de wereld. Tegen Sander. God, zelfs tegen jezelf. Ik heb meer medelijden met dat kind dan jij beseft. Wat voor leven staat hem te wachten met jullie twee als ouders?'

'Je hebt geen bewijs,' zei Sander. 'Geen enkel bewijs.'

'De hele stad wist van die kidnapping. Zij zullen wel getuigen.'

'Wees wijzer, Minke. Dat is duizenden kilometer hiervandaan.'

Opeens kwam er een nieuwe, verhelderende gedachte bij haar op, die de zaak nog erger maakte. 'Je hebt al die tijd precies geweten waar hij was. Je wist dat hij goed te eten zou hebben, en een dak boven zijn hoofd. Akelige mensen, de Dietzen, maar jij wist dat Zef veilig was. Ik niet. Je zag hoe moeilijk ik het had, maar je deed er niets aan. Geen wonder dat jij zo koel en rustig reageerde. Terwijl ik werd achtervolgd door de gruwelijkste fantasieën.' Ze gaf hem een zet. 'Kijk me aan, smeerlap.'

Buiten loeide een sirene. Autoportieren sloegen dicht en stemmen klonken. Dat ging niet ongemerkt aan Sander voorbij. Hij kwam overeind en keek haastig om. 'Je hebt toch niet...' Hij staarde haar woedend aan.

'Reken maar.'

Ze betastte de halve trouwring in haar zak – vanaf het eerste begin een vreemd contrast tussen glad, gebogen metaal en scherpe randen. Ze haalde hem tevoorschijn en legde hem op tafel.

# Deel vier

## Comodoro Rivadavia,
## Provincie Chubut, Argentinië

*30 december 1920*

# 25

HET IS EEN warme decemberdag als de *Maceió* de haven van Comodoro Rivadavia binnenvaart over een rustige, hemelsblauwe zee. Op de boeg, aan de reling, staan Minke, Zef en Elly tussen de voorste rijen passagiers.

De stad strekt zich voor hen uit, inmiddels twee, nee, drie keer zo groot als toen Minke hier vertrok. Sommige gebouwen zijn drie verdiepingen hoog, en naar het noorden, het zuiden en langs de voet van de Cerro Chenque zijn nieuwe huizen verrezen.

Minke trekt Zef naar achteren als hij zich te ver over de reling buigt. Met zijn acht jaren is hij nergens bang voor. Elly, veel voorzichtiger, zoekt de bescherming van haar moeder, maar haar bruine ogen glinsteren van opwinding.

'Met Nieuwjaar gaan we zwemmen in zee,' belooft Minke, en ze turen allemaal naar het water, dat zo helder is dat ze de bodem kunnen zien. Na tien dagen op zee heeft de zon al kleur gebracht op hun bleke stadsgezichten. Zefs haar is witter geworden en dat van Elly vertoont honinggouden strepen.

Ze behoren tot de laatsten die in de sloep stappen en naar de kust worden gebracht, waar wagens worden geladen met goederen, hout, kisten en vaten – een vertrouwd tafereel, maar op een veel grotere schaal dan vroeger. Kinderen doen spelletjes op het strand. Ze blijven even staan om Zef en Elly met belangstelling op te nemen. Elly en Zef kijken terug.

Minke beseft dat ze op exact dezelfde plaats op het strand zijn aangekomen waar Zef ooit werd ontvoerd. Ze houdt haar pas in. Zef en Elly vinden het niet erg om ook te blijven staan en hun nieuwe omgeving in zich op te nemen. Minke heeft het moment van Zefs ontvoering al zo dikwijls opnieuw beleefd dat ze verwacht elke centimeter, elke korrel zand, te herkennen. Maar het is veranderd. Het zand, aangestampt door alle activiteiten van de laatste jaren, is net zo hard als een straat in New York City. Zware kettingen voor het takelen van goederen zijn nu permanent in de kademuur verankerd en lopen helemaal over het zand naar het water. Minke is terug in een wereld die haar ooit vertrouwd was maar nu voor haar verloren lijkt.

Ze pakt de kinderen weer bij de hand en loopt de helling op naar de kade, in de richting van de San Martinstraat en de Almacén. Hier hangt alles van af. Dit moet ze achter de rug hebben voordat ze iets anders kan doen. Als dit niet lukt, zijn ze kansloos.

De winkel is nauwelijks terug te vinden tussen al die andere gebouwen. Het bord, waarop ooit met ruwe zwarte stokjes de naam gespeld was, heeft plaatsgemaakt voor een geschilderd naambordje in blauw en geel, boven de straat, met de eenvoudige aanduiding ALMACÉN.

Binnen is de winkel nog te herkennen, met enige moeite. Het assortiment kan nu wedijveren met dat van de winkels in New York. De kasten reiken tot aan het plafond. Langs de hele muur loopt een balkon, dat Minke doet denken aan de grote zaal van Ellis Island. Het vervangt de rollende ladders die Bertinat ooit gebruikte om bij de hoogste planken te komen. Er zijn Goodyear-banden te koop, maar ook Singer-naaimachines, sigaretten en camera's. En het is er druk met klanten. Minkes blik glijdt over de gezichten. Sommige komen haar bekend voor, maar ze ziet niemand die ze werkelijk kent. Links liggen de stoffen, nog net als vroeger, maar nu in een veel grotere hoeveelheid, met meer variatie, meer kleuren, meer weefsels. Klossen met lint nemen een hele plank in beslag.

Ze ontdekt Bertinat op het balkon, waar hij net een rol stof tevoorschijn haalt. Als hij haar ziet, blijft hij stokstijf staan en bloost. Zijn haar is grijs geworden bij de slapen. 'Señora?' zegt hij, met een blik op haar en de kinderen. Het is zeven jaar geleden.

'Señor,' antwoordt Minke. '*Es bueno volver a verte.*' De kinderen kijken verbaasd als ze hun moeder een vreemde taal horen spreken. 'Het is fijn u weer te zien.'

Bertinat legt de rol stof terug, verdwijnt van het balkon en komt even later met een glimlach op haar toe. In rap Spaans begint hij tegen haar te praten. Hij is zo blij haar te zien. Wat een verrassing. Is alles goed met haar? Enzovoort, enzovoort. Hij heeft zeker aandacht voor de kinderen, vooral voor Zef, en ze weet dat hij zich de ontvoering herinnert. Hij zal verbaasd zijn, maar hij is te beleefd om ernaar te vragen, uit angst haar in verlegenheid te brengen. Elly drukt zich tegen Minke aan en volgt elk detail van de ontmoeting. Zef bekijkt een glimmende verrekijker op een naburige toonbank.

'Kunnen we onder vier ogen spreken?' vraagt ze.

'*Sí, sí.*' Bertinat neemt hen mee naar een achterkamertje waar dozen en kisten vol koopwaar staan opgestapeld. Minke heeft zichzelf en de kinderen gekleed voor dit moment. Alles wat ze draagt heeft ze zelf gemaakt, bedoeld om haar vakmanschap te demonstreren. 'Señor, mag ik u laten zien wat ik in Amerika heb geleerd?' Ze steekt haar pols uit en wijst op de manchet. 'Ziet u hoe fijn deze steekjes zijn? Bijna onzichtbaar.' Bertinat inspecteert het naaiwerk en knikt goedkeurend. Zef trekt zijn zomerjasje uit en ze laat Bertinat de binnen- en de buitenkant zien, de afwerking van de zomen en de lastige snit. Bertinat heeft verstand van stoffen en van naaiwerk. Hij zegt niets, maar hij kijkt bijzonder geïnteresseerd. Een glimlach glijdt over zijn gezicht als ze hem de knoopsgaten toont, niet alleen gestikt, maar afgewerkt met stof, en als finale de golvende zoom van haar eigen jurk en die van Elly, waarvan de patronen perfect op elkaar aansluiten.

'Het is prachtig werk,' zegt hij.

'Ik wil een overeenkomst voorstellen, señor. Een samenwerking.' Als hij een kleine werkplek voor haar heeft in de winkel, zal zij zich bewijzen als de beste naaister van de hele provincie Chubut. En van haar kant wil ze hem tien procent betalen van wat ze verdient.

Meneer Wiley heeft haar verteld dat zulke overeenkomsten heel gebruikelijk zijn in de grote warenhuizen van New York. Hij raadde haar dringend aan om zich als zelfstandig onderneemster te vestigen en niet in loondienst te gaan. En hij liet haar beloven dat ze zich niet in haar eentje in een kamertje zou begraven om verstelwerk voor anderen te doen, maar dat ze haar talenten tentoon zou stellen.

Bertinat glimlacht breed. Hij ziet alleen maar voordelen in het plan. Meneer Wiley had haar ook verzekerd dat de man wel gek zou zijn om zo'n aanbod, waarbij hij niets te verliezen had, af te slaan.

'Dan zal ik maandag beginnen,' zegt Minke.

Net als de Almacén heeft ook het Nueva Hotel de la Explotación del Petróleo inmiddels concurrentie gekregen. In de buurt staan nu twee nieuwere, bakstenen hotels die er welvarender uitzien, met auto's voor de deur. Minke opent de deur van het hotel en voelt zich bijna overrompeld door een bekend aroma – de geur van mannen, sigarenrook en gebraden vlees. Ze heeft dit gevoel wel verwacht, om in twee werelden tegelijk te zijn, achter elke bocht twee tegenstrijdige emoties tegen te komen: haar heerlijke herinneringen aan dat jaar in Comodoro en het gebroken hart dat erop volgde.

Hun tassen, waarin ze al hun bezittingen met zich mee dragen, zijn naar het hotel gebracht en staan in een hoek van de lobby. Ze bruist van energie en de kracht van haar eigen moed.

Nadat ze Zef had teruggevonden, heeft ze een prettig leven geleid met de kinderen in New York. De Wileys zijn goed voor hen geweest. Maar Zef was rusteloos en had veel meer nodig om zijn belangstelling levendig te houden. Elly was tevreden met haar rustige leventje in de naaikamer – veel te tevreden. Ze werden kinderen van New York, die te veel in de keuken en het kleine appartement van hun moeder rondhingen. New York was niet de stad om haar kinderen groot te brengen. Ze had het zoveel beter meegemaakt. Comodoro was haar geschenk aan hen.

---

De obers in de bar van het Explotación dragen frisse witte schorten en zwarte jasjes tot over hun heupen. Minke komt binnen met opgeheven hoofd. Borst vooruit. Mensen kijken naar haar en gaan weer door met hun gesprekken. Met de kinderen voor zich uit zoekt ze haar weg naar Meduño, die flink is uitgedijd. Zijn gezicht lijkt wel een kaneelkleurige ballon. Hij zit bij de kassa, met zijn handen in zijn zakken, terwijl hij het personeel dirigeert met een hoofdknik of een blik.

'Señor Meduño, herinnert u zich mij nog? Ik ben Minke De-Vries.'

'*Si,*' zegt hij. Zijn gezicht staat kalm, maar zijn ogen glinsteren belangstellend. Ze gaan van haar gezicht naar de kinderen. Meduño was altijd al slim. Hij is haar niet vergeten. Op een onzichtbaar teken duiken twee obers op, die het tafeltje dekken dat vroeger Minkes vaste plek was – misschien hetzelfde tafeltje waaraan Sander zijn zoon en hun leven in Comodoro heeft vergokt. Meduño zelf trekt drie stoelen bij en laat zijn forse gestalte op de vierde zakken. Hij spreidt zijn handen en rolt met zijn ogen naar het plafond. Ze was vergeten dat de man zo melodramatisch kan zijn. 'Je bent teruggekomen voor een bezoekje,' zegt hij.

'Nee. Om hier te wonen,' antwoordt ze.

'*Magnífico.*' Hij tuurt weer naar de kinderen en zijn blik blijft rusten op Zef. Dan telt hij op zijn vingers en trekt een gezicht alsof hij zeggen wil: *Kan dit het kind zijn?*

'*Sí,*' zegt ze snel, voordat hij nog meer vragen kan stellen. Meduño is niet zo subtiel als Bertinat. Meneer Wiley heeft haar gewaarschuwd dat Zef en Elly als kinderen van een harteloze crimineel zullen worden gezien als ze te veel over Sanders schandelijke gedrag vertelt. En Cassian herinnerde haar aan wat hij al die jaren geleden aan boord van de *Frisia* had gezegd – dat de waarheid een combinatie is van wat je zegt en wat je weglaat. Er bestaat niet één absolute waarheid voor iedereen. 'Vertel wat openbaar is,' zei hij, 'maar niet wat je als privé beschouwt.'

'Mijn zoon is teruggevonden onder de zorgen van Frederik en Tessa Dietz,' is alles wat ze zegt, en ze werpt hem een waarschuwende blik toe, die zoveel betekent als: *Laat de zaak ver-*

*der rusten.* 'Gezond en wel,' voegt ze er nog aan toe. Dan haalt ze wat geld uit haar portemonnee. 'We willen graag een kamer.'

Meduño neemt het geld aan, een beetje afwezig. Hij kijkt nog steeds naar Zef. Maar Minke legt een vinger tegen haar lippen als hij nog iets wil zeggen, nog meer wil vragen. Het nieuws zal zich toch wel als een lopend vuurtje verspreiden.

De volgende dag moet er van alles worden gedaan. Ze schrijft de kinderen in bij Escuela No. 24, een stevig bakstenen gebouw waar ooit de bakkerij was ondergebracht. De school heeft veertig leerlingen, verdeeld over de klassen één tot en met tien. Zef en Elly staan hand in hand voor een non, die hun vragen stelt in het Spaans. Minke antwoordt voor hen. Ze zijn acht en zeven, zegt ze, en ze hebben op school gezeten in New York. Ze spreken vloeiend Engels en Nederlands, dus zullen ze het Spaans ook snel onder de knie krijgen. De non woont nog maar pas in Comodoro. Misschien behoort ze wel tot de orde van pater Bahlow en de nonnen van de *Frisia*.

Minke neemt hen mee naar het huis waar ze allebei zijn geboren. Ze bekijken het vanaf de straat. Het dak wordt niet langer met stenen op zijn plaats gehouden om te voorkomen dat het wegwaait. De nieuwe bewoners hebben het keurig vastgespijkerd. En voor het huis zijn bloemen geplant. Minke neemt de kinderen weer bij de hand, en ze lopen naar de Cerro Chenque. Daar rennen Zef en Elly voor haar uit. Ze staan al een tijdje op de top als Minke ook boven komt.

'Vroeger was het heel anders,' zegt ze. Maar kinderen zijn alleen geïnteresseerd in nu, niet in vroeger. Ze vinden het spannend om hun school te zien vanaf de Cerro, het hotel waar ze hebben geslapen, en de *Maceió*, die nog altijd in de haven ligt.

En nu zien ze ook hoe al die verschillende elementen met elkaar samenhangen. Minke wijst naar wat er nog over is van de *obras*. 'Die heeft oom Cassian helemaal zelf gebouwd,' zegt ze. De kinderen kijken, maar alleen omdat ze de naam van hun oom horen, op wie ze zo gesteld zijn. Want veel is er niet te zien. De *obras* is een overwoekerde puinhoop, waar onkruid wappert in de wind. Het huis en de werkplaats zijn ingestort. 'En dat...' – ze wijst naar het uitgestrekte olieboorterrein, met vier groepen barakken en een indrukwekkend stenen kantoor met groene klimop – 'was allemaal ooit van meneer Dietz.'

Die naam kennen ze ook, en ze turen geïnteresseerd omlaag. Ze weten dat Zef door meneer Dietz was ontvoerd en een jaar bij hem en zijn vrouw heeft gewoond voordat Minke hem terugvond. Wat ze niet weten is dat Tessa daarna een zenuwinzinking heeft gekregen en naar een inrichting ging. En dat er een rechtszaak tegen hun vader en Dietz is geweest, die op niets uitliep. Dietz had de beste advocaten ingehuurd om hem te verdedigen en uitlevering te voorkomen. Zijn argument? Dat hij en zijn vrouw Zef in huis hadden genomen met de volledige instemming van Sander en Minke, en dat er nooit geld aan te pas was gekomen. Ongelooflijk. Zijn advocaat verklaarde dat Minke en Sander blij waren dat ze hun zoon konden weggeven, omdat ze in grote problemen waren geraakt toen de *obras* failliet ging na de overval op dokter Tredegar. Kidnapping? Belachelijk!

Uiteindelijk werd de zaak geseponeerd.

En Sander? Minke weet alleen dat Fenna en Sander werk hebben gevonden als kokkin en chauffeur voor een groot huishouden aan Fifth Avenue. Woodrow, inmiddels zes, gaat naar de Lillie Devereaux Blake School, Public School 6, die een uitstekende reputatie heeft.

Iets in de verte trekt Elly's aandacht. 'Mama!' roept ze. Er is een stofwolk te zien, opgeworpen door de hoeven van een groep naderende paarden. Zoals Minke al had gehoopt, hoewel ze niets tegen de kinderen heeft gezegd om hen niet teleur te stellen, rijden de gaucho's vaak naar Comodoro als er een schip is aangekomen.

Tegen de tijd dat ze de Cerro weer zijn afgedaald en teruggelopen naar het centrum van de stad, zijn de wedstrijden in de San Martinstraat al begonnen. Overal staan mensen te kijken – honderden, lijkt het wel, en voornamelijk buitenlanders, net als zij. De gaucho's houden paardenrennen op hun geweldige pony's. De grond dreunt onder hun hoeven als de glanzende flanken van de prachtige paarden voorbij flitsen, in een waas van rood en zilver. De mannen rijden om het hardst van de Almacén tot aan de rand van de stad. Dit is precies het spektakel waarop Minke heeft gehoopt, de lijm die haar kinderen onlosmakelijk aan deze stad zal hechten. Ze moet Zef tegenhouden; hij is zo in de ban van het schouwspel dat hij twee keer gevaarlijk dicht naar de paarden toe stapt. Niets in New York is hiermee te vergelijken. De zon prijkt nog altijd boven de horizon en het publiek blijft tot lang na het etensuur staan kijken. Het is al laat als Minke, Zef en Elly zich uitgeput op hun bedden in het Explotación laten vallen.

De volgende morgen zijn Zef en Elly alweer wakker bij het krieken van de dag, en sjorren hun moeder aan de arm. 'We willen zwemmen in zee,' zegt Zef. 'Dat had je beloofd.'

Zo is het. En dus lopen ze de stad door, op weg naar het water. Alles is in diepe rust, vanochtend.

Minke spreidt een deken uit op een stil plekje. De kinderen spelen en Minke komt naast hen staan, in het heerlijke groene water, met haar rokken tot aan haar kuiten opgetrokken. De kinderen hebben ooit gezwommen op Coney Island in New York en kunnen niet geloven dat dit dezelfde oceaan is. De golven zijn zoveel kalmer, het water is zoveel warmer.

Minke voelt de trilling van naderende paardenhoeven en haar hart slaat over. Ze roept de kinderen bij zich om hen bij de hand te houden totdat het gevaar voorbij is. Maar de paarden vertragen hun tempo en komen stapvoets dichterbij. De ruiter is een gaucho, bijna vierkant van gestalte, sterk als een os, met brede schouders en een imposante borstkas. Hij heeft zijn platte, ronde hoed diep over zijn voorhoofd getrokken en trekt een lijn met zeven of acht paarden achter zich aan.

De gaucho houdt halt en neemt haar onderzoekend op. '*¿Te acuerdas de mí?*' Kent u me nog?

Ze kan haar geluk niet op. 'Goyo!'

Hij lacht zijn grote witte tanden bloot. Zef kijkt met open mond toe, verbijsterd dat zijn moeder zo iemand kent. Minke is dolblij.

'Ik heb u gisteren gezien. En vandaag zag ik u naar het water lopen. Daarom ben ik u gevolgd.'

'Ik hoopte zo dat ik je terug zou zien,' zegt ze.

'En ik zie dat u hem ook gevonden hebt,' zegt Goyo met een knikje van zijn hoed naar Zef. Het is een constatering, verder niets.

'Jij kreeg de schuld,' zegt ze. 'Het doet me nog altijd pijn dat je zo onrechtvaardig behandeld bent.'

Goyo glimlacht en haalt zijn schouders op. 'Het is lang geleden. Wat doet het ertoe?' zegt hij.

'En ik heb verdriet om onze vriend Pieps,' zegt ze. Tot haar verbazing gaat ze zonder moeite over in het Spaans. 'Het was allemaal een leugen. Maar het heeft hem zijn leven gekost.'

'Wat?' Goyo fronst. Minke probeert het nog eens, in de veronderstelling dat ze het niet goed zegt, maar hij valt haar in de rede. 'Ik hoor u wel.' Hij gooit zijn hoofd in zijn nek en lacht.

Ze vraagt zich af of zijn lach de manier is waarop de gaucho's de doden eren.

'Hij is niet dood,' zegt Goyo, alsof dat toch duidelijk is. En hij lacht nog eens.

'*Mi esposo le disparó*.' Mijn man heeft hem neergeschoten.

'*Es verdad*.' Dat is waar. Goyo spreidt zijn enorme handen in een gebaar van instemming. 'Maar Pieps is niet dood.'

Ze laat het hem nog een paar keer herhalen.

Hij komt naast haar zitten op de deken, met de teugels van het voorste paard in zijn handen. Elly valt op haar knieën in het zand naast Minke en staart Goyo aan als hij Minke vertelt wat er is gebeurd. Zef kan zijn ogen niet losmaken van Goyo's paarden. Hij strekt een hand uit naar het voorste dier.

Pieps was inderdaad neergeschoten en achtergelaten om te sterven, als voer voor de raven. Hij lag daar een tijdje te bloeden, totdat een van de vilders hem kwam zoeken en hem naar huis droeg. Het nieuws verspreidde zich onder de gaucho's, die een *curandero*, een genezer, haalden om Pieps te behandelen. Na een tijdje kwam Pieps zijn verwondingen te boven. Met een snelle blik naar de kinderen, vervolgt Goyo: 'Ik ben nog naar Comodoro gekomen om uw man te doden, señora, maar hij was al vertrokken.'

'Hij is mijn man niet meer,' zegt ze.

'Kom,' zegt hij. 'Dan gaan we.'

Hij helpt haar op een van de paarden en zet Elly voor haar neer. Ze verwacht dat hij Zef bij zich zal nemen, maar in plaats daarvan mag Zef zelf een paard uitkiezen. Zef kijkt snel naar Minke, grijnst, en wijst naar een gevlekte pony.

'*Bueno*,' zegt Goyo, en hij geeft Zef een opstapje. Het kind stapt zonder zadel op het paard, grijpt zich aan de manen vast, en stapvoets gaan ze op weg naar de vilders. Als ze naderbij komen, snuift Minke de lang vergeten, beetje zoetige lucht op, die een golf van herinneringen bij haar oproept, zo hevig dat de tranen in haar ogen springen.

'*Hola!* Pieps!' roept Goyo als ze er zijn.

Een man verschijnt in de deuropening van de werkplaats voor de vilders, een man met blond haar en een gladgeschoren gezicht. Hij fronst een beetje verbaasd als hij hen ziet. Goyo zegt iets tegen hem in rap Spaans en Pieps geeft antwoord. De twee mannen lachen. Minke hoort haar naam en vangt een paar woorden op. Pieps zwijgt een paar seconden als hij van haar naar de kinderen kijkt, en terug. Dan stapt hij naar voren om haar beter te kunnen zien en tilt zijn hand op om zijn ogen te beschutten tegen de zon. Zijn gezicht is zongebruind en hij draagt een wit hemd met een open kraag. Met zijn ene hand strijkt hij zijn haar naar achteren. Dan zegt hij in hun eigen taal hoe blij hij is haar terug te zien.

Zef en Elly kijken verbaasd op bij het eerste Nederlands dat ze hier te horen krijgen.

Minke is sprakeloos. Ze wil zoveel zeggen, maar ze weet niet hoe. Pieps gooit zijn hoofd in zijn nek en lacht.

'Dus jullie komen hier wonen,' zegt hij in het Hollands tegen Zef en Elly.

'Ja, meneer,' zegt Zef.

Pieps maakt een paard uit Goyo's stoet los, loopt ermee naar een stijgblok en stapt op. 'Kom mee!' zegt hij tegen Zef, met een knipoog naar Minke, en hij komt naast de jongen rijden. 'Dan zal ik je leren paardrijden, zoals ik dat ooit je moeder heb geleerd.'

# Woord van dank

BRUID VAN ARGENTINIË is heel globaal gebaseerd op gebeurtenissen uit het leven van mijn grootmoeder van moederskant. Zij werd geboren in Nederland, maar vertrok als heel jonge bruid, eerst naar Comodoro Rivadavia in Argentinië, en later naar New York. Mijn dank gaat naar degenen die zoveel geografische en huiselijke details uit die tijd wisten in te vullen, aan hen verteld door mijn grootmoeder en overgrootouders. Daarbij dank ik vooral mijn tantes, Winifred Schortman en Tia Baldwin, en mijn achternicht Ada Castro.

Voor de talloze genuanceerde vertalingen naar en vanuit het Nederlands, kon ik rekenen op Jan van der Leij uit Beetgumermolen in Friesland, Nederland. Jan was ook een belangrijke hulp bij het uitzoeken van de familiestamboom en het lokaliseren van de vele huizen waar de familie ooit heeft gewoond. Zijn bijdrage heeft het Nederlandse deel van het verhaal verrijkt.

Een centrale rol in mijn schrijversleven vervullen Bruce Cohen, Leslie Johnson, Terese Karmel, Wally Lamb en Ellen Zahl. Deze uitstekende schrijvers en critici hebben me meer dan twee jaar lang met intelligentie, humor en goede wijn geholpen de ontwikkeling van *Bruid van Argentinië* in goede banen te leiden. Jane Christensen las het manuscript met grote zorgvuldigheid en leverde nuttig commentaar, evenals Doug Anderson en Sari Rosenblatt.

Net als bij *Spreek zacht* en *Perfecte familie* kon ik rekenen op de geweldige Jennifer Walsh en haar gebruikelijke slimme adviezen bij de vormgeving van het verhaal. Amanda Murray was zo vriendelijk het manuscript aan te kopen en met de redactie te beginnen. Kerri Kolen, mijn heel bijzondere nieuwe redacteur, begeleidde het manuscript tot zijn huidige, sterk verbeterde vorm. Dank aan jullie allemaal.

Ten slotte dank ik mijn lieve man, Robert Haskins Funk, die met zijn liefde, steun en wijsheid mijn rots in de branding vormt.

# Leesgids

Wanneer Minke voor het eerst wordt beschreven in het boek, is ze een vijftienjarig meisje uit Enkhuizen. Hoe verandert Minke in de loop van het verhaal? Welke risico's en kansen heeft ze genomen, die ze aan het begin misschien nog niet zou hebben gezien of hebben durven nemen?

Is het de schrijfster gelukt om de lezer zich te laten identificeren met Minke? Op welke punten wel en op welke punten niet? En verandert dat in de loop van het boek en na de beslissingen die Minke neemt?

Als je kijkt naar de band die Minke krijgt met Elisabeth, hoe is die dan ontstaan? Waarom blijft Elisabeths dood Minke toch steeds achtervolgen? Zou ze iets hebben kunnen leren van het huwelijk tussen Sander en Elisabeth?

Hoe is de verhouding van Minke en Sander ten opzichte van de familie Dietz? Wat zijn Minkes eerste gedachten over deze mensen? Denk je dat ze Minke en Sander verantwoordelijk houden voor de dood van hun dochter Astrid en de manier waarop zij begraven is?

Nadat Cassian is aangevallen in Comodoro gaat Minke anders denken over haar gezin en over haar leven. Op welke manier? En hoe werkt deze gebeurtenis als een keerpunt in het boek?

Vergelijk de twee immigratiescènes: Minke arriveert eerst met Sander in Comodoro en daarna reist ze met Cassian naar Ellis Island. Welke verwachtingen had ze bij elke reis? En hoe stelt ze die bij tijdens haar verblijf daar?

Minke denkt na over de tijd die ze samen is geweest met Sander. Ze weet dat er signalen zijn geweest die duiden op zijn zwakke karakter. Welke karaktertrekken en signalen heeft Minke gemist en waarom heeft ze deze, onbewust, genegeerd? Waardoor wordt Sander gedreven?

Beschrijf de relatie tussen Minke en haar zus Fenna. Welke overeenkomsten zijn er en waarin verschillen ze? Wat is Fenna's ware karakter?

*Bruid van Argentinië* eindigt met de terugkeer van Minke en haar kinderen naar Comodoro. Waarom is Minke teruggegaan naar Comodoro terwijl haar kinderen misschien een veiliger toekomst in New York zouden hebben?